To; 정호 & 김은희 집사님

매일 매일의 삶이 주님께 더
가까이 가는 삶이 되길 기도합니다.

From; 황금숙 1/9/16

# 빵만으로는 살 수 없다

# 빵만으로는 살 수 없다

이어령 바이블시학

열림원

이 책에서 인용한 성경 구절은 '개역개정' 한글판,
'The New King James Version' 영문판을 따랐습니다.

'빵만으로는 살 수 없다' 는 완성된 문장처럼 보이지만 그 뒤가 비어 있습니다
빵만으로 살 수 없다면 무엇으로 살아야 하는지 그 빈칸을 찾아 채워줘야만 합니다

# 차례

제3부



제4부

서문

# 떡이냐 빵이냐

말은 입에서 나오는 순간 사라집니다. 조금 전만 해도 내 가슴과 머릿속에 있었던 것인데 몸 밖으로 일단 빠져나오면 네발 달린 말보다 더 빠르게 도망칩니다. 어느새 벌판과 냇물을 지나 산등성이의 구름이 되어 흩어집니다. 때로는 뒤쫓아보지만 그것들은 벌써 다른 사람들의 입에서 입으로 옮겨 다니다가 사막의 낙타, 바다의 돌고래처럼 나와는 아예 무관한 딴 짐승이 되어버립니다.

그래서 글을 씁니다. 말들이 멋대로 새어 나갈까 봐 덫을 놓습니다. 그런데 문자의 덫에 걸린 그 순간, 말들은 생기를 잃고 까무러쳐 버립니다. 맞아요. 말이 기절한 게 바로 글이지요. 그것들을 깨어나게 하려면 문자의 올가미를 풀어 다시 소리치게 하고 그 갈기가 바람에 날릴 수 있도록 해야 합니다.

말하기와 글쓰기. 이렇게 50년 넘게 말과 글의 사이를 오가며 기대와 절망을 되풀이해왔습니다. 말하고 나면 허망하여 글을 썼고, 쓰고 나면 답답해서 말을 했습니다. 대학 강단에서, 방송국 스튜디오에서, 혹은 광장의 청중들 앞에서 줄곧 말을 했습니다. 하지만 내 몸에서 떠난 말들을 더 이상 뒤쫓거나 덫으로 구속할 생각은 하지 않았습니다. 그래서 대학 강의를 책으로 엮거나 흑백 시절부터 해온 TV 강연을 글로 정리해본 적이 거의 없습니다.

그런데 신기한 일입니다. 2007년 CTS에서 강연한 '빵만으로는 살 수 없다'의 말들은 달아나기만 하는 낙타도, 돌고래도 아니었습니다. 양들처럼 내 곁을 줄곧 따라다니며 저희들끼리 자유롭게 풀을 뜯으며 성장해온 거지요.

제목 때문이기도 했을 겁니다. '빵만으로는 살 수 없다'는 완성된 문장처럼 보이지만 그 뒤가 비어 있습니다. 빵만으로 살 수 없다면 무엇으로 살아야 하는지 그 빈칸을 찾아 채워줘야만 합니다. 크리스천이 아니라도 그것이 성경에서 나온 말이라는 것쯤은 다 알고 있을 것입니다. 40일 동안 금식한 예수 앞에 마귀가 나타나 이 돌덩어리로 빵을 만들어보라고 합니다. 그때 하신 말씀이 바로 "사람은 빵으로만 살아갈 수 없다"입니다.

그런데 한국말 성경에는 그것이 빵이 아니라 떡이라고 되어 있습니다. 가톨릭 성찬식에서 쓰는 빵도 떡을 가리키는 한자 '병餠'을 써서 '성병聖餠'이라고 하고, 물고기 두 마리와 빵 다섯 덩이로 5천 명을 먹인 기적도 빵이 아닌 보리떡, '오병이어五餠二魚의 기적'이라고 합니다. 그런데, 왜 굳이 빵이라고 하는지 궁금해할 사람이 많을 것입니다.

그렇습니다. 그 말에 답을 찾아보고자 한 것이 바로 이 책을 쓰게 된 동기요, 이유라고 하겠습니다. 책 제목을 '떡만으로는 살 수 없다'고 했다면 어떻게 되었을까? 생각해보십시오. 아마 눈치 없는 아이들 같으면 대뜸 "그야 당근이지요. 어떻게 사람이 떡만 먹고 살아요. 밥을 먹어야지"라고 대꾸할 겁니다. 그렇다면 '떡'이 아니라 '밥'으로 고치는 것이 옳을 겁니다. 그런데 왜 '빵'이라고 했는가. 질문은 여전히 남습니다. 누군가 이 문제를 풀어야 사람들이 성경을 좀 더 가까운 거리에서 느낄 수 있게 될 것입니다. 성경 번역이 잘못되었다는 말이 아닙니다. 히브리 말이나 영어로 된 성경을 아무리 한국말로 잘 옮긴다 해도 어쩔 수 없는 것들이 생겨나게 될 것입니다. 나라와 민족마다 문화와 역사가 다르기 때문이지요.

하지만 성경은 종교 이전에 이 세상 모든 사람들의 시요, 소설이요, 드라마로 존재해왔습니다. 또한 생생한 철학을 담은 생명의 책으로 존재해왔습니다. 성경을 바이블이라고 하는 이유도 그 때문입니다. 영어의 바이블은 그리스 말로 '책'을 뜻하는 '비블로스biblos'에서 나온 말이라고 합니다. 성스럽다聖거나 경전經이라는 뜻이 아닌 그냥 책입니다.

거기 담긴 것이 언어와 문화의 장벽을 넘어 역사의 골짜기를 넘어 모든 이의 손과 가슴에 가 닿을 수 있기 때문이지요. 그러니 왜 '떡'이나 '밥'이 아닌 '빵'인지를 밝힌다면 우리 손이 닿는 아주 가까운 곳에 진짜 성경 속 이야기가 펼쳐지게 될 것입니다. 하나의 암호처럼 생소한 아이콘으로 우리 앞에 가까이하기 어려운 경건함으로만 존재하던 그 책이 기독교를 믿든 안 믿든 모든 사람들의 '책'으로 아주 친한 모습으로 다가오게 될 것입니다.

나는 그동안 국문학 교수로서 학생들과 많은 문학작품들을 읽어왔습니다. 기호학으로 텍스트 분석하는 방법도 가르쳐주었지요. 신학이나 교리는 잘 몰라도 문학으로 읽는 성경, 생활로 읽는 성경이라면 내가 거들 수 있는 작은 몫이 있을지 모른다는 생각이 들었습니다. 문학적 레토릭과 상상력, 그리고 문화적 접근을 통해 빵과 밥과 떡 사이의 거리를 좁혀줄 수 있을지도 모른다고 생각했습니다. 비유 뒤에 숨은 문화를 알고 그 차이를 극복해 땅끝까지 가면 논밭에서 일하는 농부들의 후예들도 성경 속 유목민들이 건넜던 저 광야의 바람 소리를 들을 수 있을 것입니다. 성경의 언어들이 얼마나 아름답고 눈물겹고 황홀한 것인지를 직접 느낄 수 있을 것입니다.

신학神學에서 'ㄴ' 받침 하나만 빼면 시학詩學이 되지 않습니까 시를 읽듯이 소설을 읽듯이 성경을 읽으면 어렵던 말들이 나에게 더 가까이 다가올 것입니다. 그래서 믿는 사람이나 믿지 않는 사람이나 다 같이 읽을 수 있는 성경, 우리가 쓰러졌다 일어서는 법과 미움을 넘어서는 사랑의 수사법과 등 돌린 사람을 포옹하는 너그러운 몸짓이 무엇인지 말할 수 있게 될 것입니다. 그래서 내일의 식탁에는 우리의 배를 불리는 밥만이 아니라, 빵만이 아니라 우리의 눈과 마음까지 환하게 밝혀줄 참으로 눈부신 햇살이 가득 차게 될 것입니다.

이어령

# 제1부

하나님을 떠난 인간, 죄를 짓고 에덴을 떠난 인간은

눈물 없이는 빵을 먹지 못합니다.

가시덤불과 엉겅퀴의 땅을 갈아 밭을 만드는 땀 없이는,

노동 없이는 한시도 이 지상에서 살아갈 수 없는 것이

죄를 짊어지고 살아가야 할 인간의 모습이지요.

# 1

## 꽃이 밥 먹여주느냐

양식을 거두기에도 넉넉지 않을 땅에 꽃을 심는 사람이 있습니다. 허기진 배를 한 대접 물로 달래면서도 시를 쓰는 사람이 있습니다. 어떤 이들은 노래 부르고 사랑을 하고 꿈을 꿉니다. 그때 누군가 옆에서 심술궂게 말합니다. "꽃이 밥 먹여주냐." "시가 밥 먹여주냐." 그 순간 꿈은 유리그릇처럼 쨍그랑 소리를 내고 깨집니다. 작은 희망에 힘이 솟던 몸은 바늘에 찔린 풍선처럼 순식간에 오그라들고 맙니다.

얼마나 많은 사람들이 '밥'이라는 말 한마디에 풀이 죽고 기가 죽어 무릎을 꿇습니까. 이때 밥이라는 건 그냥 밥이 아니라 우리가 현실이라고 부르는 것, 물질이라고 부르는 것, 없으면 한시도 살아갈 수 없는 의식주의 모든 것을 일컫습니다. 생존 0순위의 키워드죠. 경제적 동물이라고 불렸던 일본인들에게는 오래전부터 "하나요리당고

はなよりだんご"라는 속담이 전해져옵니다. '꽃보다 경단' 이라는 뜻이니 꽃이 밥 먹여주느냐는 말에 인감도장을 찍어주는 셈이지요.

## 꽃과 함께 묻힌 뼈

그러나 사람들은 결코 밥만으로 살아가는 존재가 아닙니다. 원숭이와 다를 게 없는 네안데르탈인들이 어쩌면 현생 인류의 조상일지도 모른다는 생각이 자꾸 드는 것도 그 때문입니다. 오늘의 이라크 북부 자그로스 산맥의 샤니다르Shanidar 유적에서는 약 6만 년 전 것으로 보이는 한 인골이 발견되었는데, 그 주변에서 꽃가루가 발굴되었다고 합니다. 고고학자들은 그 꽃이 우연히 거기 있었던 것이 아니라 매장 의식의 하나로 일부러 따 온 꽃다발일 것이라고 추정하고 있습니다.

이라크까지 갈 것도 없지요. 충북 청원의 구석기 유적에서 발견된 4만 년 전 다섯 살 아이(흥수아이)의 무덤에서도 많은 양의 국화꽃가루가 발견되었습니다. 그것도 가슴께에서 집중적으로 말이지요. 매장지의 지대가 아주 높은 석회암 동굴이라 국화가 자생할 수 없으니 일부러 꺾어 아이의 가슴에 올려놓은 꽃다발이 틀림없다고 합니다.

징그러울 정도로 사람을 닮은 짐승, 유전자가 우리와 1퍼센트 정도밖에 차이나지 않는다는 침팬지도 그런 일은 하지 않습니다. 아니, 못합니다. 꽃과 함께 묻힌 뼈, 어찌 그것을 짐승의 뼈라고 부를 수 있겠습니까?

식물학자들의 말을 들어보면 인간이 꽃을 좋아하는 것은 벌과 나비가 꽃을 찾는 것과는 아주 다른 것이라고 합니다. 벌과 나비는 생래적으로 유전자에 프로그래밍 되어 있지만 사람은 그렇지 않다는 것이지요. 그래서 아이들이나 문명화되지 않은 아프리카 오지의 토착민들은 꽃을 봐도 아무런 감흥을 느끼지 않는다고 합니다. 사람이 꽃을 좋아하는 것은 생물학적 본능이 아니라 문화적 학습의 결과라는 겁니다.

그렇기 때문에 "꽃이 밥 먹여주냐"는 핀잔을 들을 때 생물학적 DNA는 고개를 숙이지만 문화적 유전자 밈Meme은 거꾸로 고개를 들고 일어섭니다. 아름다움이 무엇인지, 참되고 착하게 사는 것이 무엇인지를 생각해본 적이 있는 사람이면 분노의 목소리로 맞설 것입니다.

"밥만 먹고 사냐."

"사람이 밥으로만 사냐."

"사람은 침팬지가 아니다."

"밥만 먹고 사는 식충食蟲이 아니다."

밥그릇만 따지는 사람들과 달리 편한 잠자리를 걷어차고 거친 광야로 나아가 외롭게 금식을 하는 사람들이 있습니다. 험한 길인 줄 알면서도, 슬프고 가난하고 애통한 운명인 줄 알면서도 빈 들에서 외치는 사람이 있습니다.

"꽃이 밥 먹여주냐"는 말이나 "밥으로만 사는 게 아니"라는 말 모두 대학 강단에서 쓰는 고상한 말이 아닙니다. 칸트가, 퇴계가 누구인지도 모르는 그저 흙냄새가 밴 시골 사람들의 순수한 토박이말입니다. 이들에게 인생의 의미를 물으면 그냥 웃어버릴지 모릅니다. 난 배운 게 없어서 잘 모른다고 피해버릴 겁니다. 하지만 "당신은 밥만 먹고 사느냐"고 물으면 상황은 딴판이 될겁니다.

돈과 권력만을 추구해온 세속적 인간이라도 직접 그런 말을 들으면 모욕감을 느끼고 "아니다"라고 얼굴을 붉힐 것입니다. 어쩌면 "그게 밥 먹여주냐"는 어른들 말에 하는 수 없이 접었던 어린 시절의 꿈, 그 좌절의 아픈 기억이 되살아날지도 모릅니다.

## 언어로 메울 수 없는 문화 수렁

'밥'이 무엇이기에 우리를 이처럼 슬프게 하고 주눅 들게 하는 것일까. 그러면서도 우리는 왜 허기진 배를 틀어쥐며 까치발을 하고 하늘을 올려다보는 것을 포기하지 않는가. 그런 의문이 떠올랐을 때, 우리가 펼쳐보아야 할 한 권의 책이 있지요. 단 한 번이라도 "사람은 밥만 먹고 사는 것이 아니라"고 외쳐본 적이 있는 사람이라면 그와 똑같은 말과 해법이 적혀 있다는 책을 알고 용기를 낼 것입니다.

그 책이 무슨 책이냐고 물으면 다음과 같은 우스갯소리로 답하겠습니다.

"유행에 민감한 한 여학생이 잘나가는 베스트셀러 책에 대해 질문을 했답니다. 교수가 그 책을 읽지 않았다고 하자 여학생은 어이없다는 말투로 "나온 지 한 달이나 지난 책인데, 빨리 읽어보세요"라고 말했다는 겁니다.

그러자 노교수가 책 한 권을 꺼내 보이며 반문합니다. "자네, 이 책 읽어본 적 있나?" 여학생이 고개를 젓자 노교수가 점잖게 한마디 합니다. "저런, 이 베스트셀러 책은 나온 지가 벌써 천 년도 더 넘었다네. 빨리 읽어보게."

바로 그 책, 지금도 세계에서 가장 많이 읽히고 있는 성경입니다. 사람은 밥으로만 살아가는 것이 아니라는 말이 쓰여 있는 바로 그 책이지요.

> 사십 일을 밤낮으로 금식하신 후에 주리신지라 시험하는 자가 예수께 나아와서 이르되 네가 만일 하나님의 아들이어든 명하여 이 돌들이 떡덩이가 되게 하라 예수께서 대답하여 이르시되 기록되었으되 **사람이 떡으로만 살 것이 아니요** 하나님의 입으로 나오는 모든 말씀으로 살 것이라 하였느니라 하시니 (마태복음 4:2-4)

그런데 성경에는 밥이란 말이 단 한 곳에서도 나오지 않는군요. 하기야 2천 년 전 이스라엘 사람들이 무슨 쌀밥, 보리밥을 먹었겠습니까? 당연히 밀가루로 만든 빵이었겠지요. 그런데 위의 성경 구절을 다시 한 번 읽어보세요. 빵이 떡이라고 되어 있군요. 그래서 밥을 주식으로 먹고 사는 한국 사람들이면 누구나 고개를 저을 것입니다. "세상에

떡만 먹고 사는 사람도 있나. 별 이상한 소리 다 듣겠네." 그러고는 "사람이 어떻게 떡으로만 사나, 밥을 먹어야지"라고 할 겁니다.

알다시피 떡은 주식이 아닙니다. 어쩌다 특별한 날에나 먹는 별식이지요. 그래서 떡을 보면 "웬 떡이냐"라고 합니다. 밥을 보고 "웬 밥이냐"라고 말하는 사람은 없습니다. 그러기 때문에 이 성경 구절이 떡을 밥으로 바꿔 "사람이 밥으로만 살 것이 아니요" 했다면 누구든 쉽게 그 뒷말을 이어갈 수 있을 겁니다. 자신이 원하는 인생의 목표를 그 뒤에 써넣을 수 있으니까요.

서양 사람들이라면, 당연히 밥 대신 빵이라고 하겠지요. 그렇다고 떡을 빵이나 밥으로 바꾼다고 문제가 끝나느냐 하면 그런 것도 아닙니다. 바벨탑 이야기처럼 지상의 언어들은 제각기 달라 소통이 불가능합니다. 더구나 살아가는 풍토가 다르고 먹는 것이 다르면 그 사이에는 어떤 언어로도 메울 수 없는 깊은 수렁이 생기게 마련입니다.

특히 방금 읽은 마태복음 4장 4절은 한국말로 번역이 불가능합니다. 아파트 층수에서도 기피하는 4死 자가 두 개나 겹쳐 있는 장절이라서 그런 것은 물론 아닙니다. 다른 말은 문맥에 맞춰 대체 가능한 다른 말로 어느 정도 번역할 수 있지만 음식 문화의 체계와 그 실체는 다른 것으로 옮겨 오기 어렵기 때문입니다.

밀과 쌀, 빵과 밥, 그 먹거리와 음식 사이에 놓여 있는 문화적 수렁은 오늘날 같은 글로벌 시대에도 쉽게 넘을 수 없습니다. 이 사실을 알아야만 역설적으로 우리는 마태복음 4장 4절의 의미를 제대로 파악할 수 있습니다. 5차 방정식은 절대로 풀 수 없다는 사실을 수학적으로 증명하는 역설로 그 난제를 푼 프랑스의 청년 수학자 갈루아처럼 말입니다.

## 번역자는 반역자

이태리에는 "Traduttori traditori", 영어로 "translator is a traitor"라는 속담이 있습니다. 우리말로 옮기면 "번역자는 반역자" 정도가 되겠지요. 그만큼 번역은 어려운 일입니다. 하물며 하나님 말씀을 적은 성경이야 더 이를 데가 있겠습니까? 그 속담대로라면 성경 번역자는 누구든 예수를 판 유다가 되기 쉽습니다. 70인 역 성경[기원전 1~2세기경, 유대교 랍비 70여 명이 아람어와 히브리어로 쓰인 구약 성경을 당시 국제어였던 고대 그리스어(헬라어)로 옮긴 것]을 라틴어로 옮긴 성 히에로니무스(347~420) 이야기를 봐도 알 수 있습니다. 그는 기원후 4세기 로마 제국에 살았던 유명한 언어학자로 그의 번역은 거의 완벽에 가까운 것이어서 20세기까지 1천 년 이상을 그가 번역한 불가타Vulgata판을 정전으로 삼아왔습니다.

그런데도 히에로니무스는 당시 교황 편지를 잘못 번역했다는 죄목으로 피소된 적이 있었고, 그때 쓴 자신의 번역에 대한 변론서가 인류 최초의 번역론으로 오늘까지 전해지고 있습니다.

그 글에 따르면 번역에는 한 구절 한 구절을 그대로 옮기는 축어역逐語譯과 문장의 의미를 파악해 문맥에 맞게 옮기는 의역意譯이 있다고 했습니다. 읽는 사람이 쉽게 이해할 수 있으려면 의역이 필요하고 하나님의 말씀을 그대로 보전하려면 낱말 하나하나를 원형대로 옮기는 축어역을 해야 한다는 겁니다. 결국 의역이냐 축어역이냐, 번역자들은 항상 두 갈래 길에서 우왕좌왕하다 유다가 될 수밖에 없습니다.

실제로 마태복음 4장 4절의 영어 번역은 "Man shall not live by bread alone"으로 되어 있습니다. 70인 역의 헬라어 '아르토스ἄρτος'가 'Bread'로 옮겨졌습니다. 프랑스어라면 '팽Pain', 이탈리아어라면 '파네Pane', 독일어라면 '브로트Brot'로 되어 있겠지요. 유대인들이 먹던 빵인 '레헴לחם'이나 서구 사람들이 먹는 '브레드bread'는 모두 효모를 넣은 밀가루 반죽을 오븐에 구운 것으로 매일 먹는 주식이라는 점에서 다를 게 없습니다. 끼니마다 먹는 식탁의 여러 음식물들을 대표하는 상징물인 셈이지요.

그런데 이 빵이 밀가루 문화권에서 쌀 문화권으로 오면 어떻게 될까요? 동아시아 3국이 다 다르게 옮긴 것을 보아도 그 사정을 짐작 할 수 있습니다. 일본은 그냥 '빵パン'이라고 직역을 했고 중국은 '식물食物'이라고 의역을 했습니다. 그리고 한국은 앞에서 말한 대로 떡(우리말 성경에는 '빵'으로 번역)으로 번안을 했습니다. 같은 구절을 놓고도 어쩌면 이렇게 삼국삼색三國三色일까요? 놀라지 않을 수 없습니다.

그냥 표면적으로 다를 뿐만 아니라 이 번역어들을 잘 보면 외래문화를 수용하는 세 나라의 방식과 태도까지 분명하게 읽을 수 있습니다.

## 일본과 중국인의 틈 사이에

일본 사람들은 빵을 외래어 그대로 옮겼습니다〔イエスは答えて言われた.『'人はパンだけではなく, 神の口から 出る一つ一つのことばによる' と書いてある』(マタイの福音書 4:4)〕. 이미 "꽃보다 경단"이라는 말에서 보았듯이 일본에는 모양으로 보나 뜻으로 보나 우리의 떡보다 훨씬 서양의 빵에 가까운 음식 용어가 있었는데도 말입니다. 일본은 전통적으로 외국 문화를 그대로 들여오는 습성이 있습니다. 이를 '데드 카피dead copy'라고 하는데 어떤 것이든 원형 그대로 가져오는 겁니다. 개화기 때 일본 사람들의 공장을 보면 알 수 있다고 합니다. 그들은 서양에서 기계만이 아니라 서양인들의 키에 맞춘 작업 의자까지도 모양 그대로, 크기 그대로 들여왔습니다. 그래서 작업할 때 보면 의자에 앉은 일꾼들의 발이 모두 동동 들려 있었다고 합니다.

게다가 이미 1549년에 포르투갈의 프란시스코 사비엘이라는 신부님이 들어와 천주교와 함께 빵이 전해진 상태였습니다. 일본인들은 빵이 모찌나 만두와는 전혀 다른 방식으로 구워진 점을 알고 그냥 포르투갈 말 '빠옹pão'을 그대로 옮겨 쓴 것이지요. 카스테라나 템푸라 같은 다른 음식 이름처럼 말입니다. 그래서 20세기 초에 번역한 이솝 우화에도 빵은 빵 그대로 나옵니다.

반면, 중국인들은 빵의 구체적 개별성에 관계 없이 '식물食物'이라고 번역했습니다〔人活者不是單靠食物(馬太福音 4:4)〕. 한국의 떡, 일본의 모찌보다 훨씬 빵에 가까운 먹거리가 많은데도 말입니다. '병餠'

으로 표기하는 과자 같은 떡이나 만두 종류들이 그렇지요. 그런데도 그냥 식물이라고 한 것은 의미만을 살리려는 중국인들의 추상적 경향을 드러냅니다. 식물이라고 하면 의미도, 형태도 희석되어 일반적이고 추상적인 말이 됩니다.

일본인들이 축어역을 했다면 이들은 의역을 한 셈이지요. 중국은 몽골족이든 만주족이든 어떤 민족에게 먹힌다 해도 자기 것으로 동화시켜 흡수해버립니다. 이른바 중화주의라는 큰 용광로를 갖고 있지요.

그런데 한국은 어떻습니까? "사람이 떡으로만 살 것이 아니요." 일본처럼 데드 카피를 하지도, 중국처럼 추상화하지도 않았습니다. 빵을 한국 식문화에 적용해 그 외형이 가장 비슷하다고 생각한 떡으로 번안한 것입니다. 한국인의 창의적 변용 능력의 예는 이뿐만이 아닙니다. 한자 문화가 한반도를 압도했을 때도 한국 사람은 그 한자 말에 무조건 백기를 든 것이 아닙니다. 세 살 때 어머니에게 배운 토박이말을 갖다 붙였던 거죠. 그래서 한국인들은 고래 잡으러 동해東海로 가지 않고 '동해 바다'로 간다고 합니다. 역전이 아니라 역전앞, 처가가 아니라 처갓집, 황토가 아니라 황토흙, 모두가 그렇습니다. 그리고 중국에서 들어온 떡은 호떡이라고 하고, 일본에서 들어온 것은 모찌떡이라고 합니다. 그래서 토박이 민중들은 서양의 빵 역시 빵떡이라고 부른 적도 있지요.

하지만 성경을 번역한 사람들은 그냥 토박이가 아닌 식자들이어서 빵떡의 속어보다 점잖게 떡으로 번안한 것이지요. "사람이 떡으로만 살 것이 아니요 하나님의 입으로 나오는 모든 말씀으로 살 것이라"(마태복음 4:4).

아무리 빵떡과 같은 융통성이나 창의력, 그리고 통합성이 있다고 하더라도 한국말로 옮기기에는 한계를 느꼈던 것이지요. 마귀는 돌멩이를 주면서 이것을 빵으로 만들라고 했습니다. 돌은 빵이랑 비슷한 덩어리 형태를 하고 있습니다. 그런데 이걸 의역해서 밥이라고 번역해 보십시오. 밥은 조그마한 밥알들이 모여진 것이잖아요. 주먹밥이면 몰라도 돌덩어리와는 이미지가 사뭇 다릅니다. 반면 떡은 빵과 이미지는 비슷하지만 의미는 전연 다릅니다. 떡이라고 하면 그것이 일상적인 주식이 아니기 때문에 빵과 같은 제유법의 역할을 할 수 없습니다.

## 제유법을 몰랐다면

밥의 이미지에 맞는 것은 모래입니다. 마귀가 모래를 퍼주면서 "이걸로 밥을 만들어봐라" 했다고 하면 우리나라 사람들은 금세 이해를 하겠지요. 그러나 성경에는 엄연히 마귀가 돌을 주는 것으로 되어 있습니다. 성경의 사실 자체를 바꾸어 돌을 모래라고 할 수는 없는 노릇입니다. 뜻을 옮기자면 밥이라고 해야 되고, 이미지를 따르자면 떡이라고 해야 합니다. 그러니 뜻을 따르자니 형식이 울고 형식을 따르려면 뜻이 웁니다. 빵은 유대인들이 모든 음식, 물질생활의 양식을 상징하는 말로 사용해온 것입니다. 성경 전체에 깔려 있는 '제유' 법이지요. 제유법Synedoche이란 "일손이 부족하다"고 할 때처럼 손의 한 부분으로 사람 전체를 표현하는 수사법을 일컫는 말입니다. 우리가 짐승을 셀 때 한 마리, 두 마리라고 하는데, 그때 '마리'는 짐승의 머리를 가리키는 말이지요. 머릿수로 가축의 수를 헤아리는 것과 마찬가지입니다.

밥상에는 밥만 있습니까. 반찬도 있고 국도 있고 아닌 말로 잔칫날에는 떡도 있습니다. 이런 음식 전체를 일일이 열거하지 않고 그것을 통틀어 그냥 '밥'이라고 할 때가 있습니다. "밥 먹었나"라는 말이 그렇습니다. 이럴 때 제유법을 모르는 사람은 "아니, 라면 먹었어"라고 할 것입니다.

주기도문에 "우리에게 일용할 양식을 주옵시고"라는 구절이 있지만 영어 성경에는 그것이 일용할 빵daily bread으로 되어 있습니다. 성경에서 빵은 이렇게 양식 전체 혹은 더 확장하면 의식주의 모든 물질적 생활을 상징하는 제유적 의미로 쓰이고 있지요.

그렇기 때문에 빵처럼 식탁 위에 매일 오르는 음식물을 어쩌다가 명절 잔칫날에나 먹는 떡으로 옮긴다면 어떻게 되겠습니까. 빵의 제유적 의미는 사라지고 말 것입니다. 단어 하나가 아니라 성경의 수사 구조 전체가 망가지고 마는 겁니다. 구약이든 신약이든 성경 전체의 배경을 이루고 있는 이스라엘의 유목 문화와 그 역사가 지니고 있는 상징 코드를 이해할 수 없게 되는 것이지요.

신학 이전의 문제입니다. 제유법을 모르고 성경을 읽게 되면 이렇게 그 모양만 보고 빵을 떡으로 잘못 번역하는 과오를 범하게 되지요. 단적인 예로 이스라엘의 백성들이 무교절(유월절이 시작되는 저녁부터 7일 동안, 출애굽기 12:15)의 의식을 치를 때는 누룩 없는 빵을 먹지요. 애굽을 떠나 약속의 땅을 향해 갈 때 그들은 미처 빵을 효모로 재워 뜨게 할 만한 시간이 없었던 거지요. 그런데 무슨 수로 떡을 가지고 효모가 든 것과 안 든 것을 구분할 수 있겠습니까.

## 신학과 시학 사이

성경을 이해하려면, 기독교가 무엇인지 알려면 빵과 떡의 동일성보다 그 차이성을 분명히 알아야 한다는 것이지요. 그렇습니다. 신학은 있어도 시학이 없을 경우 성경 읽기에 아주 큰 수렁에 빠지고 맙니다. 이스트를 넣고 안 넣고의 차이만이 아닙니다. 오븐에 넣고 불로 직접 굽는 빵과 솥(시루)에 물을 넣어 수증기로 찐 시루떡을 동일시한다는 것은 유목 문화를 농경문화와 동일시하는 결과를 낳게 됩니다. 한국 사람은 논에 늘 물을 대고 벼농사를 지으며 한곳에 정착하며 삽니다. 그래서 물에 끓이는 할팽割烹식으로 된 요리가 많습니다. 그에 비해서 양 떼를 몰고 초원을 이동하면서 살아가는 유목민족의 노마딕한 요리 체계는 불에 음식물을 직접 구워 먹는 바비큐인 경우가 대부분입니다. 그래서 그 요리 코드가 한국에서는 가내家內 서양에서는 야외野外로 그 특성이 달라집니다. 그것처럼 예수님과 공자님의 설교 방식 역시 대칭적입니다. 예수님은 주로 산이나 바다의 야외에서 민중들을 모아놓고 설교를 하지만 공자님은 구중궁궐로 들어가거나 옥내에서 돗자리를 펴놓고 설교를 합니다. 그래서 강연講筵이라 했지요.

그뿐입니까. 마귀가 돌을 주면서 이것으로 빵을 만들어보라고 할 때 그것을 거절하면서 예수님이 하신 말씀은 이미 성경에 쓰인 것을 근거로 한 것이지요. 시학에서는 그런 수사법을 인유법allusion이라고 합니다. 그러니까 마태복음 4장 4절의 빵은 신명기 8장 3절 "너를 낮추시며 너를 주리게 하시며 또 너도 알지 못하며 네 조상들도 알지 못하던 만나를 네게 먹이신 것은 사람이 떡으로 사는 것이 아니요 여호와의 입에서 나오는 모든 말씀으로 사는 줄을 네가 알게 하려 하심이니라"와 직결되는 바로 그 빵(떡)인 것입니다. 한 곳만 떡을 빵으로 고쳤다 하여 혹은 밥으로 수정했다 하여 될 일이 아닌 것입니다.

## 예수님은 하늘나라의 통역사

이렇게 저렇게 번역된 성경을 보고 제일 답답해할 사람이 있다면 누구일까요? 번역자가 아니라 바로 그 말을 한 예수님 자신이었을 겁니다. 쉽게 비유를 하자면 옛날에 서구 문명을 처음 접한 수신사와 비슷한 심정이었을 겁니다. 옛날 우리나라의 수신사들이 미국에 처음 갔는데, 생전 듣도 보도 못한 엘리베이터를 탔거든요. 그들은 귀국해서 미국 이야기를 들으려고 온 사람들에게 "미국에서는 집이

막 하늘로 올라갔다 내려갔다 하더라"고 그랬죠. 그러니까 사람들은 "저 사람 미국 다녀오더니 머리가 돌았다"고 했다는 겁니다.

하물며 사람들이 한 번도 가보지 못한 하늘나라를 땅에 사는 사람들도 알아듣도록 말해야만 하는 예수님의 입장은 어떠하셨겠습니까?

그래서 예수님의 수사학을 모르고 성경을 곧이곧대로 읽으려는 사람들은 동문서답을 하게 됩니다. 예수님은 놀라운 비유를 쓰신 시인이셨지요. 하늘의 언어를 땅의 언어로 풀이한 탁월한 동시통역사, 어떤 때는 인간의 얘기를 하늘에 전하고 어떤 때는 하늘의 이야기를 인간에게 전해주는 진정한 미디어가 예수님이시지요. 그래서 예수님은 사전이나 가이드 하나 없이 세상에서 가장 어려운 언어를 번역해야 하는 최초의 번역자이자 최초의 반역자였을지 모릅니다. 사실 그 때문에 십자가에 못 박혀 돌아가신거지요.

그래선지 성경을 읽다보면 "진실로 진실로 네게 이르노니"라는 말이 자주 나옵니다. 특히 니고데모에게 말씀하실 때 이 말이 세 차례나 나오지요. 말이 통하지 않아 답답해하신 것을 알 수 있습니다. 어느 날 밤에 예수님을 찾아온 니고데모라는 유대인 고급 관원에게 예수님은 "거듭나지 아니하면 하나님의 나라를 볼 수 없느니라"(요한복음 3:3)라고 말씀하셨던 거죠. 그러자 니고데모는 "사람이 늙으면 어떻게 날 수 있사옵나이까 두 번째 모태에 들어갔다가 날 수 있사옵나이까"(요한복음 3:4) 하며 예수님께 다시 묻습니다. 학식이 많은 유대 지도자인데도 비유의 뜻을 곧이곧대로 받아들인 것입니다. 이처럼 땅의 언어로 풀어도 못 알아듣는데, 하늘의 언어를 어떻게 알아듣겠느냐고 예수님은 아주 답답하여 계속 니고데모에게 자신이 하신 말씀을 되풀이하여 설명을 하십니다. 그때마다 "진실로 진실로 너에게 이르노니"라고 강조하셨던 겁니다. '빵'을 '떡'으로 번역한 것도 니고데모와 다른 게 없습니다.

비유란 무엇인가. '아는 것을 가지고 모르는 것을 표현하는 방법'입니다. 기존의 체험이나 식견으로 미지의 것을 예시하는 것. 그래서 예수님은 우리가 모르는 천상의 것을 언제나 지상의 것으로 비유하여 말씀하셨습니다. 그러니까 빵과 하나님 말씀은 이항 대립적인 것이 아닙니다. 지상의 빵을 하늘나라의 것으로 업그레이드하면 바로 하나님 말씀이 되고, 그것이 결국은 최후의 만찬에 등장하는 바로 그 빵이며 포도주였던 것이지요.

예수님은 항상 지상의 것으로 천상의 것을 보여주셨던 것이지요. 그러다가 예수님은 십자가에 못 박히시기 직전 제자들을 향해 참으로 놀라운 발언을 하십니다. 자신이 이 지상에서 하신 수사법의 비밀 전모를 밝히신 것이지요. "이것을 비유로 너희에게 일렀거니와 때가 이르면 다시는 비유로 너희에게 이르지 않고 아버지에 대한 것을 밝히 이르리라 그날에 너희가 내 이름으로 구할 것이요 내가 너희를 위하여 아버지께 구하겠다 하는 말이 아니니"(요한복음 16:25-26)라고 말씀하십니다. 빛이 있으라 하면 그냥 빛이 생기는 그런 말씀의 세계로 들어가게 한다는 것이지요.

## 꽃과 빵

꽃은 먹을 수 없지만
빵을 씹는 것보다는 오래 남는다.
향기로 배부를 수는 없지만
향로의 연기처럼
수직으로 올라가
하늘에 닿는다.

들에 핀 백합은 밤이슬에 시들지만
성모 마리아의 순결한 살을 닮은
흰빛이 대낮보다 밝다.
붉은 튤립은 화덕 속의 빵보다
뜨겁게 부풀어
속죄의 피보다 더 짙다.

짐승처럼 허기진 날에도
꽃은 아무 데서나 핀다.
들에도 산에도
먹지 못하는 꽃이지만
그 씨가 말씀이 되어 땅에 떨어지면
나는 가장 향기로운 보리처럼
내 허기진 영혼을 채운다.

# 2

## 하늘로 상승하는 빵

빵을 떡으로 번역하면 성경에서 가장 중요한 최후의 만찬 장면이 전달되기 어렵지요. 빵과 포도주는 서로 어울리는데 떡과 포도주는 전연 다릅니다. 빵을 떡이라고 우리에게 맞게 번역한다면 포도주는 어떻게 해야 할까요. 만약에 빵과 포도주를 떡과 막걸리로 한다면 최후의 만찬의 장면에서 성체의 비유 코드와 상징은 없어지고 맙니다. 막걸리는 색깔 때문에 피의 상징성을 잃지요. 세상에 흰 피란 존재하지 않기 때문입니다. 물론 다른 술의 종류도 마찬가지이지요. 왜냐하면 포도주는 과실주이고 막걸리나 소주, 청주 같은 것들은 곡주로, 곡식에서 나온 것입니다. 포도가 한국에 들어온 것은 역시 근대 이후의 일이고 실크로드를 통해서 들어온 포도는 18세기경이라고 알려져 있습니다. 빵과 마찬가지로 포도주도 성경을 번역하던 개화기에는 없었던 음식물입니다. 만약 빵을 떡이라고 하듯이 같은 술이기 때문에 포도주를 청주나 소주로 번역했다고 해보세요. 그랬을 때 성경의 상징체계는 물론 앞뒤가 맞지 않는 그야말로 난해하고 이해하기 힘든 책으로 바뀌고 말 것입니다.

빵이 그 의미의 차원이 비유로 쓰이지 않는 빵, 두 번째, 제유법으로 쓰이는 수사학적 의미의 빵, 세 번째는 상징적 의미로써의 빵이 등장하는데, 그것은 예수님의 몸이 성체를 상징하는 역할을 합니다. 동시에 빵과 바늘, 실처럼 따라다니는 것이 포도주입니다. 그리고 그것은 예수님의 피를 뜻해서 고체와 액체, 즉 형태가 있는 빵, 인간의 육체, 그리고 그 몸속에 흐르는 액체인 포도주의 대응 관계에 의해서 떼려야 뗄 수 없는 상징 구조를 만들어내는 것입니다.

세속의 빵이 오병이어의 빵과 그 빵이 다시 성체聖體의 빵으로 업그레이드된 것이 최후의 만찬의 바로 그 빵입니다. 예수께서 떡을 떼어 제자들에게 주며 뭐라고 하셨습니까? "받아서 먹으라 이것은 내 몸이니라"(마태복음 26:26) 하셨지요. 또 잔을 들어서 어떻게 하셨습니까? "이것은 죄 사함을 얻게 하려고 많은 사람을 위하여 흘리는 바 나의 피 곧 언약의 피니라"(마태복음 26:28) 하셨습니다. "자, 이제 나는 너희들 곁을 떠나 헤어진다. 그러니 이제 나를 통째로 너희들에게 주고 갈 것이다. 먹어라" 하시는 것이지요. 빵은 예수님의 성체, 붉은 포도주는 예수님의 피를 상징하죠.

예수님은 빵을 자신의 몸이라 하고 포도주를 피라고 했어요. 유대인들에게 빵과 포도주는 일상적 식생활의 기본이었습니다. 이 일상적인 음식들은 우리 몸속에 들어와서 피가 되고 살이 됩니다. 빵을 먹기 전까지, 빵을 먹는 순간까지도 빵은 나와 따로 존재하는 것이지만 내 입에 들어온 순간부터 빵은 나와 하나가 되는 겁니다. 예수님께서는 당신이 떠나신 후에도 계속 함께하려면 매일 빵을 먹듯 예수님의 모든 생애와 말씀을 먹으라고 한 것입니다. 씹으라고 한 것입니다. 어금니로 꼭꼭 씹어 진리를 육화하라는 것이지요. 그러니 그걸 '떡' 이라고 번역할 경우 그런 상징이 제대로 옮겨질 수가 없지요.

그렇기 때문에 성경을 읽을 때 우리는 유대인들의 생활양식을 한국 양식으로 옮겨 올 수가 없는 것입니다. 특히 최후의 만찬은 유월절 전날이기 때문에 만찬의 뜻도 우리에게는 그 풍습을 모르고서는 잘 모릅니다. 유월절에는 희생양을 바칩니다. 예수의 죽음은 스스로 희생양이 되어 마치 양들이 피를 흘리는 것처럼 피를 흘림으로써 대신 속죄하는, 스스로를 제물로 바치는 상징성을 내포하고 있는 것입니다. 유월절을 추석으로 번역할 수 있겠습니까. 오월 단오로 번역할 수 있겠습니까. 그렇기 때문에 원전으로 읽으라는 뜻이 아니라 소설이나 시를 읽을 때에 이그조틱한 이미지, 즉 그 시인이 시를 쓸 때의 시대 상황이나 배경, 문화를 이해하고 그 위에서 감상을 해야 합니다. 마찬가지로 성경도 그래야 하는 것이죠.

## 감동 먹었다는 아이들

그러므로 우리에게는 없지만 성경에 쓰인 음식명 그대로 빵과 포도주라고 하면 최후의 만찬 장면처럼 생생하게 전달되는 장면도 드물 것입니다. 왜냐하면 한국인처럼 '먹는다'는 말을 비유적으로 많이 쓰는 경우도 흔치 않을 것이기 때문입니다. 대꾸가 없으면 "왜 내 말 씹냐?" 그럽니다. 나이도, 욕도 먹는 것이고, 잊어 '먹었다' 고도 합니다. 축구에서 골도 먹는 거죠. 경제 얘기할 때도 "이거 경비 얼마 먹었어?", "그 사람, 사업 말아먹었어" 그럽니다. 요즘 아이들은 "감동 먹었어"라고까지 합니다.

어떤 사람들은 한국 사람들이 오죽 배고프게 살았으면 모든 것에 먹는다는 말을 붙이겠느냐고 합니다. 하지만 그게 아닙니다. 씹는다는 것, 먹는다는 것은 하나가 되고 싶은 욕망을 뜻합니다. 한국인들은 '네가 내가 되고, 내가 네가 되는 단일성, 통일성oneness'의 감정을 먹는 것으로 표현한 경우가 많습니다. 이렇게 먹는다는 것, 하나 되는 것을 좋아하는 사람들이라 한국 사람들은 정 없이는 못 산다 그러는 거겠지요. 이렇게 한국인들은 늘 영혼이 고픕니다. 참 종교적인 심성이지요. 이 고픈 영혼을 채워주는 것이 바로 성경 속의 말씀인 빵입니다. 성경은 육체의 양식, 즉 마귀의 빵을 볼 수 있고 만질 수 있는 빵으로 가시화했습니다. 거기에 이항 대립으로 놓인 것이 하나님의 말씀, 곧 생명의 빵입니다. 최후의 만찬에 등장하는 내 몸은 빵, 내 피는 포도주라는 말이 바로 이 생명의 빵을 가시화한 것입니다. 말씀의 피, 말씀의 빵인 것이지요. 게다가 유목 생활을 하던 당시 사람들에게 빵과 포도주의 비유는 얼마나 절실한 것이었겠습니까? 포도주는 실제로 착한 사마리아인의 이야기처럼 강도를 만난 사람을 살려줄 때 사용한 구급약이기도 했습니다. 포도주가 사람에게 없으면 죽고 마는 피로 비유된 이유도 여기 있습니다. 앞마당에 우물이 있고 샘물에서 언제든 목을 축일 수 있는 농경문화권 사람들에게는 유목민의 목마른 그 절실함이 10분의 1도 전해지지 않을 것입니다.

## 말, 몸, 맘이 하나로

왜 하필 먹는 것일까요? 머리로 이해하고 귀로 이해하고 눈으로 이해하는 것은 진리가 아니기 때문입니다. 입으로 먹고 어금니로 씹어 마침내 한 몸이 되어야 진리입니다. 말 따로, 몸 따로, 맘 따로인 것은 진리가 아니지요. 그러니까 하나님 말씀인 성경을 눈으로 보는 사람, 귀로 듣는 사람은 극단적으로 말하자면 다 가짜입니다. 최후의 만찬에서 "이 빵이 내 몸이고, 이 포도주가 내 피다. 이것을 먹어라"라고 한 것은 진리를 건성으로 듣지 말고 네 몸의 일부로 만들라는 뜻입니다. 하나님의 말씀을, 예수님의 말씀을 씹어서 하나가 되는 것, 그것이 바로 최후의 만찬의 메시지라 할 수 있습니다.

빵과 하나님의 말씀은 대립적으로 보이기 쉽지요. 하나는 육이고, 하나는 영입니다. 하나는 눈에 보이는 것이고 하나는 마음으로만 듣고 볼 수 있는 것입니다. 성경에 쓰인 그대로 빵은 입으로 들어오는 것이지만 말씀은 입에서 밖으로out of mouth 나오는 것이지요.

그래요, 그 구절을 다시 한 번 잘 읽어보세요. 결코 빵이 필요 없다고 부정하신 말씀이 아니라는 것을 알게 될 것입니다. 만약 이 구절이 시험문제에 나왔을 때 "인간에게 빵은 필요 없고 오직 하나님 말씀만 있으면 된다"고 답안지에 쓴다면 그야말로 '빵떡' 먹죠. 중학교에서 처음 영어를 배웠을 때를 생각해보세요. 예수님은 그냥 빵이라고 하시지 않고 '빵만으로……' 라고 '만' 자를 더 붙이셨지요. 영어로 치면 'not A but B' 는 A를 부정하여 제거하는 것이지만 'not only A but B' 형이 되면 A는 긍정적 의미로 B에 포함되어 보완적인 것이 됩니다. 그래서 어느 성경이나 빵이란 말에 'only' 나 'alone' 이란 말이 꼭 붙어 다닙니다.

성경을 제대로 읽은 사람이라면 오히려 예수님은 보통 사람들이 알고 있는 것보다 훨씬 빵을 중시한 분이라는 것을 알게 됩니다. 예수님은 죽은 야이로의 딸을 향해 "달리다굼"(마가복음 5:41)이라 하셨지요. "소녀여, 일어나라"는 아람 말로 말이지요. 하나님 말씀대로 소녀가 일어나자 이번에는 사람들이 다 알아듣는 말로(지상의 말로) 분명히 이렇게 말씀하셨습니다. "소녀에게 먹을 것을 주라"(마가복음 5:43)고. 빵을 주라는 말씀이지요. 죽은 야이로의 딸을 다시 살린 것은 하나님의 말씀이었지만 살아난 소녀가 이 지상에서 살아가려면 빵이 필요하다는 것을 보여주는 장면입니다.

그런데 성경의 이 구절을 읽을 때 아무도 "소녀에게 먹을 것을 주라"는 말을 대수롭게 여기는 사람이 없는 것 같습니다. 성경 말씀에는 "만일 형제나 자매가 헐벗고 일용할 양식이 없는데 평안히 가라,

덥게 하라, 배부르게 하라 하며 그 몸에 쓸 것을 주지 아니하면 무슨 유익이 있으리요"(야고보서 2:15-16)라는 말도 나옵니다. 지상에서 사는 사람은 하루도 먹지 않으면 목숨을 부지할 수 없습니다.

빵이 그렇게 중요한 것이기에 성경에는 빵이란 말이 어느 말보다도 많이 등장하는 것입니다. 80회 이상 등장합니다. 동양이나 서양이나 빵과 밥은 다르지만 빵을 함께 나눠 먹는 사람을 가리키는 것은 비슷합니다. 영어로 동료, 회사를 '컴퍼니company'라고 하는데, 'com'은 '함께together'라는 의미의 접두사고, 'pany'는 앞에서 본 것처럼 '빵bread'을 말합니다. 우리나라로 말하자면 한솥밥을 먹는다는 의미인데, 한솥밥 먹는 사이를 뭐라고 합니까? '식구食口', 함께 먹는 입을 가리키죠. 식구는 한솥밥을 먹는 가족이면서 함께 벌어 함께 먹는 한 직장 사람들을 가리킵니다. 그래서 기업의 구호들 가운데 '한솥밥을 먹는 식구'를 강조하는 것이 많습니다. 빵을 먹는지 밥을 먹는지는 다르지만 그 옛날 동양과 서양이 서로 단어의 의미를 합의한 것도 아닌데, 이렇게 일맥상통합니다. 그래서 모두 같은 인간인가 봅니다.

빵의 비유 역시 어느 민족에게나 어느 시대에나, 또 종교와도 무관하게 보편성을 갖습니다. '하나님의 말씀' 대신 각자 사람들이 가치를 두는 어느 것을 넣어도 그 자체로 깊은 울림을 주는 말이기 때문입니다. 이 성경 구절이 사람들에게 널리 알려진 데는 이런 이유도 있을 겁니다.

## 빵만으로는 살 수 없어 TV를 사는 사람들

최근 외지에 실린 한 논문을 요약해서 소개해보면, 2009년 유엔 식량농업기구FAO는 전 세계에서 10억이 넘는 사람이 기아 상태에 있다고 발표했습니다. 그런데 이러한 숫자가 나오는 것은 빵의 문제를 생의 목적처럼 알고 있는 문명국들의 눈으로 본 고정관념의 산물이라고 지적하는 경제학자도 있어요.

먹을 것이 없다고 하면서도 실제로는 돈이 생기면 모아두었다가 텔레비전을 사는 빈곤층이 많다는 것입니다. 그리고 쌀값이 내려가면 그 수요가 늘 텐데 거꾸로 소비량이 준다는 겁니다. 싸진 쌀을 사는 대신 남은 돈으로 다른 것을 장만하기 때문입니다. 가난한 사람은 먹을 것을 원한다는 전제 아래 아프리카나 빈민층을 도와주었던 원조가 실패를 한 까닭도 그 때문이라고 합니다. 이집트는 보조금으로 GDP의 2퍼센트에 해당하는 38억 달러를 지출하고 있고, 인도의 한 주에서는 빈곤층에 1개월간 최대 25킬로그램의 쌀을 시장보다 20퍼센트 더 싸게 살 수 있는 장치를 마련해주고 있습니다.

가령 중산층이 풍요해지면 비만이나 당뇨병의 문제가 급속히 퍼질 것이라고 했습니다. 많이 먹으니까요. 그러나 프린스턴 대학의 한 교수팀이 연구한 것을 보면 오히려 경제가 급성장을 하고 있는 인도의 경우 인구당 칼로리의 섭취량이 줄고 있다는 거죠. 모든 계층에서 가게에서 점하는 식비의 비율이 줄고 있다는 것입니다. 관심이 먹는 것에서 벗어나 다른 곳으로 향하는 겁니다. 사람은 '빵만으로 살아가는 것이 아니라는 것' 을 실감하는 대목입니다. 인간이 생존하는 데 꼭 필요한 음식 섭취는 2400킬로칼로리면 충분하다고 해요. 필리핀의 물가로 환산해보면 하루 21센트면 족하다는 겁니다.

육체의 허기보다 정신과 영혼의 허기가 알고 보면 더 급하다는 것을 알게 됩니다. 농촌에 있을 때는 초근목피라도 먹을 수 있었는데 배우의 꿈을 안고 무작정 상경을 한 소녀들은 훨씬 더 배고픈 생활을 감수하고 있는 겁니다. 문제는 빵만으로는 살아갈 수 없다는 것을 알고 있으면서도 빵 이상의 가치, 하나님의 말씀을 몰라 TV, 그리고 PC 게임을 하는 엔터테인먼트 같은 것으로 대신하고 있다는 점이죠. 그래서 요즘은 배고파 담장을 넘는 세상이 아니라 휴대전화, 스마트폰이 부러워서 도둑질하는 사회가 된 거죠. 그것을 구약 성경에서는 이렇게 말합니다. 아무리 먹어도 배고프고 아무리 마셔도 목이 타는 세상이 올 것이라고. 영혼을 씻어주고 채워주시는 빵(양식), 하나님의 말씀을 모르기 때문이죠.

아프리카 난민을 구하던 봉사단들은 이런 말도 합니다.

교육비가 없어 학교에 다니지 못하는 아이의 집을 방문해보면 안테나가 있고 DVD 플레이어가 있더라는 겁니다. "먹을 것도 없다면서" 어떻게 TV는 있는가 하고 물으면, "애 먹는 것보다 저게 더 중요하니까"라고 하더래요.

만나를 먹은 사람도, 오병이어의 기적 때 생선과 빵을 먹은 사람도 결국 모두 죽었습니다. 진짜 기적은 영원히 사는 빵을 먹는 거지요. 그래서 예수님은 자신을 "생명의 빵I am that bread of life"(요한복음

6:48)이라 칭하시고 "나를 먹어라 이 생명의 떡을 먹"으라고 말씀하십니다. 그런데도 5천 명을 먹인 '오병이어'의 이야기는 알아도 그때 그 광야에서 5천 명 앞에서 무슨 말씀을 하려고 하셨는지 전해지지 않고 있습니다. 말씀보다 빵입니다. 진정한 기적은 '오병이어'가 아니라 그 말씀인데 말입니다.

마귀의 말대로 돌을 빵으로 만들려고 한 것이 현대의 금융 시스템이요, 산업 기술입니다. 그래서 사람들은 석탄과 석유와 우라늄광으로 빵을 만들어내려 합니다. 그러한 과학기술을 기적이라고 부르는 사람들도 있습니다. 가정도 대학도 연구실이나 실험실, 그리고 도서관까지 모두가 빵을 만들어내는 공장으로 변했습니다. 거리도 시민들이 모이는 광장도 의사당도 모두가 빵 먹는 자리로 변했습니다. 그래서 빵이 돈이요, 경제요, 포탄입니다.

로버트 케네디의 말처럼 GNP는 삼나무숲의 파괴와 호수의 죽음, 네이팜탄과 미사일과 핵무기의 생산으로 증가하지만 가족의 건강, 교육의 질, 놀이의 즐거움은 그 안에 포함되지 않습니다. 시의 아름다움이나 결혼의 가치, 우리의 유머나 용기, 지혜와 가르침, 자비나 헌신 같은 것은 측정되지 않는다고 했습니다. GNP는 삶을 가치 있게 만들어주는 것들을 제외한 모든 것들을 측정할 뿐이라고 말합니다.

그러나 성경을 이렇게 시를 읽듯이 소설을 읽듯이 읽어가면 해답이 나옵니다. "꽃이 밥 먹여주냐"라고 물으면 이렇게 대답하죠.

"그럼 밥 먹고 나서 뭐할래?"

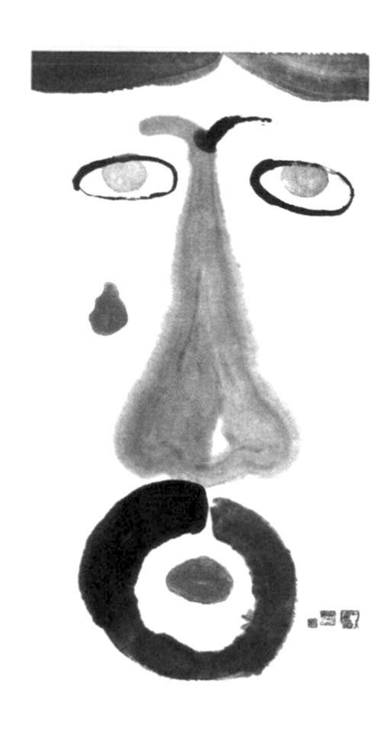

## 야곱의 우물물이 눈물이 되던 날

대낮에 홀로 물을 길러 왔다가
사마리아의 여인은 알았네
지금까지 대대손손 사람과 가축을 먹인
저 야곱의 우물이 제일인 줄 알았는데

다섯 남자를 잃고 이제 눈물도 마른 날
야곱의 우물터에 물 길러 왔다가
천 길 보이지 않는 우물 바닥에서
길어 올려야 할 물이 있다는 것을
그제야 알았네

물 한 모금 떠달라고 했는데
본 체도 하지 않던 사마리아의 여인은
두레박줄도 없이 우물물을 길어 올리는
낯선 이방의 나그네를 보고 무릎 꿇었네

기다리던 분이 오셨다
천년을 찾던 분이 오셨다
맨발로 달려가 동네방네 외칠 때
사마리아 여인이 떠난 그 자리에 앉아
이방의 나그네는 울고 있었네

조용한 대낮 야곱의 우물가에서
낯선 이방의 나그네는
우물물이 고이듯 눈물 흘렸네

그 눈물이 사마리아 여인의 가슴을 적시고
동네 사람들 불타는 갈증을 식혀준 것을
그때는 아무도 몰랐다네

야곱의 우물터에서 흘린 눈물이
영원히 죽지 않는 생명의 물
십자가에서 흘린 붉은 피였음을
아주 먼 뒷날에서야 알았다네

# 3

## 눈물과 함께 먹는 빵

일제 강점하에서 배급미로 겨우 끼니를 이어갈 때입니다. 그리고 6·25 전란 때 궁핍한 피란살이를 하던 때의 일입니다. 우리는 정말 눈물 없이는 하루도 밥을 먹을 수 없는 굶주림 속에서 살았지요. 그럴 때마다 힘이 되고 위안이 되었던 말이 하나 있었지요. "눈물과 함께 빵을 먹어보지 못한 사람은 인생의 의미를 모른다"는 괴테의 말이었지요. 나만이 아니라 당시의 가난한 젊은이들에게는 그 말이 바로 철학이요, 시였던 것입니다. "초년 고생은 사서 하랬다"는 우리 말 속담이 있었지만 밥보다는 근대화 바람을 타고 들어온 빵 쪽이 더 호소력이 있었던 모양입니다.

그러나 좀 더 시간이 지나고 난 뒤 나는 이 말에 대하여 더 이상 흥미를 가질 수 없게 되었습니다. 솔직히 말하자면 실망을 하게 된 겁니다. 눈물 없이도 밥을 먹게 된 이유 때문만은 아닙니다. 괴테의 교양소설 『빌헬름 마이스터의 수업 시대』를 읽다가 겨드랑이에 끼고 다니던 그 말의 뿌리를 찾아내게 된 것이지요. 처음엔 '유레카' 라고 소리치면서 발가벗고 뛸 정도로 기뻤어요. 하지만 이내 나의 탄성은 실망의 한숨으로 변해버리고 말았지요.

지금까지 내가 알고 있었던 눈물의 빵과는 그 뜻이 전연 어울리지 않았던 겁니다. 사실 괴테의 말이라고는 하나 여러 사람의 입을 거치다보니 조금씩 그 말들이 변조되어 있었다는 사실을 이미 나도 알고 있었던 일입니다. "눈물과 함께 빵을 먹어보지 못한 사람과는 인생을 논하지 말라" 거나 "눈물 젖은 빵맛을 모르면 인생의 맛도 모른다" 거나 서로 다른 버전들이 있어왔지만, 그 눈물의 빵은 '인생' 이란 핵심 단어에서 크게 벗어나지 않았던 거죠.

그런데 진짜로 괴테의 소설에 나오는 빵은 '인생' 이 아니라 '하나님의 힘' 과 관련된 것이었다는 사실을 알게 되었습니다. 부연하자면 눈물과 함께 빵을 먹어보지 못한 사람은 인생이 아니라 하나님의 힘이 무엇인 줄을 모른다는 뜻이었죠. 한마디로 그 노인이 하프를 타면서 슬프게 노래한 것은 인생론이 아니라 신학론이었다는 겁니다. 단순한 일상적 생활고가 아니라 인간의 원죄에 대한 종교적 담론이었던 셈입니다.

실제로 『빌헬름 마이스터의 수업 시대』 제2권 13장을 함께 읽어보면 곧 무슨 뜻인지 이해가 갈 것입니다.

눈물과 함께 빵을 먹어본 적이 없는 사람은

괴로움으로 밤마다

침대 머리에 앉아 흐느껴본 적이 없는 사람은

당신들은 모를 것이요. 하늘의 힘.

Wer nie sein Brot mit Tränen ass,

Wer nie die kummervollen Nächte

Auf seinem Bette weinend sass,

Der kennt euch nicht, ihr himmlischen Mächte.

독일어를 모른다면 시인 롱펠로Longfellow가 영역한 시를 읽어보면 그 뜻이 좀 더 명백해질 것입니다.

Who ne'er his bread in sorrow ate,

Who ne'er the mournful midnight hours

Weeping upon his bed has sate,

He knows you not, ye Heavenly Povers.

보세요. 'life'가 아니라 하늘의 힘Hevenly Powers이 아닙니까. 무엇보다 이 가사의 맨 마지막에 나오는 구절을 보면 더욱 명확해집니다.

모든 죄는 이 지상에서 치러져야 하는 것이니

Denn alle Schuld rächt auf Erden.

그 눈물은 단순한 세속적인 삶의 고통이나 슬픔이 아니라 원죄와 관련된 인간과 신의 관계에서 일어나는 비극이요 고통인 것을 알 수 있습니다. 인간의 힘으로는 풀 수 없는 인간의 한계와 그 숙명 앞에서 흘리는 눈물이었던 겁니다. 하나님이 무엇인지 모르던 시절 단지 전쟁의 비참함과 굶주림의 물질적 결핍 안에서 흘렸던 눈물과는 아주 다른 눈물이었던 것입니다. 그러니까 『빌헬름 마이스터의 수업시대』의 노인이 하프를 타며 노래 부른 빵은 바로 창세기 3장에 나오는 빵과 같은 것이고 그 눈물은 그 구절에 나오는 땀방울과 통하는 것입니다.

"네 얼굴에 땀이 흘러야 빵을 먹고"의 바로 그 빵입니다. "아담에게 이르시되 네가 네 아내의 말을 듣고 내가 네게 먹지 말라 한 나무의 열매를 먹었은즉 땅은 너로 말미암아 저주를 받고 너는 네 평생에 수고하여야 그 소산을 먹으리라 땅이 네게 가시덤불과 엉겅퀴를 낼 것이라 네가 먹을 것은 밭의 채소인즉 네가 흙으로 돌아갈 때까지 얼굴에 땀을 흘려야 먹을 것을 먹으리니 네가 그것에서 취함을 입었음이라 너는 흙이니 흙으로 돌아갈 것이니라 하시니라 아담이 그의 아내의 이름을 하와라 불렀으니 그는 모든 산 자의 어머니가 됨이더라 여호와 하나님이 아담과 그 아내를 위하여 가죽옷을 지어 입히시니라"(창세기 3:17-21).

한국 성경에는 그냥 '먹을 것'이라고 되어 있습니다.

## 눈물의 의미

눈물은 인간만이 누리는 특권이라고 말하기도 합니다. 다른 짐승들은 눈물을 흘리지 않는다고요. 애완견을 보면 슬픔과 기쁨을 분명히 표현합니다. 어느 때는 정말 우는 것처럼 이상한 소리를 낼 때도 있어요. 도살장으로 끌려가는 소들이 눈물을 흘린다든가 악어의 눈물이라는 말도 있지만, 이것은 모두 그저 본능적이고 생리적인 눈물뿐입니다. 눈의 불순물을 씻어내거나 체내에서 내보내는 분비물에 지나지 않는 거죠. 인간의 경우라면 눈에 불순물이 들어가거나 양파를 깔 때처럼 눈을 자극하는 물질이 있으면 누액이 나오지요.

젊은 시절 나는 『흙 속에 저 바람 속에』의 글을 쓰면서 한국말의 '눈물' 에 대해서 쓴소리를 한 적이 있었습니다. 코에서 나오는 물을 콧물이라고 하듯이 눈에서 나오는 물을 그냥 눈물이라고 부른 것에 대한 불만이었지요. 적어도 인간이 흘리는 눈물은 그냥 물이라고 부를 수는 없다. 양파를 깔 때 우는 눈물과 사랑하는 사람과 헤어질 때 흘리는 눈물이 같다는 말인가라고 생각했었습니다.

어느 철학자의 말이었던가 오래전에 읽은 것이라 확실하지 않지만 아이를 사랑하는 어머니의 눈물이나 남의 집 담을 뛰어넘다 가시철망에 찔려 나오는 도둑의 눈물이나 과학적으로 분석을 해보면 $H_2O$와 NaCl밖에는 나오지 않는다고 했어요. 과학적으로는 설명할 수 없는 눈물의 성분이 있음을 나타내려고 한 소리이지요.

그런데 요즘은 과학자들의 분석도 여간 아니어서 가령 윌리엄 프레이 같은 생화학자는 감정의 눈물은 생리적 눈물과는 분명 다른 점이 있을 것이라고 믿어 실험에 착수했다는 거죠. 그랬더니 말예요. 아니나 다를까 마늘이 매워서 흘리는 생리적 눈물보다 감정이 섞인 눈물에는 그만큼 단백질이 더 많이 검출된다는 거예요. 그냥 단백질만도 아니라나 봐요. 가령 분해서 우는 눈물을 피눈물이라고 하잖아요. 그런데 그 눈물에는 피까지는 아니라도 나트륨 성분이 많이 섞여서 나온다는 것입니다. 그 눈물맛은 자연히 더 짜다는 겁니다. 하지만 기뻐서 나오는, 왜 올림픽 메달 딸 때 시상대에서 흘리는 눈물 있잖아요. 그 눈물에는 칼륨이 많이 섞여 있어서 맹물에 가까운 밋밋한 맛이라고 해요. 이를테면 감정과 눈물의 인과관계가 실증된 거지요

## 감정적인 눈물

오로지 인간만이 감정적 눈물emotional tear을 흘립니다. 눈물에는 두 종류의 다른 눈물이 있다고 합니다. 직접적인 고통을 겪지 않았는데, 눈에 티끌 같은 게 들어온 것도 아닌데 웁니다. 슬플 때 우는 눈물, 기쁠 때 감동해서 흘리는 눈물은 희로애락에서 우러난 감정의 눈물이라고 하지요. 그리고 우리의 머릿속에는 '우는 여성과 울지 않는 남성' 이라는 고정관념이 깊이 박혀 있습니다. 또 여자가 남자보다 더 많이 우는 것도 과학적으로 설명할 수 있다고 해요. 사람에게는 프로락틴이라는 호르몬이 있는데, 이 물질은 누선淚腺에도 있

는 것으로 눈물을 흘리게 하는 작용과 관련되어 있다고 합니다. 그런데 그 내분비물이 말이죠, 여성은 남성에 비해 1.5배가 더 많다는 거예요. 당연히 과학적으로 봐도 눈물을 흘리는 여성이 남성보다 1.5배나 더 많겠지요. 아니죠, 1.5배가 아니라고 해요. 조금 할 일 없는 사람들 같지만 독일 안과학회가 복수로 조사해 발표한 눈물의 통계를 보면 말이지요. 남성은 1년 동안 평균 6~17회밖에는 울지 않는데 여성은 무려 30~64회나 눈물을 흘린다는 겁니다. 우는 횟수만이 아니지요. 한번 울었다 하면 남자는 '눈물 뚝!'으로 단발성인데 여자는 '하염없이 우는' 지속형이라고 합니다. 우는 시간도 배가 넘어요. 탱크같이 무뚝뚝해 보이는 독일 통계가 이러니 "눈물이 골짝 난다"는 한국인은 통계를 따로 낼 필요도 없겠지요.

제가 어렸을 때 큰형이 만주에 있었거든요. 형님이 집에 돌아오면 어머니가 버선발로 뛰어나가서 형님을 붙잡고 우시는 거예요. 어린 저로서는 이해가 안 되었죠. 아프고 슬플 때 눈물이 나는 건데, 어머니는 오랜만에 아들을 보니 반가우실 텐데 왜 눈물을 흘리실까 궁금했습니다. 그래서 "엄마, 형님이 오면 좋아하시지, 왜 우세요?" 하고 물으니까, "얘, 뭐 그런 것을 묻니?" 하셨거든요. 그래서 "기쁘면 웃으셔야지 왜 우세요?" 하고 거푸 물었지요. 그럼 어머니가 멋쩍어 하시면서 "반가운 눈물이라는 것도 있는 거야, 너무 반가우니까 벅차서 우는 거야" 하셨어요. 그때는 잘 몰랐는데, 나이를 먹으니 그 눈물의 의미를 저절로 알게 되더군요.

때로 눈물은 회초리보다 강한 힘을 가지고 있습니다. 어떤 애가 하도 말을 안 들으니 어느 날 부모가 회초리를 든 거예요. 그런데 독한 녀석이라 이를 악물고 눈물 한 방울 흘리지 않는 거예요. 매를 때린 어머니 마음은 오죽했겠습니까? 아이가 잠들자 어머니는 하도 맞아서 피멍이 든 다리를 보며 뜨거운 눈물을 쏟았습니다. 아픈 상처를 가만가만 손으로 쓰다듬으면서요. 그러자 자는 줄만 알았던 녀석이 벌떡 일어나더니, "엄마, 나 다시는 안 그럴게" 하고 큰 소리로 울더라는 겁니다. 회초리보다는 눈물의 힘이 강하다는 걸 보여준 이야기죠.

또 눈물은 살아 있다는 징표이기도 합니다. 안데르센의 동화 『눈의 여왕』을 보면 케르다의 눈물이 케이의 심장에 박힌 거울 파편을 녹임으로써 케이가 살아납니다. 얼어붙은 마음을 녹이는 눈물, 그 뜨거운 눈물이야말로 진정 살아나게 하는 힘이지요. 이 세상에는, 아니 이 세상 사람들 가운데 눈물을 흘리지 않는 사람은 없을 것입니다. 살아 있는 자만이 할 수 있는 것 중에 하나니까요. 죽은 자는 눈물을 흘릴 수 없습니다.

## 눈물을 잃은 사람들

그런데 요즘은 초상집에 가도 곡소리는커녕 눈물 한 방울 구경할 수 없습니다. 장례식장에 가도 우는 것은 오히려 조문하러 온 늙은 친구들이고 죽은 이의 가족들은 울지 않습니다. 으레 눈물바다가 되던 학교의 졸업식장도 썰렁하기 이를 데 없습니다. 눈물이 없는 정도가 아니라 밀가루를 뿌리고 옷을 찢는 등 폭력 사태까지 나서 신문 사회면을 장식하곤 합니다. 사람들은 울지도 않지만 눈물 흘리는 것 자체를 부끄러워하고 숨기려고 하는 것 같습니다. 연인과의 이별 앞에서도 '쿨cool' 해야 한다는 것이 요즘 사람들의 태도지요. 눈물이 사라진 시대입니다

최첨단 기술로 만들어진 T-800 터미네이터는 인간과 구별할 수 없으면서도 초능력을 지닌 로봇입니다. 그러나 단 한 가지 인간과 다른 것은 눈물을 흘릴 수 없으며 눈물이 무엇인지도 모른다는 점이다. 그러나 터미네이터는 영화가 대단원에 이르면서 인간이 흘리는 눈물의 의미를 알게 되고 자신의 몸을 용광로에 던져 살신성인의 최후를 맞습니다. 눈물을 통해서 비로소 로봇은 진짜 인간이 된 것입니다. 그런데 영화와는 반대로 영화관이 아닌 도시의 현실 공간에서 우리는 눈물을 흘리지 않는 인간들과 만납니다. 로봇이 인간이 되는 것이 아니라 인간이 로봇이 되어가는 광경을 보고 있는 것이지요. 서글픈 일입니다. 눈물만이 우리가 영혼이 있는 인간임을 증명할 수 있는 것인데 말이지요. 독일 철학자 막스 셸러Max Scheler(1894~1928)도 인간이 무엇인지에 대해 쓸데없는 소리들 마라, 인간의 눈물을 연구하지 않고 인간을 어떻게 알겠는가 말하지 않았습니까? 그는 감정적 느낌이 인식의 진정한 근원이자 윤리의 기초라고까지 말했습니다. 느낌 없이 이성적 사고이기만 한 것은 공허한 허위라고요. 그러니 눈물을 잃었다는 말은 곧 인간성을 잃었다는 말입니다.

## 사라져가는 눈물을 단지에

눈물이 사라져간다는 것은 사랑만이 아니라 참회의 문화도 사라져가고 있음을 의미하는 셈입니다. 그런데도 사람들은 눈물 없는 세상을 원합니다. 한때는 눈물을 그토록 소중하게 여겼는데 말이지요. 보세요. 성경에는 눈물단지 이야기가 기록되어 있습니다.

> 나의 유리함을 주께서 계수하셨사오니 나의 눈물을 주의 병에 담으소서 이것이 주의 책에 기록되지 아니하였나이까 (시편 56:8)

실제로 고대 그리스와 로마에는 '눈물단지'라는 것이 있었다고 합니다. 목이 가는 작은 병인데 장례식 때 문상객들이 흘린 눈물을 그 병에 담아 무덤에 함께 묻었다고 합니다. 망자에 대한 애정과 존경의 표시였던 겁니다. 얼마나 눈물을 흘렸기에 그런 단지까지 있었을까 의심이 가지만 정말 영어사전에 '래크러머토리lachrymatory'라는 단어가 있으니 믿을 수밖에요. '래크리lachry'는 라틴어로 '눈물'을 뜻하는 말이지요. 영국 빅토리아 왕조 때만 해도 낭만주의 흐름을 타고 이 눈물단지가 다시 유행해서 은으로 장식한 아름다운 유리병들이 만들어지고 또 미국에서는 전선으로 가는 남편들을 위해 눈물을 담아 선물로 주었다고 해요. 눈으로 볼 수 없던 사랑의 결정체를 바로 그 눈물단지로 지닐 수 있게 된 것이지요. 이제는 모두 전설 속에나 나오는 말이 되었습니다.

## 한의 눈물, 원망의 눈물

제가 20대 썼던 『흙 속에 저 바람 속에』라는 에세이에서도 지적한 적이 있었지만, 서양 사람들은 새소리를 들을 때 즐겁게 노래한다bird sings라고 하는데, 우리는 같은 새소리인데 '새가 운다'고 하잖아요. 영어로 하면 bird cry가 되는 셈이지요. "낮에 우는 새는 배고파서 울고요, 밤에 우는 새는 님 그리워 운다"는 우리 민요의 한 가락을 들으면 왜 새가 지저귀는 것을 운다고 했는지 알 만합니다. 미국 슈 인디언들은 잘 우는 부족으로 알려졌지만 우리도 그에 못지않은 눈물족에 속할 겁니다. 그러니까 가사 문학으로 이름난 송강 정철의 고시조 한 수가 생각나네요.

> 남진 죽고 우는 눈물 두 젖에 내리 흘러
> 젖맛이 짜다 하고 자식은 보채거든
> 저놈아 어내 안으로 계집 되라 하느냐

남진은 남편이라는 뜻이니까 지금 눈물을 흘리고 있는 여인은 사별한 지 얼마 안 되는 청상이겠지요. 그런데 그 눈물의 의미와 그 묘사를 엉뚱하게도 젖맛이 짜다고 보채는 아이를 통해서 보여주고 있는 것이지요. 눈물을 얼마나 많이 흘렸으면 가슴을 적셔 아이가 빠는 젖으로 흘러들어 갔을까요. 정말 놀랍군요. 두 눈에서 흐르는 두 줄기 눈물이 두 젖꼭지로 흘러내립니다. 조금은 과장된 표현인데도 아주 리얼하지요. '젖맛이 짜다' 는 말로 이 같은 상황과 아이를 안고 우는 여성의 모습을 아주 리얼하게 그려줍니다.

나는 문예비평을 하는 사람이라 많은 소설, 시를 다 읽었지만 여인의 눈물을 이렇게 생생하게 시로 노래한 작품은 아직 보지 못했어요. 지금까지 소설이나 영화에 나오는 여성의 눈물이란 대체로 남성의 마음을 무력하게 만드는 여인의 눈물, 그러니까 흔히 여성의 무기라고 표현되었던 로맨틱한 눈물이었지요.

사랑에까지 젖은 세상에의 울음소리로 여인이 흘리고 있는 눈물은 사별한 님에 대한 그리움이고 야속함이고 혼자 세상 살아갈 근심이 뒤얽힌 복잡한 감정의 산물이겠지요. 하지만 그 눈물은 로맨틱한 여성의 눈물, 흔히 남성을 사로잡는 여성의 무기라는 연애소설의 눈물과는 거리가 멀지요. 청상과부의 두 줄기 눈물이 가슴을 적셔 젖맛이 짜다고 아이가 보챈다는 기막힌 상황은 달콤한 로맨스를 다룬 상황이 아니니까요.

이렇게 산문적인 상황을 리얼리티가 생생한 시의 경지로 만들어 낸 것은 셰익스피어의 현란한 수사로도 당하지 못하지요. 애를 혼자 키우는 과부, 그렇다고 다른 남성과 재혼을 할 수 있는 시대가 아닙니다. 아이만 덜렁 떠맡기고 떠난 남편이 원망스럽고 혼자 아이를 데리고 살아갈 길이 막막하지요. 이런 눈물이 무슨 여인의 대단한 무기입니까. 저놈아, 라는 막말로 끝내주는 종장을 보세요. 세상 남자들에게 퍼붓는 욕이지요. 너희들도 한번 계집으로 태어나보라. 무슨 마음으로 무슨 언강생심으로 계집 되라고 하는 거냐. 굶주림의 고통, 그리고 신세 한탄에서 나오는 '한의 눈물' 이 '원망의 눈물' 의 눈물 미학을 대부분을 차지하고 있었던 것이지요. 어미의 눈물이 또 다른 눈물을 낳는 아이의 울음, 이 처절한 눈물의 리얼리즘이 식민지 땅에서, 전쟁터에서 흘렸던 우리의 눈물이었던 것이지요.

송강이 그린 청상青孀의 눈물과 괴테가 보여준 하프를 타는 노인의 눈물이 어떻게 다른가를 모르면 우리는 40일을 굶고도 광야에서 빵만으로 살아갈 수 없다고 말한 예수님의 말씀을 영원히 이해할 수 없을 것입니다. 내가 일제 강점기에, 그리고 6·25 전쟁 때 눈물과 함께 먹었던 그 밥은 그런 빵이 아니었던 것입니다. 단지 원죄 의식 없이 육체의 고통에서 나오는 노동의 눈물, 그리고 가난을 원망하는 물질적 결핍에 대한 억울함이었지요. 정철은 대문호지만 그가 알고 있는 한의 눈물과 괴테가 흘린 원죄의 눈물 사이에는 동과 서만큼 큰 거리가 있습니다. 크리스천의 눈물은 남을 위해 울어주는 사랑의 눈물이고 죄에 대한 참회의 눈물입니다. 그것이 눈물과 함께 먹는 빵의 의미, 원죄를 짓고 '모틀mortal' 로 살아가는 인간의 눈물인 것이지요.

## 예수님이 눈물을 흘리시다

인간의 몸으로 오신 예수님도 성경 속에서 세 번 우십니다. 한 번은 나사로의 죽음을 보고, 또 한 번은 사랑으로 품어주려고 했던 예루살렘을 돌아보시면서, 마지막 한 번은 십자가에 달려 돌아가시기 전 마지막 순간이지요. 나사로의 죽음을 슬퍼하는 모습은 요한복음에 전합니다.

> 마리아가 예수 계신 곳에 가서 뵈옵고 그 발 앞에 엎드리어 이르되 주께서 여기 계셨더라면 내 오라버니가 죽지 아니하였겠나이다 하더라 예수께서 그가 우는 것과 또 함께 온 유대인들이 우는 것을 보시고 심령에 비통히 여기시고 불쌍히 여기사 이르시되 그를 어디에 두었느냐 이르되 주여 와서 보옵소서 하니 예수께서 눈물을 흘리시더라 (요한복음 11:32-35)

나사로는 마르다와 마리아의 오빠로 예수님이 지극히 사랑하던 사람이었습니다. 아끼던 사람을 잃고 예수님은 지극히 인간적인 눈물을 보이신 것입니다. 슬픔에 가득 찬 흐느낌이었을 겁니다. 이런 소리 없는 울음을 그리스어로 '다크리오dakryo' 라고 합니다. 한자로 말하면 소리 없이 촛농처럼 흘리는 눈물 '누' 와도 같은 것입니다.

두 번째 눈물은 예루살렘 성을 보시며 우신 것입니다. 예루살렘에 입성하시는 예수님을 찬양하는 제자들을 보고 바리새파 사람들이 그들을 꾸짖어달라고 말합니다. 그들과 같은 예루살렘 성을 보시면서 "이르시되 너도 오늘 평화에 관한 일을 알았더라면 좋을 뻔하였거니와 지금 네 눈에 숨겨졌도다 날이 이를지라 네 원수들이 토둔을 쌓고 너를 둘러 사면으로 가두고"(누가복음 19:42-43) 예루살렘이 강도 소굴이 될 것을 예감하며 소리 내어 엉엉 우는 겁니다. 이때의 표현은 그리스어로 '클라이오 klaio' 입니다. 한자로 하자면 울 '읍

泣' 자입니다. 정의가 무너진 것에 대한 분노의 눈물입니다. 얼마 전 팔레스타인 지역인 베들레헴에 유대인들이 어른 키 세 배 이상의 높이로 쌓은 시멘트 벽이 생각납니다. 예루살렘이 평화의 성, 기도의 터, 기도의 집이 아니라 강도의 굴혈이 되어버린 것에 눈물을 흘리셨던 예수님이 이걸 본다면 무어라 하실까 생각해보았습니다.

세 번째는 울부짖음입니다. 통곡하는 것입니다. 십자가에 달려 돌아가시기 전 마지막 순간, 인간의 모습으로 오신 예수님이 자신을 구원하실 분께 "심한 통곡과 눈물로 간구와 소원을 올렸"(히브리서 5:7)다고 합니다. 그리스어로는 '크라조krazo', 한자어로는 울 '체涕'로 눈물을 쏟으며 주먹으로 바닥을 쳐가며 우는 모습입니다.

우리는 예수님의 이 통곡과 눈물을 통해서 영혼을 씻어낼 수 있습니다. 애간장을 녹이도록 슬프게 통곡하는 그 울음은 다름 아닌 나를, 그리고 우리를 위해 흘린 눈물이니까요.

## 회개의 눈물

예수님의 마지막 눈물을 보면서 '진작 회개할걸' 하고 후회하는 마음이 듭니다. 그러고 보면 예수님의 눈물은 사랑의 눈물이지만 인간의 눈물은 회개의 눈물일 것입니다. 여호와의 말씀에 애통하는 사람들을 보고 "너희는 옷을 찢지 말고 마음을 찢"(요엘 2:13)으라 하셨습니다. 슬픔을 표현하는 방식으로써 옷을 찢는 그 상징과 형식에

구애받지 않고, 가슴을 찢는 것이 회개라고 말합니다. 가톨릭처럼 고해성사를 하거나 특별히 용서해달라고 비는 그런 회개만을 말하는 것이 아닙니다. 길을 걷다가, 잠을 자다가, 혹은 밥을 먹다가도 문득 마음속으로 자신을 돌아보며 눈물을 흘릴 수 있는 순간이 있다면 그것이 바로 회개입니다. 우리들이 눈물을 흘리며 회개할 때 하나님께서 그 회개를 받아들이십니다. 이 회개가 바로 우리가 먹을 빵을 적시는 눈물, 양식을 거두기 위해 흘리는 땀인 것이지요.

예수님이 우리를 위해 흘리신 것은 눈물만이 아닙니다. 그 눈물이 짙어지면 피가 됩니다. 눈물을 분석한 과학자들의 보고를 보면 피와 눈물의 주요 성분은 거의 같다고 합니다. 땀도 마찬가지고요. 여기까지 와보니 앞에서 이야기한 빵과 눈물, 땀이 어떻게 이어지는지 알 것 같습니다. 앞 장에서 빵은 지상의 양식이자 예수님의 몸으로 육화된 하나님 말씀이라고 했습니다. 그렇다면 괴테의 눈물 젖은 빵이란 뭘까요? 회개하면서 어금니로 꼭꼭 씹는 하나님의 말씀입니다. 예수님은 우리를 위해 가장 슬프게 울었습니다. 유일하게 사람만이 다른 사람을 위해 슬퍼하고 웁니다. 그것이 바로 예수님이 말하는 사랑입니다.

## 영혼을 적시는 눈물

예수님이 흘리신 눈물을 보면 마귀가 예수님에게 내민 돌, 그리고 그 돌로 만들어보라던 빵의 의미와 어떻게 다른지 명확하게 드러납니다. 하나님을 떠난 인간, 죄를 짓고 에덴을 떠난 인간은 눈물 없이는 빵을 먹지 못합니다. 가시덤불과 엉겅퀴의 땅을 갈아 밭을 만드는 땀 없이는, 노동 없이는 한시도 이 지상에서 살아갈 수 없는 것이 죄를 짊어지고 살아가야 할 인간의 모습이지요.

그런데 만약 예수님이 그 돌로 빵을 만들었다면 어떻게 되었을까요. 마귀의 유혹에 넘어가고 만 것이 됩니다. 예수님은 아마 지금 하늘이 아니라 지상, 그것도 황량한 광야에 서 있습니다. 인간과 똑같은 육신으로 배고파 하고 있습니다. 에덴동산에서 떠난 자의 배고픔을 금식을 통해서 체험했습니다. 그 허기가 곧 원죄임을 깨달은 사람의 아들 예수의 수업은 괴테가 보여주려고 했던 빌헬름 마이스터의 수업 과정과 닮은 데가 많을 겁니다.

그러니까 만약 그때 광야에서 마귀가 내민 돌로 빵을 만들었다면 선악과를 따 먹은 아담처럼 예수 또한 이 지상에서 죄를 짓는 것이 됩니다. 이 지상에서 땀과 눈물 없이 돌로 빵을 만드는 정치가와 경제인들을 우리는 얼마나 많이 보아왔습니까. 돌로 빵을 만드는 방법을 익히려고 대학에 가고 직장을 구하고 전자공학 · 금융공학을 하는 기술자들이 되려고 하는 사람들이 많습니다. 예수님도 마귀의 시험에 넘어가 돌로 빵을 만들었다면 실격한 사람들의 하나가 되었을 것입니다. 그런데 예수님은 눈물 없이는 빵을 먹을 수 없는 사람들이 찾고 있는 하나님의 말씀을 주려고 한 것이지요.

돌로 만든 빵이 아니라 눈물과 땀으로 접속할 수 있는 하나님의 말씀을 주시려 한 것입니다. 천상에서 내린 만나처럼 스스로의 몸을 육의 빵이 아니라 영생의 빵으로 만드시려는 것이지요. 저 차가운 광야의 돌이 아니라 먹어도 죽는 빵, 아무리 먹어도 배고픈 원죄의 빵이 아니라 영원히 사는 생명의 빵이 되는 것이지요. 그리고 날 먹으라고 하십니다. 그것이 바로 최후의 만찬에 제자들과 함께 나누신 그 성체로서의 빵입니다.

그런데 우리 시대에는 예수님이 흘리신 눈물 세 가지 가운데 어떤 것도 맛보고 싶어 하지 않습니다. 눈물을 흘리는 마음은 어떤 것이라도 너무 아프니까요. 세상은 늘 죽을 만큼 괴로운 것들을 넘어서야만 새로운 세계를 보여줍니다. 예수님은 우리를 위해 눈물과 피를 흘리신 후 부활하십니다. 회개의 눈물과 땀을 흘려야 비로소 빵을 먹고, 하나님의 말씀을 들을 수 있습니다. 유대 왕 히스기야 왕이 병들어 죽게 되었다고 하나님 앞에서 통곡을 하고 난 후에야 병이 치유되어 새 생명을 얻은 것처럼 말입니다. 그러니 지금 흐르는 눈물을 닦지 마세요. 마를 때까지 그냥 놔두세요. 눈물은 창피한 것이 아니라 자랑스러운 것입니다. 당신에게 눈물이 있다는 것은 영혼이 있다는 것, 사랑이 있다는 것, 누군가를 사랑하고 애타게 그리워 한다는 것, 그리고 뉘우친다는 것, 내가 아니라 남을 위해서 흘리는 눈물은 비가 그치자 나타난 무지개처럼 아름다운 것입니다. 눈물에 젖은 빵을 먹는 것, 그것은 가난 때문이 아닙니다. 가난을 넘어서는 사랑의 눈물에서만이 영혼의 무지개가 뜨는 것이지요.

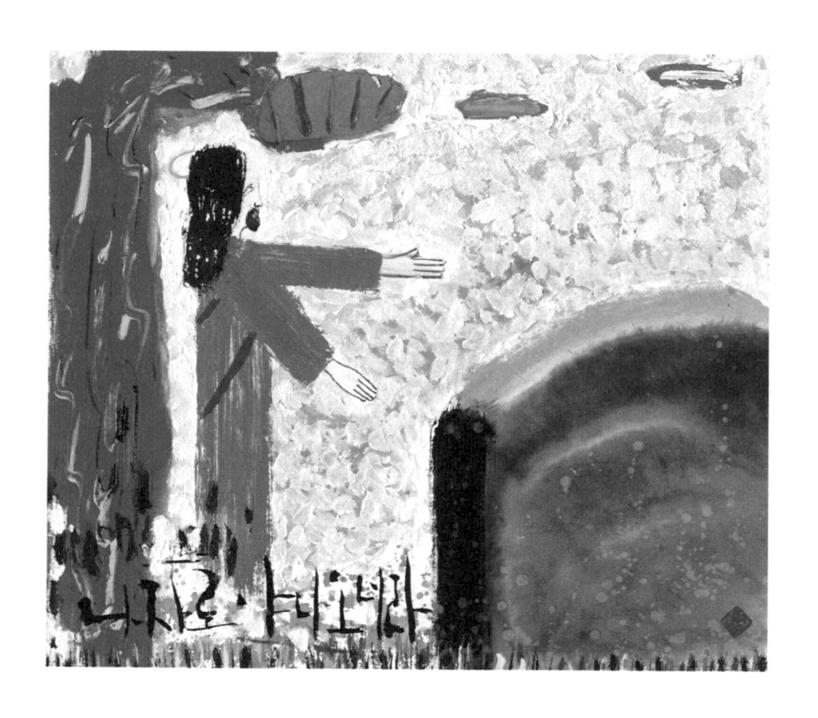
나자로 나오너라

## 눈물 없이 먹을 수 없는 빵

내 눈물이 진주라면 내 손에 든 빵은
바다.
거칠게 파도치고 때로는 해일처럼
효모균을 뿌린 것처럼 부풀어 오르지만
그 바다는 작은 진주알을 키운다.

눈물 없이는 먹을 수 없는 빵
무슨 열매가 이리도 매워 고추 먹은 듯
뜨거운 입김
한 조각 빵을 먹기 위해
나는 유다처럼 사랑하는 사람을 판다
너를 찌르지 않고서는 내가 먹을
빵을 얻을 수 없다
이마에 땀이 흐르지 않으면
눈에서 눈물이 흐르지 않으면
야윈 정강이에 피가 흐르지 않으면
먹을 수 없는 빵

내 눈물이 진주라면 내 손에 든 빵은
바다.

# 4

## 새의 자유, 꽃의 영광

인간이라면 누구나 먹는 것과 입는 것을 근심합니다. 그래서 에이브러햄 매슬로Abraham Maslow(1908~1970)라는 유명한 심리학자가 만든 인간의 욕구 피라미드에서도 가장 기본이 되는 게 생리적인 욕구Physiological Needs입니다. 생리적 욕구는 먹는 것, 입는 것, 잠자는 것, 이 세 가지입니다.

이미 앞에서 본 것처럼 빵 코드에 속하는 것이지요. 배운 사람이든 안 배운 사람이든, 지체가 높은 사람이든 낮은 사람이든, 누구나 이 피라미드의 가장 아래 단계로부터 삶이 시작됩니다.

그런데 생리적 욕구는 인간에게만 있는 것이 아닙니다. 짐승들에게도 다 있습니다. 어떤 점에서는 짐승들은 우리보다 낫다고 할 수 있어요. 인간은 필요한 만큼 먹는 것으로 모자라 과식을 하지만 짐승이 소화제 먹는 걸 본 적 있습니까? 입는 것은 더 말할 필요도 없어요. 짐승에게는 털이 있습니다. 추위를 피할 수 있다면 제 몸 하나 누일 수 있는 작은 동굴로 만족입니다. 우리는 짐승들이 큰 동굴을 차지한 다른 동물 집에 세 들어 산다는 말은 일찍이 들어본 적이 없지요. 북극곰의 털처럼 좋은 털옷이 또 있을까요?

### live 속에 숨어 있는 evil

인간은 어떤가요? 인간에게는 가장 아래 욕구인 이 생리적 욕구들이 예나 지금이나 가장 큰 근심거리입니다. 심지어 이 의식주가 자신이 가치 있는 인간이라는 증거로도 쓰입니다. 한 주부가 비싼 밍크코트를 한 벌 사 입었는데 그만 하와이로 이민을 가게 됐어요. 산 지 얼마 안 된 밍크코트가 얼마나 아까웠겠습니까? 그래서 찌는 더위에도 밍크코트를 입고 사람들이 많이 모이는 파티에도 가고 사교 클럽에도 나갔다는 겁니다. 제아무리 귀한 것이라도 때와 장소에 어울리지 않으면 웃음거리가 됩니다. 그런데도 그저 과시하고 싶어서 냉방장치 켜놓고 밍크코트 파티를 여는 것이 인간인 것이지요.

주위 사람들은 또 그런 사람들을 부러워하며 선망의 대상으로 여기지요. 출세와 부의 상징이 고작 짐승 털이라는 게 아이러니하기도 하고 인간을 딱하게 만듭니다. 그야말로 '빵만으로' 살아가는 인간의 모습을 구체적으로 밝힌 것이 그 유명한 마태복음 6장에 나오는

'공중의 새 들판의 꽃'에 관한 감동적인 시입니다. 성경을 모르는 사람도 이 성경 구절만은 시처럼 외우고 있으니까요.

> 공중의 새를 보라 심지도 않고 거두지도 않고 창고에 모아들이지도 아니하되 너희 하늘 아버지께서 기르시나니 너희는 이것들보다 귀하지 아니하냐 너희 중에 염려함으로 그 키를 한 자라도 더할 수 있겠느냐 또 너희가 어찌 의복을 위하여 염려하느냐 들의 백합화가 어떻게 자라는가 생각하여보라 (마태복음 6:26-28)

이 글을 보면 인간이 여간 자존심이 상하는 것이 아닙니다. "하늘을 나는 새를 보라. 그들이 무엇을 먹을까 고민하는 거 보았냐." 새들은 그냥 자연에서 먹을 것을 구해 필요한 만큼만 먹습니다. "들에 핀 백합화를 봐라. 겉치레하느라 허리가 휘는 너희들은 백합만도 못하지 않느냐." 하늘을 나는 새나 들에 핀 백합도 있는 모습 그대로 살아가는데 하나님의 모습으로 태어나, 하나님의 숨을 불어넣어 만들어진 인간은 이들만도 못하게 살아갑니다.

그러고 보면 '인간이 참 못난 존재'라는 생각을 하게 됩니다. 실제로 어느 유명한 생태학자는 인간을 '결함동물缺陷動物'이라고 불렀습니다. 동물 중에서 제일 결함이 많다고 말입니다. 그건 사실입니다. 부족한 게 제일 많습니다. 인간에게는 사자의 발톱, 타조의 빠른 걸음, 독수리의 힘찬 날개, 공작새의 화려한 꼬리 같은 것이 없습니다. 그만큼 결함이 많기 때문에 인간이 만들어낸 것이 있습니다.

바로 문화지요.

문화라는 말은 언뜻 뭔가 수준 높아 보이고 좋은 것 같지만 조금만 깊이 생각해보면 인간이 자연 속에서 그냥 살 수 없기 때문에 만들어낸 궁여지책일 뿐입니다. 짐승들은 문화 없이도 살아갈 수 있으니까요. 인간은 저 혼자서는 도저히 살아갈 수 없기 때문에 사회를 만들고 문명이라는 것도 만듭니다.

이렇게 먹거나 입거나 자거나 그렇게 매일 하지 않으면 살아갈 수 없는 것, 그런 모든 것을 우리는 생활이라고 부릅니다. 그런데 바로 그렇게 살아간다는 뜻의 영어 'live'를 거꾸로 읽으면 놀랍게도 '악evil'이란 말이 됩니다. 그리고 'have'와 함께 살아왔다는 뜻이 되는 과거분사 'lived'는 또 어떻습니까. 뒤집어 읽으면 숨어 있던 글자, '악마devil'가 나타납니다.

말장난이 아닙니다. 악마는 손에 이상한 삼지창을 들고 뿔과 꼬리를 단 무서운 모습으로 나타나는 것이 아닙니다. 우리 삶 속에 악마가 숨어 있습니다. 우리가 즐겨 부르는 가곡 「로렐라이」의 시인 하이네도 이렇게 말하지 않았습니까. "시인들아, 장미를 노래하지 말고 감자를 노래하라." 배고픈 서민들을 생각하면 꽃 타령이나 하는 사람들이 한심해 보일 겁니다. 다른 나라 말을 들출 것도 없습니다. '목구멍이 포도청', '사흘 굶어 남의 집 담 넘지 않는 사람 없다', '먹고 죽은 귀신이 때깔도 좋다'는 등의 우리 속담만 봐도 생활이란 말이 내포하고 있는 야만성, 공포가 확실히 보입니다. 다시 성경 구절을 생각해봅시다. 이 구절은 기독교를 믿지 않는 사람들도 많이들

알고 있습니다.

> 하늘의 새처럼, 들의 백합화처럼
>
> 하늘을 바라보고 하늘을 나는 새를 보라
>
> 땅을 바라보고 들에 핀 백합화를 보라

정말 화려한 수사입니다. 예수님은 대단한 시인인 거죠. 하늘을 대표하는 것이 새이고, 땅을 대표하는 것이 아름다운 꽃입니다. 하나님이 창조하신 것들을 가만히 보고 있으면 감탄하지 않고는 못 배겨요. 모든 것이 가장 적합한 형태로 가장 아름다운 조화를 이루고 있습니다. 먹이나 생태도 맞춤식입니다.

새들이 살찌면 어떻게 될까요? 하늘을 못 날지요. 뉴질랜드에는 메추리처럼 생긴 '키위kiwi' 라는 새가 있어요. 이 키위라는 새는 땅에 있는 것만 먹다가 살이 쪄서 결국 날개가 퇴화해버렸답니다. 그래서 새들은 날기 좋게 날렵하고 배 속이 비어 있어야 합니다. 그래서 먹는 것도 작고 고단백인 지렁이나 애벌레, 알곡 같은 것을 먹습니다.

참으로 교묘한 설계입니다. 인간도 처음에는 설계가 잘됐는데 후에 원죄를 지어서 불량품이 되었다고 할 수 있습니다. 에덴동산에서는 모든 것이 풍족해 무엇을 먹을까, 입을까 걱정하지 않아도 되었습니다. 에덴동산은 관광지나 공원 같은 화려한 곳이 아니라, 자족하고 불편함이 없는 곳, 구할 필요 없이 있는 대로 사는 곳, 즉 하나님의 섭리대로 살아가는 세계였던 것입니다. 인간들도 딱 한 번은 성경의 새처럼, 백합화처럼 산 적이 있었던 겁니다. 그런데 믿는 사람이든 안 믿는 사람이든 누구나 한 번은 에덴동산을 경험합니다. 바로 어머니의 태내, 아기집에서 자랄 때입니다. 우리가 그 안에서 무엇을 입을까, 무엇을 먹을까 걱정했어요? 쾌적하고 편안한 곳에서 열 달 동안 아무 근심 없이 지냅니다.

하늘을 나는 새를 보라
들에 핀 백합화를 보라

예수님의 이 말씀을 오늘의 말로 번역하면 '어머니의 태내에 있을 때를 생각해보라'가 될 겁니다. 그땐 어머니의 맥박 소리가 유일한 음악이지요. 그래서 아기를 안을 때는 심장이 있는 왼쪽 가슴에 아이 머리가 오도록 안는 것이 좋다고 합니다. 왜 그럴까요? 태내에서 가장 가까이에서 들었던 어머니의 심장 소리, 숨소리가 아기에게 전달되기 때문입니다.

그것은 평화와 기쁨의 노래이며 생명의 음악입니다. 이는 과학적으로 입증된 것이기도 합니다. 아기들을 두 그룹으로 나눠 한 그룹은 심장박동 소리를 주기적으로 들려주고, 다른 한 그룹은 전혀 들려주지 않았더니 들려주는 그룹은 잘 자는데, 들려주지 않은 그룹은 잠투정을 부리고 잠을 잘 이루지 못했다고 합니다. 조사 집단을 바꿔 실험했더니 잠을 못 자던 그룹도 심장 소리를 듣고는 평안하게 잠들었다고 합니다. 그러니까 우리들이 가장 편안했던 공간, 어머니의 태내는 태초의 에덴동산과 같은 곳이죠. 우리는 그 속에서 들에 핀 백합화, 하늘을 나는 새처럼 하나님의 섭리대로 1년 가까이 살다가 태어납니다.

배 속에서 바깥으로 나올 때는 어떻습니까? 아기가 기뻐서 깔깔대며 나오는 것을 본 적 있습니까? 전부 화난 듯이 떼를 쓰듯 울면서 나옵니다. 사실 아기가 폐로 호흡을 처음 하느라 그러는 건데 우리가 보기에는 "나 다시 엄마 배 속으로 들어갈래" 하는 것처럼 보이지요. 태어나는 순간부터 시작된 무엇을 입을까, 무엇을 먹을까 하는 고민 때문인 것 같습니다. 태내에서는 알몸도 아무 상관 없었는데 추위를 막기 위해 '무엇을 입을까' 걱정하고, 엄마가 먹으면 탯줄을 통해 저절로 먹게 되니 따로 먹을 걱정을 하지 않았는데, 엄마에게 젖을 달라고 울고 보채야 합니다. 기저귀를 찬 아이, 이것이 실락원 속에서 사는 우리의 첫출발이지요.

## 자연이 차려낸 진수성찬

이런 우리의 고생은 죽을 때까지 계속됩니다. 강보에서 수의까지, 태어날 때와 죽을 때는 그나마 기저귀 한 장, 수의 한 폭처럼 한 조각의 천으로 족합니다. 그래서 자궁과 무덤은 서로 통하는 걸까요? 어머니의 자궁은 영어로 '움womb', 무덤은 '툼tomb', 'w'와

't', 그야말로 한 끗 차이입니다. 사는 동안이라는 건 어머니의 자궁과 무덤 사이, 그동안뿐인데 날마다 근심, 걱정으로 보낸다고 생각하면 너무 딱합니다. 우리 스스로 생각해봐도 불쌍한데 하나님이 보면, 예수님이 보면 얼마나 가슴이 아프겠어요? 그것을 성경 속에서 예수님이 말씀하신 겁니다.

그런데도 우리 인간들은 여전히 무엇을 먹을까, 무엇을 입을까 걱정하고 두려워합니다. 급기야는 그것을 가지고 아우성치고 싸우고 이념 투쟁까지 벌입니다. 물질이 가장 중요한 가치가 되는 사회에서는 영혼의 문제를 다루지 않습니다. 소유와 사용가치, 교환가치만을 따지지, 삶의 가치는 말하지 않습니다. 그건 관념이기 때문이라는 것이지요. 의식衣食이 같아져야 정의로운 사회라고 합니다.

그런 사회에서는 모든 고통이 물질의 부족, 부재에서 온다고 봅니다. 그것만 해결되면 싸울 것이 없는 지상낙원이 된다고 합니다. 그러나 인간은 그런 존재가 아닙니다. 매슬로의 욕구 피라미드 2단계만 올라가도 알 수 있습니다. 말이 생기면 슬그머니 경마 잡히고 싶어집니다. 말만 생겨도 참 좋겠다고 생각했는데 막상 생기고 보니까 자기가 직접 몰지 않고 누가 끌어줬으면 좋겠다 싶은 거지요.

한민족은 수렵 채집해서 먹는 게 많은 사람들이라 하나님하고 제일 가깝게 산 사람들입니다. 나물 캐서 먹고살았잖아요. 나물을 어디서 캡니까? 인간이 재배하는 게 아니라 하나님의 대자연이 길러준 겁니다. 봄에 아무리 먹을 것이 없어도 제가 어렸을 때는 바구니 하나 가지고 들판에 나가면 먹을 것이 참 많았어요. 달래도 캐고, 쑥도 캐서 반찬을 만들었지요. 그래서 한국 사람들은 아무리 진수성찬을 차려내도 그 향기로운 봄나물의 맛을 잊지 못합니다. 봄이면 다들 새로 난 봄나물을 찾지요. 봄나물을 찾아 들판에 나서면 아지랑이가 피어오르고 새들이 지저귑니다. 거기에서 인간이 가꾸지 않은, 하나님이 주신 자연의 선물을 얻을 수 있어요. 에덴동산이 바로 이런 모습이 아니었을까요?

이런 나물 문화는 지금까지 이어지고 있습니다. 비빔밥이 바로 그 예이지요. 비빔밥이 잘 섞이고 얽히려면 나물이 꼭 필요합니다. 취나물이나 고사리처럼 긴 것이 없으면 비빔밥은 잘 비벼지지 않고 비빔밥 속 재료들이 다 따로 놀게 됩니다. 주재료니 부재료니 기 싸움을 하지 않아도, 화려한 고명을 얹지 않아도 나물들 각각의 색이 평화롭게 어우러지는 게 나물 비빔밥, 나물 문화입니다. 수렵 채집 시대의 이러한 문화가 산업화가 된 오늘날까지도 여전히 살아 있는 나라, 그것이 우리 대한민국입니다.

먹고살 것만 생각하는 사람은 앞 장에 나온 마귀처럼 돌까지도 빵으로 만들고 싶어 하는 사람입니다. 'live' 속에 숨은 'evil'입니다. 무엇을 먹을까, 무엇을 입을까 걱정하고 두려워하는 것은 광야에 나타난 마귀의 유혹에 걸려든 것입니다. 그래서 문명이 물질에 치우치면 온갖 과학기술과 정치권력, 경제활동이 악의 손아귀에 넘어가기 쉽습니다. 이런 곳에서 과학기술과 문명은 돌을 빵으로 만드는 기술에 치중합니다. 먹고살 걱정을 거부하는 것, 어떤 이들은 철없는 행동이라고 할 겁니다. 기독교를 몰랐던 우리의 선비들이 무엇이라 노래했습니까? "쓴 나물 데운 물이 고기도곤 맛이 있세"라고 말입니다.

쉬운 예로 어린아이들을 생각해보세요. 대여섯 살 된 아이가 '뭘 먹고 살지? 뭘 입고 살지?' 고민하다가 "야, 이거 안 되겠다" 하고 길거리에 나서서 맥주병이나 깡통을 줍고 다니면 어떻겠습니까? 부모가 있는 아이는 무엇을 입을까, 무엇을 먹을까 걱정하지 않습니다. 하나님을 믿는 사람들에게 부모란 하나님이지요. 그런 사람들이 먹고 입을 걱정을 하는 건, 부모를 못 믿고 저 혼자 나가서 앵벌이 하는 아이와 똑같습니다.

## 부모 없는 아이들

회개하라고 하면 어떤 사람은 "난 죄지은 거 없습니다" 하고 버팁니다. 하지만 무엇을 입을까, 무엇을 먹을까 걱정하는 자체가 바로 죄입니다. 에덴동산에서 쫓겨났을 때부터, 자연으로부터 벗어나 문명 · 문화를 이뤄온 그 자체가 죄잖아요. 대자연에서 떨어져 나온 인간이 문명을 일궈온 결과로 오늘날 온난화 현상이 벌어지고 이상기후로 갑작스레 쓰나미가 사람을 덮치는 것이죠. 원래는 겨울에서 봄으로 오면서 2 · 3 · 4월에 진달래 · 개나리, 목련, 철쭉이 순서대로 피는데 요즘에는 봄, 가을 같은 간절기가 사라지고 꽃들도 순서 없이 한꺼번에 피어버립니다. 제가 80 평생을 사는 동안 이런 풍경을 본 적이 없습니다. 왜 이렇게 된 것일까요? 그 원인의 가장 근원에는 무엇을 입을까, 무엇을 먹을까 하며 살아온 인간의 근심이 깔려 있는 게 아닐까요?

하나님을 믿지 못하니까 문명을 만들고 자연을 헤집어 석유도 파내고 온갖 것을 파낸 것입니다. 석유나 석탄을 하나님이 왜 땅속 깊이 묻어두었겠습니까? "그거 쓰지 마라. 열지 마라. 불장난하지 마라. 그거 캐서는 안 된다." 그래서 넣어두신 건데 사람들은 그것을 캐내서 활활 때고 사니 괜찮겠어요? 쉬운 비유를 들면 부모님이 감춰둔 성인용 비디오를 몰래 꺼내 보는 것과 같습니다. 아이들은 멋모르고 "야, 재미있다" 합니다. 하지만 성인용 비디오가 아이들에게 좋은 영향을 주겠습니까?

부모가 있는 아이들은 어른들을 믿습니다. 못된 어른이라도 믿으면 어른들은 아이들을 함부로 대하지 않습니다. 아이들은 아직 세상을 심판하지 못합니다. 그래서 어른이 되기 전에는 먹는 것, 입는 것을 자기 손으로 구하지 않아야 해요. 아직 미숙한 상태에서 먹을 것, 입을 것을 근심해서 "우리가 나서야지" 하며 거리로 나오면 우리 사회는 미래를 장담할 수 없게 됩니다. 하나님을 믿지 않는 어른은 아버지 얼굴을 보며 한숨을 푹푹 쉬는 아이와 같습니다.

"제가 아버지를 가만히 보니까 못 믿겠어요. 실직도 한 것 같고, 무능한 것 같고. 그동안은 아버지가 위대해 보였는데, 사실 요즘은 회의가 많아요. 학교도 가야 하는데, 앞날이 캄캄해요." 그렇게 말하면 아버지 마음이 어떻겠습니까? 참담하지만 아버지는 이렇게 말합니다. "얘, 걱정 말아라. 내가 너 하나 못 먹일 것 같으냐?" 하나님의 심정이랑 똑같습니다. 마태복음 내용이 바로 그것입니다. 그런데도 우리는 "하나님이 무슨 힘이 있어? 정말로 하나님이 계셔 봐라. 세상이 이렇게 됐겠어? 내가 요 모양 요 꼴이겠어?" 하고 불평만 합니다.

인류는 수렵 채집 시대에 딱 한 번 그야말로 하늘을 나는 새, 땅에 핀 백합화처럼 산 적이 있었습니다. 수렵 채집 시대의 생활을 복원해보면 그때는 사람들이 하루에 12시간을 잤다고 합니다. 하루 사냥을 나가거나 열매를 따 오면 3일을 놀았다고 합니다. 노동시간 4, 5시간으로 남자 한 명이 너댓 명을 부양할 수 있었다니까 인구의 5분의 1이 나머지 사람들의 식량을 대기 위해 농사를 지어야 했던 2차 세계대전 당시의 프랑스보다 생산성이 높았다는 거지요. 쉴 때는 모여서 이야기하고 춤추고 노래 불렀다고 합니다. 뭐가 그렇게 신나서 춤을 추었을까요? 지금의 시각으로 보면 섭생도 형편없고 우리가 문명의 이기로 누리는 것들을 하나도 누리지 못했지만 그들의 삶이 가장 충만하고 행복했던 것이 아닐까 생각합니다.

이것은 제가 멋대로 지어낸 말이 아닙니다. 또 크리스천의 말도 아니에요. 미국의 문화인류학자 마셜 살린스Marshall Sahlins(1930~)가 쓴 『석기시대의 경제학Stone Age Economics』에서 실증적으로 밝힌 것입니다. 무엇을 먹을까, 무엇을 입을까 걱정하지 않고, 두려움 없이 노래하고 춤추고 실컷 자고, 아주 편안한 생활이었습니다. 수렵 시대는 농사를 짓기 이전이기 때문이지요. 그런데 농사를 짓는다는 것은 이미 하나님을 믿지 못하고 "안 되겠다. 우리가 스스로 구하지 않으면 굶어 죽겠구나" 생각하게 된 것을 말합니다.

## 숲 속을 울린 최초의 도끼 소리

그래서 동굴에서 나와 집을 지었습니다. 최초의 도끼로 나무를 찍은 것이지요. 그 최초의 도끼 소리가 숲 속에 울려 퍼지는 순간 오늘의 위기가 시작된 것입니다. 나무를 찍으려면 금속을 만들어야 하고, 금속에 날을 세우려면 불이 필요합니다. 불을 때려고 해도 나무가 필요하고, 도낏자루를 만들려고도 해도 나무가 필요합니다. 나무를 찍은 도끼 하나에 이 모든 것이 담겨 있었습니다.

필요한 나무를 자르려면 다시 쇠를 녹여서 도끼를 만들어야 합니다. 이렇게 자연을 훼손하는 악순환이 반복됩니다. 오늘날 우리가 살고 있는 공업화 시대의 핵심이 제철입니다. 대지earth를 우리의 어머니라고 했는데, 이 자연을 뒤지고 뒤져서 철을 찾아 쓰다보니 철은 이제 희귀 금속이 되어버렸어요.

공업화의 정점으로 가고 있는 중국은 고철을 사들이고 맨홀 뚜껑까지 긁어모으고 있습니다. 마치 철을 빨아들이는 블랙홀 같습니다. 과연 이것이 얼마나 오래갈까요?

이렇게 문명론을 얘기하다보면, '야, 우리가 먹을 거 입을 거 걱정하다가 이렇게 됐구나. 수렵 채집 시대 때는 그런 걱정 안 하고도 얼마든지 잘 살았는데' 하는 생각이 듭니다. 수렵 채집 시대보다 더 위로 올라간 게 에덴동산 시대입니다. 아무 걱정 없이 열매를 따 먹고 씨를 버립니다. 그것은 파괴가 아닙니다. 먹고 버린 씨에서 다시 식물이 번성합니다. 이렇게 하면서 스스로 균형을 찾았는데, 이 순환을 깨뜨리고 인간만의 독자적인 문명, 문화를 만드니까 지구에 종말이 올지 모른다는 이야기가 나올 정도로 나빠진 것입니다.

에덴동산으로부터 우리는 너무 멀리 왔습니다. 문명을 읽으면 읽을수록 '아, 그분이 어딘가 계시다' 라는 생각이 듭니다. 사실 제가 문학을 하다보니 문명 비평을 많이 하게 되었습니다. 문명을 파고드니 인간은 알면 알수록, 생명공학 기술BT(Bio Technology)과 나노 기술NT(Nano Technology)이 개발되면 될수록 인간 종말의 징후가 더 뚜렷해집니다. 그래서 이제는 ET까지 나왔습니다. 그 ET는 외계 생명Extra Terrestrial의 축약어가 아니라 에너지 기술Energy Technology의 약자입니다. 인간이 숲 속을 '쾅' 울렸던 최초의 도끼 소리가 지금의 원자폭탄의 폭음과 아스라이 겹쳐집니다. 이것은 하나님을 믿어야 비로소 알게 되는 것이 아니고 누구라도 알 수 있는 진리입니다.

원죄를 진 우리는 우리 손으로 먹을 것을 찾고 잠잘 집을 지을 수밖에 없지요. 그러니까 아무리 떠들어도 채집 시대처럼 살 수 없지요. 역시 부족함이 있기에 땅을 파 스스로 먹거리를 가꾸고 기르는 농업을 시작한 것이지요. 그렇다면 이 예정된 몰락의 길에서 벗어날 수 있는 방법은 없을까요? 분명한 것은 더 이상 인간의 지혜로는 안 된다는 겁니다. 인간에게는 종말을 불러오는 지식은 있지만 종말을 넘어서는 지혜는 없습니다. 재주 좋고 기술 좋은 과학자들이 만들어 낸 것이 얼마나 많습니까? 반면에 옛날에는 인간과 공생했던 바이러스들이 에이즈AIDS나 조류독감AI, 돼지인플루엔자SI 같은 바이러스로 변형되어 인간을 물어뜯습니다. 이것들을 없애는 것이 의술인데 의술은 오히려 내성이 강하고 감염이 쉬우며 치료약이 없는 새로운 바이러스, 이른바 신흥 바이러스emerging virus를 만들어냅니다. 인간의 기술은 결국 병 주고 약 주는 기술에 지나지 않는 것입니다. 그래서 다시 한 번 수렵 채집 시대가 어땠는지 알아야 합니다. 과거로, 원시로 되돌아가자는 것이 아니라 문명이 무엇이 부족한지를 알고 이를 메워가자는 것입니다.

마태복음의 성경 구절을 통해 우리는 자연의 귀중함을 배우게 됩니다. 자연의 소리, 새의 소리, 백합화의 향기가 사라져가는 것을 지금 당장 고칠 수는 없지만, 그 귀중함을 알고 귀하게 여기다보면 자연스럽게 하나님의 존재를 깨닫게 될 것입니다. 그것이 예수님의 하늘을 보라, 땅을 보라는 말씀 속에 숨어 있는 진리입니다. 하나님은 새의 자유, 백합화의 영광을 통해서 우리 곁에 나타나십니다. 제가 요즘 세계 여러 학자들과 생명자본주의에 대해 연구를 하는 것도 그 발상은 이 말씀을 통해 이루어진 것입니다.

항공기나 우주선을 만드는 엔지니어들은 꿀벌에서 배운 6각형 집을 배워서 가장 가볍고 단단한 구조물을 만드는 데 이용하고 있습니다. 심지어 축구 골문의 네트까지도 4각형에서 6각형으로 바뀌고 있지 않습니까. 그래요. 크리스천이 아닌 과학자들이 이런 이야기를 하네요. "우리는 우리의 기술로 자연을 착취했다. 그러나 이제는 벌에서 꿀이 아니라 육각형으로 집을 짓는 그 지혜를 배우자."

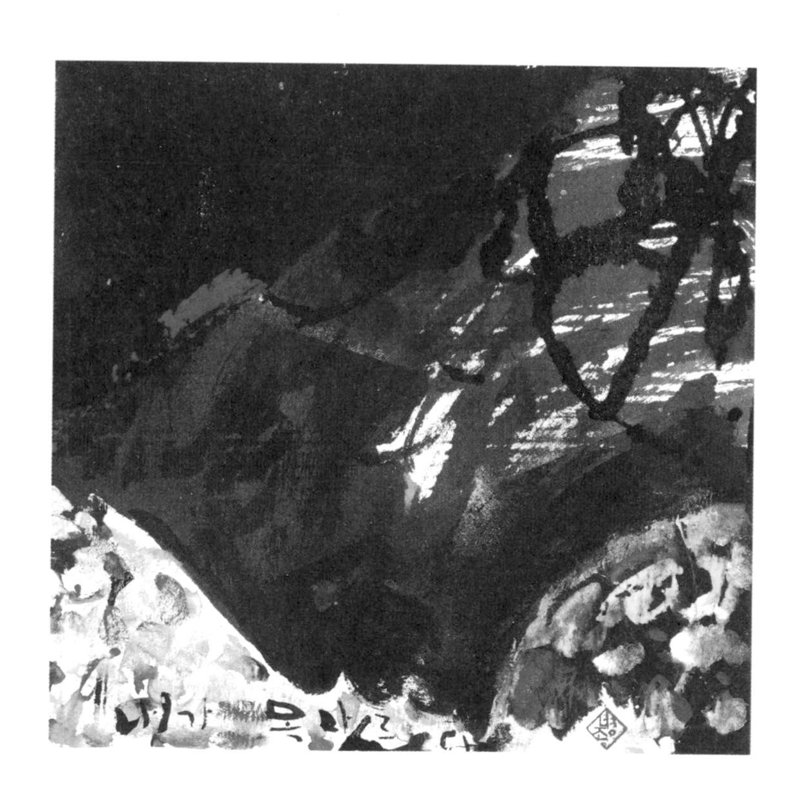

## 하늘의 새, 들의 백합꽃

무엇을 먹을까 걱정하지 말라 하시지만
나는 새처럼 하늘을 날 수 없습니다.
무엇을 입을까 걱정하지 말라 하시지만
백합처럼 비단을 짜 제 몸을 치장할 줄 모릅니다.

당신이 아니 계시면 추워서 떨고
배고파 울었겠지요.
그러나 이제는 하늘을 나는 새
들판에 피는 백합도
부럽지 않습니다.

당신의 목소리를 듣고부터
날개가 없어도 하늘을 날고
베틀이 없어도 베를 짭니다.

그래도 근심 걱정이 남아 있어요.
당신이 너무 먼 곳에 있어
보이지 않을까 봐서.

# 5
## 아버지의 이름으로

세상의 모든 아버지는 비슷합니다. 형태나 속성도 같지만 시대의 흐름까지 같아요. 옛날 가부장 사회에서는 아버지의 기침소리만 듣고도 지레 겁을 먹었지요. 하지만 권위 있고 존대받았던 아버지의 지위가 점점 낮아지고 있습니다. '파덜러스 소사이어티fatherless society', 아버지 없는 사회라는 흐름은 동서양이 같습니다. 옛날에는 남자들이 가정의 중심이고 가족의 대들보라고 큰소리쳤는데 갈수록 아버지 지위가 흔들리고 있어요.

하나님도 우리가 아버지라고 부르니 그 아버지가 온전할 수 있겠습니까. 지상의 아버지의 지위가 이상해지면, 하나님 아버지의 지위에도 손상이 갑니다. 그래서 아버지 없는 사회는 '가들러스 소사이어티Godless society', 즉 신神 없는 사회가 되어갑니다. 오늘날의 무종교성, 하나님의 권위나 종교적인 것이 타락하고 점점 무신론이 득세하는 것도 그런 영향 때문입니다.

아버지 없는 사회와 하나님 없는 사회가 같다? 도대체 이 아버지 없는 사회는 무엇인가, 그것을 한번 짚어보기로 합시다. 젠더gender의 층위에서 보자면 남성, 여성, 아버지, 어머니는 어느 문화권에서나 공통적입니다. 물론 문화적인 맥락에서는 문화권마다 다릅니다. 남자가 강한 가부장제 사회가 있는가 하면 여자가 강한 모계사회도 있습니다. 지역과 민족, 시대에 따라 들쭉날쭉하긴 하지만 역사적으로, 지역적으로 모계사회도 있고 부계 사회가 있어왔습니다. 그런데 지금 지구 전체는 힘 있던 남자들이 힘없는 남자로, 가정의 중심이었던 아버지가 문밖으로 밀려나 소외된 아버지로 변하고 있죠. 물론 일부 예외가 있긴 하겠지만요. 하나님 아버지의 지위가 약화되어가는 흐름과 물질주의가 득세하는 흐름의 정도가 일치합니다. 이것이 소위 모든 문화를 편편하게 만드는 글로벌리즘globalism이라는 것이지요.

## 육체 없는 아버지

전통적으로 가부장제가 강했던 지역도 마찬가지입니다. 유교 국가였던 중국과 대만도 그렇습니다. 우스갯소리가 전하는데, 대만의 어느 법정에 가보니까 판사도 여자, 검사도 여자, 변호사도 여자인데 남자가 유일하게 하나 있더랍니다. 자세히 보니 피고였다고 해요. 힘없는 아버지에 대한 더 슬픈 이야기도 있습니다. 유학 간 아들이 어머니와는 매일 전화나 이메일로 소식을 전하는데 아버지와는 무심하게 지냈더랍니다. 아들이 어느 날 이런 생각이 든 거예요. '아버지가 열심히 일해서 내가 이렇게 유학까지 왔는데, 아버지께 제대로 감사해본 적이 없구나. 어머니만 부모 같았지, 아버지는 손님 같았구나.'

아들이 크게 후회를 하면서 집에 전화를 걸었습니다. 오늘은 아버지께 위로와 감사의 말씀을 전해야겠다고 생각한 거지요. 전화를 거니까 마침 아버지가 받았는데, 받자마자 "엄마, 바꿔줄게" 하시더랍니다. 밤낮 교환수 노릇만 했으니까요. 아들이 "아니요, 오늘은 아버지하고 이야기하려고요" 그랬습니다. 그러니까 아버지가 "왜, 돈 떨어졌냐?" 하시는 거예요. 아버지는 그저 돈 주는 사람인 것이지요. "아버지께 큰 은혜를 받으면서도 너무 불효를 한 것 같아서 오늘은 아버지와 이런저런 말씀을 나누고 싶어요" 그랬단 말이지요. 그랬더니 아버지가 뭐라고 말했는지 아세요. "너, 술 마셨니?"

아버지만 그런 게 아닙니다. 가족 관계에서 부계와 모계를 비교해보아도 모계가 훨씬 지배적이 되었습니다. 아이들은 고모보다는 이모를 더 가깝게 느끼죠. 그래서 백화점 점원들이 젊은이들과 동행한 어머니 같은 여자를 보면, "이모님, 이모님" 하는 겁니다. 그리고 외국의 경우에도 마찬가지라고 해요. 한국 관광객을 상대로 하는 터키의 상점에서는 부부가 할머니를 모시고 오면, 알아서 "장모님, 장모님" 그런다고 합니다. 우스개 하나에도 시대의 흐름이 담겨 있는 법이니까 그냥 웃고 넘길 이야기가 아니겠지요.

이런 상황에서 주기도문을 외운다면, 하나님 아버지라는 말이 가슴에 뜨겁게 와 닿겠습니까? 잘 알다시피 주기도문 첫머리는 "하늘에 계신 우리 아버지여 이름이 거룩히 여김을 받으시오며"(마태복음 6:9)로 시작됩니다. 그런데 주기도문의 첫머리에서부터 의문이 생깁니다. 그냥 직접 아버지라고 하면 될 텐데, 왜 굳이 아버지의 '이름'이라고 했을까요? 육체로서의 그냥 아버지가 아니라 왜 아버지의 이름인가, 본체가 아니고 왜 이름을 이야기하는가? 그것이 중요한 점입니다. 아버지는 육체가 아니기 때문입니다. 육체가 아닌 것, 상징, 정신적인spiritual 어떤 추상체, 이것이 아버지라는 말로 드러난 것입니다.

반면에 어머니는 육체입니다. 어머니는 우리를 열 달 동안 몸 안 깊숙이에 품습니다. 게다가 둘 사이에는 탯줄이라는 실제 생명의 끈으로 연결되어 있습니다. 어머니와 나와의 관계는 육체와 육체의 관계니까 손으로 만질 수 있고, 냄새를 맡을 수 있고, 안을 수 있고 품을 수 있는 아주 구체적인 사랑으로 표현됩니다. 그런데 아버지는 이름이라는 상징입니다. 어머니는 육체를 주셨지만, 성姓은 아버지를 따릅니다.

서양도 마찬가지입니다. 일본은 더해요. 여자의 경우 아버지의 성을 받았다가 결혼하면 남편 성을 따라 바꾸니까요. 그래서 일본에서는 젊은 여자들이 도장을 새길 때 나무 도장을 새긴답니다. 남자는 한번 판 도장을 평생 쓰니까 상아 도장을 파지만 여자는 결혼하면 도장을 바꿔야 하니까 값싼 나무 도장을 새긴다는 것입니다.

여권운동가들은 이것을 가부장 사회가 여성을 억압한 증거로 보지만 사실 이것은 생태적인 전략일 뿐입니다. 동물들은 태어나자마자 어미로부터 독립합니다. 태어나자마자 스스로 일어서고 곧 뛰어다니고 풀을 먹습니다. 그런데 사람은 태어나서 적어도 3년은 몸을 제대로 가누지도, 말을 제대로 하지도 못해 속수무책입니다. 그래서 어머니가 아기 곁을 잠시도 떠날 수 없습니다. 이렇게 아기 옆에 붙어 있어야 하니 어머니는 아무것도 할 수가 없습니다. 그러니 남자가 옆에서 돌봐줘야 하는 겁니다. 아버지에게는 가족을 지켜야 하는 의무가 있습니다. 이렇게 가족을 지킬 때에야 비로소 아버지라는 이름을 가질 수 있습니다.

짐승들은 짝지을 때뿐이지, 대부분 자식을 돌보지 않거든요. 결국 가부장 제도라는 건 권력을 쥐고 횡포를 부리는 제도가 아니라 육신을 가진 자들에게 동물에게는 없는 영혼을 주고 질서를 주고 규율을 주는 것입니다. 그래서 아버지라는 이름을 주는 것입니다.

## 무한히 용서하는 존재

전 세계 어느 나라 말이나 아버지는 거의 'p' 음입니다. 'p', 't', 'k' 계열의 파열음이지요. 우리말은 아버지, 아빠, 히브리 말들도 우리와 비슷한 '아바' 입니다. 영어로는 파더father, 파파papa, 프랑스어로는 페르pére 모두 'p' 음 입니다. 어머니는 반면에 유성음인 'm' 음이에요. 엄마, 마더mother, 맘mom, 느낌만으로 어머니는 말랑말랑하고 포근합니다. 하지만 파열음의 아버지는 회초리를 들고 있어요. 미워서가 아니라 질서와 정의를 가르쳐야 하기 때문이죠. 아버지만 있는 사회가 감옥만 있는 사회, 징벌만 하는 사회라면 어머니만 있는 사회는 "아이고, 내 새끼" 하는 무조건 안아주기만 하는 사회죠. 그래서 아이들이 탈선을 하면 "애비 없는 후레자식"이라고 하잖아요.

범죄자들을 잡아놓고 보면 모두 후회할 때 아버지를 찾는답니다. 제 딸이 미국에서 검사로 일할 때, 흉악한 범죄를 저지른 10대 아이들을 잡아놓고 심문을 해보면 가정환경 문제가 대부분이고, 특히 아버지가 제 역할을 못한 경우가 많았다고 합니다. 그들은 마지막에 한결같이 후회의 눈물을 흘리면서, "나에게 아버지가 없었다"고 한답니다. 너무나 상징적인 이야기입니다.

이때의 아버지란 참된 권위, 부권을 나타내지요. 이것은 질서를 지키는 것, 죽음과 싸워 이기는 전사, 어둠을 멸하는 힘을 의미합니다. 우리가 하나님 아버지라고 부르는 존재인 하나님은 실제로 남성이 아닙니다. 하나님은 천사처럼 젠더가 없기 때문이지요. 하나님이 하필 아버지가 된 이유도 이런 맥락에서 짐작해볼 수 있지 않을까요? 하나님 아버지의 '아버지'는 세속적 의미에서의 가부장을 의미하는 것이 아니라 상징적 가부장입니다.

인류가 어머니만 알고 아버지를 모르기 때문에 예수님이 육체를 가진 하나님의 모습으로 태어나 하나님의 모습을 전한 것입니다. 하나님의 말씀word을 육체로 전한 것이지요. 구약 시대까지는 하나님의 아버지적 요소, 즉 법, 공의, 율법, 노모스nomos적 특징이 많이 드러났다면, 신약에서는 예수님이 하나님의 어머니적 요소, 즉 사랑과 관용의 여성적인 역할을 보여주십니다. 예수님은 남성인데도요. 예수님은 남성의 몸이면서도 동시에 여성적 역할을 하고 있습니다. 여기에서도 우리는 천상의 것을 지상의 것으로 바꿀 때의 비유를 떠올려야 합니다.

우리가 예수님을 말할 때, 하나님의 독생자獨生子라고 합니다. 지상에서 통용되는 '하나뿐인 아들', 그만큼 '귀한 아들'이라고 생각한다면 그건 반 정도만 맞는 해석입니다. 전지전능한 하나님께 아들이 필요하다면 둘째 아들, 셋째 아들인들 만들지 못하겠습니까? 독생자는 모든 사람이 하나밖에 갖고 있지 못한 가장 귀한 것을 상징합니다. 자신과 똑같은 분신인 '아바타'죠. 예수님은 하나님의 아바타 생명 자체인 것입니다. 하나님은 우리를 위해 당신 자신의 생명을 내놓은 것이지요.

## 영혼의 말, 육체의 말

지상의 언어로는 이것을 다 이해하기가 힘듭니다. 그래서 예수님은 인간의 육신으로 지상에 왔을 때는 늘 비유로 말씀하셨고, 육신으로서 죽음, 영생으로서의 부활을 앞두었을 때에야 더 이상 비유로 말하지 않겠다고 분명히 이야기합니다. 참 아름답고 절절한 구절입니다.

> 예수께서 그 묻고자 함을 아시고 이르시되 내 말이 조금 있으면 나를 보지 못하겠고 또 조금 있으면 나를 보리라 하므로 서로 문의하느냐 내가 진실로 진실로 너희에게 이르노니 너희는 곡하고 애통하겠으나 세상은 기뻐하리라 너희는 근심하겠으나 너희 근심이 도리어 기쁨이 되리라 여자가 해산하게 되면 그때가 이르렀으므로 근심하나 아기를 낳으면 세상에 사람 난 기쁨으로 말미암아 그 고통을 다시 기억하지 아니하느니라 지금은 너희가 근심하나 내가 다시 너희를 보리니 너희 마음이 기쁠 것이오 너희 기쁨을 빼앗을 자가 없으리라 그날에는 너희가 아무것도 내게 묻지 아니하리라 내가 진실로 진실로 너희에게 이르노니 너희가 무엇이든지 아버지께 구하는 것을 내 이름으로 주시리라 지금까지는 너희가 내 이름으로 아무것도 구하지 아니하였으나 구하라 그리하면 받으리니 너희 기쁨이 충만하리라 이것을 비유로 너희에게 일렀거니와 때에 이르면 다시는 비유로 너희에게 이르지 않고 아버지에 대한 것을 밝히 이르리라 (요한복음 16:19-25)

고통이 곧 기쁨이 되는 모순어법을 예수님은 아기를 해산하는 산모로 비유하고 있습니다. 그런데 부활하시어 하늘나라로 가게 되면 더 이상 비유가 필요없습니다. 예수님의 이름, 그 아이디만 있으면 바로 하나님께 접속이 됩니다.

"내 이름으로 주시리라……" 이렇게 분명히 말씀하시네요. 어머니는 아이를 직접 낳기 때문에 아이에 대한 사랑이 본능적입니다. 그러나 아버지는 오로지 이름을 통해서만 아이에게 존재합니다. 젠더라는 생물학적인 성의 문제가 아니라 아버지의 존재 자체가 중요한 거예요. 그것은 정신적인 추상체, 영성이라고 할 수 있습니다. 어머니의 육체성과 아버지의 영성의 역할이 동시에 잘 이루어져야 아이들이 바르게 성장할 수 있어요. 인간에게는 원죄가 있어 영혼만으로는 살 수 없어요. 육체만으로도 살 수 없죠. 아버지의 영혼의 말, 어머니의 육체의 말을 고루 들어야 제대로 자랄 수 있습니다. 사람이 빵만으로 사는 것이 아니라 하나님 말씀으로도 살아가야 한다는 말의 또 다른 육화입니다.

우리 사회도 무조건 벌하는 정의만 넘치거나 반대로 감싸 안는 사랑만 있어도 안 되겠지요? 이름의 법과 몸의 사랑이 함께 있어야 합니다. 사랑의 하나님이면서 공의公義(히브리어의 미슈파트, '심판하다'라는 동사에서 파생된 말로 인간 상호의 관계를 정하는 하나님의 공정한 심판을 의미)의 하나님이어야 하는 겁니다. 성경에서도 불구덩이에 들어가 수많은 사람을 구하는 의로운 일이라 할지라도 사랑이 없으면 헛된 것이라고 말합니다. 이것이 오로지 다른 사람을 위해 눈물을 흘렸던 예수님의 사랑입니다. 그런 점에서 아버지와 어머니가 동시에 있어야 한다고 말할 수 있습니다. 우리가 하나님을 말할 때 사랑의 하나님, 공의의 하나님이라고 말하는데 공의나 사랑 가운데 어떤 것이 우선이라고 말할 수 없습니다.

한국 사회도 파덜러스 소사이어티에 진입한 듯합니다. 아버지 없는 사회는 세계적인 문화의 문제이고 세계 공통의 위기입니다. 어떻게 이 위기를 극복해낼 수 있을까요? 저는 성경에서 해답을 찾을 수 있을 거라고 생각합니다. 함께 읽고 접근하다보면 문명과 가정의 위기를 이겨낼 방법을 찾을 수 있지 않을까요?

나귀 탄 男子

## 도끼 한 자루

보아라. 파라니 정맥만 남은 아버지의 두 손에는
도끼가 없다.
지금 분노의 눈을 뜨고 대문을 지키고 섰지만
너희들을 지킬 도끼가 없다.

어둠 속에서 너희들을 끌어안는 팔뚝에 힘이 없다고
겁먹지 말라.
사냥감을 놓치고 몰래 돌아와 훌쩍거리는
아버지를 비웃지 말라.
다시 한 번 도끼를 잡는 날을 볼 것이다.

25만 년 전 아프리카에서
처음 호모사피엔스가 출현했을 때
그들의 손에 들려 있었던 최초의 돌도끼.
멧돼지를 잡던 그 도끼날로 이제 너희들을 묶는
이념의 칡넝쿨을 찍어 새 길을 열 것이다.

컸다고 아버지의 손을 놓지 말거라
옛날 나들이길에서처럼 마디 굵은 내 손을 잡아라.
그래야 집으로 돌아와
어머니가 차린 저녁상 앞에 앉을 수 있다.

등불을 켜놓고 보자
너희 얼굴 너희 어머니 그 옆 빈자리에
아버지가 앉는다.
수염 기르고 돌아온 너희 아버지
도끼 한 자루.

# 6

# 탕자 돌아오다

돌아온 탕자 이야기는 워낙 유명한 이야기라 한 가지 이야기로 알려져 있지만, 예수님께서는 같은 주제에 대해 세 가지 방식으로 이야기하셨습니다. 세 가지 비유를 나타내는 '세 우화three parables'는 성경만의 독자적 형식이 아니라 수사학에서도 아주 중요하게 여기는 것입니다. 한 가지 이야기를 다른 두 이야기와 연관 지어 의미 있는 구조물을 만드는 방법이지요. 탕자 이야기도 똑같은 주제를 각기 다른 세 가지 이야기를 병렬법parallelism을 통해 설명하고 있는데, 이걸 보면 기독교가 왜 유대인만의 종교가 아니라 전 세계인의 종교가 되었는지 이해할 수 있습니다.

첫째는, 아흔아홉 마리 양을 버려두고 길 잃은 한 마리 양을 찾으러 가는 비유입니다. 예수님께서 제자들에게 묻습니다. "너희 중에 어느 사람이 양 일백 마리가 있는데 그중에 하나를 잃으면 아흔아홉 마리를 들에 두고 그 잃은 것을 찾아다니지 아니하느냐." 너희 같으면 양 한 마리가 없어졌을 때 '아흔아홉 마리가 있으니 됐다, 나머지 한 마리는 할 수 없지' 할 수 있겠느냐는 거죠. 그리고 그 잃어버린 양을 찾았을 때 기뻐하는 마음이 바로 하나님의 마음이라고 말씀하시죠.

> 내가 너희에게 이르노니 이와 같이 죄인 한 사람이 회개하면 하늘에서는 회개할 것 없는 의인 아흔아홉으로 말미암아 기뻐하는 것보다 더하리라 (누가복음 15:7)

### 길 잃은 한 마리 양을 찾아

유목민이 아니면 이해하기 어려운 얘기입니다. 떠돌아다녀보지 않은 사람이라면 이해할 수 없습니다. 만약 이 이야기만 있다면 더 이상 유목 생활을 하지 않는 요즘 사람들이나 우리처럼 농경문화권에서 살아온 사람들은 이 이야기를 잘 이해할 수 없을 것입니다. 그러면 성경은 유목 생활을 하던 당시의 유대인만을 위한 이야기로 남았겠지요.

두 번째는, 돈 얘기로 오늘날 도시인들도 잘 이해할 수 있는 이야기입니다. 은전 열 드라크마를 갖고 있는 여자가 하나의 은전을 찾아 등불을 켜고 집을 온통 뒤지며 찾는 이야기입니다. 그러고는 또 말씀하시죠.

내가 너희에게 이르노니 이와 같이 죄인 한 사람이 회개하면 하나님의 사자들 앞에 기쁨이 되느니라 (누가복음 15:10)

이 역시 잃어버린 하나의 은전을 찾아내는 이야기를 통해 같은 맥락의 메시지를 던져줍니다. 이것은 유목하던 자들이 아니라 화폐를 쓰며 가사를 꾸려나가는 가정경제(노일스)의 주부들을 위한 비유입니다.

그리고 마지막에 나오는 탕자의 이야기는 가인과 아벨의 이야기에서부터 언제나 세계 어디에서나 통하는 이야기입니다. 성경을 보면 형제 이야기가 참 자주 나옵니다. 가인과 아벨도 형제입니다. 성경에 형제에 대한 비유가 자주 나오는 것은 가족 관계는 문화권이 다른 어느 곳에서나 다 통하기 때문입니다. 특히 핏줄로 이어진 혈연관계는 가장 보편적인 이야기라고 할 수 있지요. 탕자 이야기는 앞 이야기들이 담겨 있는 누가복음 15장에 나옵니다.

두 아들을 둔 아버지에게 어느 날 둘째가 자기에게 물려줄 재산을 미리 달라고 하죠. 그리고 그걸 전부 가지고 다른 나라로 떠나 허랑방탕하게 써버립니다. 그리고 갖은 고생을 다 하다가 아버지에게 돌아오죠. 그러자 아버지가 어떻게 했어요? 멀리서 보고 달려가서 목을 안고 입을 맞추죠. 그리고 귀한 송아지를 잡아 잔치를 열고 좋은 옷을 입히고 좋은 것을 먹이며 기뻐합니다. 그때 아버지를 모시고 착실하게 살던 맏아들은 아버지에게 화를 냅니다. 형의 입장에선 아버지께 순종하고 아버지를 위해서는 뭐든 다 했는데 자기에게는 아무런 상도 주지 않았으면서 탕자인 동생만 귀하게 대접하니 얼마나 화가 났겠습니까? 그러자 아버지는 이렇게 말합니다.

> 아버지가 이르되 얘 너는 항상 나와 함께 있으니 내 것이 다 네 것이로되 이 네 동생은 죽었다가 살아났으며 내가 잃었다가 얻었기로 우리가 즐거워하고 기뻐하는 것이 마땅하다 하니라 (누가복음 15:31-32)

돌아온 탕자의 핵심적인 주제는 깊이 파고들면 정말 재미있습니다. 대개 유목민들이나 이스라엘인들을 보면 우리나라 사람과 다르게 장자상속이 아니라 말자상속末子相續, 즉 막내에게 상속하는 제도가 있는 것 같습니다. 큰아이를 키울 때는 부모들이 한창 힘 있고 능력 있어서 부모의 도움으로 충분히 살아갈 수 있지만 막내는 그러기 어렵잖아요. "내가 죽으면 이 아이는 어떡하나?" 그런 걱정이 되어 더 각별히 돌보았겠지요. 형들에게 치여 밥이나 굶지 않을까 그런 걱정을 하게 되고 결국 재산을 미리 떼어 내보냅니다. 그래서 이 '돌아온 탕자' 도 당시 사회를 반영한 이야기라고 볼 수 있습니다. 요셉 이야기에도 나타나지만 막내에게 잘해주고 싶은 마음은 부모들의 보편적인 특성입니다. 또 잘난 자식들보다 못난 자식에게 잘 해주고 싶은 것이 합리적으로는 설명할 수 없는 부모의 마음이지요.

지상에서 보통 상을 줄 때 우리는 잘하는 사람 순으로 금, 은, 동메달을 줍니다. 하지만 성경에서는 이게 거꾸로 되어 있는 경우가 많습니다. 동상을 받을 만한 사람이 금상을 받고, 금상을 받을 만한 사람이 동상을 얻습니다. 금상 받을 입장에선 화나는 일이지요. 당연히 내 몫이라고 생각했는데, 안 주는 거예요. 길 잃은 한 마리의 양을 찾기 위해 아흔아홉 마리의 양을 내버려두다니 말이 안 되는 것이죠. 돌아온 탕자의 이야기가 바로 그런 것입니다.

지상에서는 잘난 사람이 첫째이지만, 천상에서는 못난 사람이 더 귀하게 여겨집니다. 열등자劣等者가 우위인 겁니다. 강자가 약자를 이기고, 못난 사람이 잘난 사람들에게 항상 소외되는 것이 지금의 시장경제 논리입니다. 그런데 예수님은 거꾸로 소외된 사람, 못난 사람, 버림받은 사람, 열자, 열등자를 싸고돕니다. 세상의 논리로 보면 부모가 애써 벌어준 돈을 흥청망청 써버리고 돌아온 탕자를 뛰어나와 반기는 아버지를 이해할 수 없습니다. 하지만 이 세 가지 비유 때문에 양을 치던 시대에서 산업 시대, 지식정보 시대로 넘어오는 동안에도 계속 성경이 사람들에게 새롭게 읽히는 역설적 구조를 지니고 있는 것입니다.

## 이제 떠날 때가 되었다

이 세상 사람들 가운데 길을 잃은 양 한 마리, 떨어뜨린 은전 한 닢, 가산을 탕진한 탕자, 이 세 가지 이야기에 안 걸릴 사람이 있을까요? 그래서 돌아온 탕자 이야기는 탕자 쪽에서, 돈 쪽에서, 양쪽에서 쓴 것이 아니라 자식을 아끼는 사람의 입장, 하나님의 입장에서 쓴 것입니다. 탕자의 우여곡절은 전혀 나오지 않아요. 어떤 이유로 집을 나갈 수밖에 없었는지, 왜 탕자가 되었는지, 어떤 생활을 하고 다니다가 돌아오게 되었는지는 상관없습니다. 양과 은전을 찾고, 탕자를 안아주는 사람들의 심정으로 하나님의 마음이 어떤가를 보여주고 있습니다.

죄를 지었지만 뉘우치고 돌아온 사람을 반갑게 품어주는 마음, 가장 못난 사람을 생각하는 마음, 뒤처진 사람을 추슬러 함께 가고자 하는 마음은 보통 인간들의 마음이 아닌 하나님의 마음입니다. 반대로 문학작품 중에는 하나님의 입장이 아니라 인간, 양, 탕자의 입장에서 쓴 시와 소설을 찾아볼 수 있습니다. 그것을 읽으면 더 확실해지죠. 길 잃은 양이란 어떤 존재일까? 바로 우리 자신입니다.

아담과 하와가 호기심 때문에 에덴동산을 떠날 수밖에 없었던 것처럼 인간은 호기심 때문에, 아버지의 율법과 구속에서 벗어나고 싶어서, 자유가 그리워서, 하나님이 정해놓으신 질서에서 벗어나고 싶어 합니다. 그래서 탕자의 입장에서 쓰여진 작품들을 통해서 우리의 모습을 살펴볼 수 있습니다. 라이너 마리아 릴케Rainer Maria Rilke(1875~1926)의 시를 먼저 보겠습니다.

## 탕자의 가출

뒤얽혀 있는 모든 것으로부터
자 이제 떠날 때가 되었다
내 것이면서도 내 것이 아닌 것
옛 우물의 고여 있는 물처럼
흔들리며 내 모습을 비춰주는
그 그림자를 부수는 것이다
이 모든 것으로부터 떠나
엉겅퀴가 내 몸에 달라붙는 것처럼
다시 나를 에워싸는 그 모든 것으로부터 떠나
밖으로 나가는 것이니
그래, 나간다는 것,
정해져 있지 않은 어디엔가로
멀리 낯선 곳이면 다 좋은 그 땅으로……

(……)

이러한 모든 것들을 내 몸으로 받아들이고
아마도 그동안 부질없이 간직해두었던 것들을 버리고
왠지 몰라도 혼자 죽기 위해서
이것이 삶의 입구인 것인가

릴케는 집을 떠나려고 하는 이의 심정을 이렇게 시로 표현하고 있습니다. 이것은 집을 나가고자 하는 아들, 탕자의 마음 쪽에서 나온 시입니다. 처음 집을 떠날 때의 숨 막히는 심정을 그는 이렇게 적고 있는 것이지요. 떠나는 순간의 마음을 릴케는 이른 새벽, 벌판에서 있는 일순간, 성찰이나 심호흡조차 없이 한시바삐 마냥 앞으로만 내닫고 싶은 심정으로 표현하고 있습니다.

## 저를 버리십시오

프랑스 소설가 앙드레 지드Andre Gide(1869~1951)는 「탕자 돌아오다」에서 탕자가 집을 나간 이유를 형과의 대화를 통해 이렇게 밝히고 있습니다. "집만이 세계가 아니라는 것을 마음속 깊이 느꼈기 때문이야. ……나는 언젠가 보다 더 색다른 토지, 그곳으로 가는 길, 사람들이 잘 다니지 않는 길이 있는 것이라고 생각했던 거지. 그리고 내 몸 안의 새로운 인간이 그것을 향해 몸을 던지는 그러한 모습을 상상했던 거야." 얼핏 보면 성경과 반대되는 이야기 같지만, 자세히 보십시오. 릴케, 지드의 이야기를 통해 탕자의 비유가 비로소 완성된다는 것을 눈치채셨습니까? 성경은 하나님의 입장, 문학은 인간의 입장에서 쓴 것이지요. 탕자의 심정을 다룬 문학, 즉 탕자 이야기의 다른 반쪽을 성경에 나란히 대봅시다. 그러면 이 비유가 더 분명히 이해됩니다.

우리는 인간의 말과 하나님의 말이 함께 이루어졌을 때 비로소 예수님이 누구인지, 성경 속 이야기가 무엇을 가리키는지 이해할 수 있습니다. 그래서 성경은 문학작품과 종교 사이에 위치해 있다고 할 수 있습니다. 성경을 일종의 문학으로 보는 경향도 있습니다. 예수님을 주제로 한 역사문학으로 말이지요. 성경 속에 담긴 말은 절대적이고, 성스러운 것이지만 그것을 기록한 것은 제자들이기 때문에 하나님의 말씀이 인간의 말로 굴절되었다 해서 사람의 작품이라고 여기는 것입니다.

탕자 이야기를 기록한 '누가'는 다른 성경의 기록자와는 조금 다릅니다. 누가는 희랍계 인물로서 '누가Luke'라는 말은 '룩스lux', 오늘날 밝기를 재는 단위로 쓰고 있습니다. 그의 직업은 의사였는데, 아주 실증적인 사람이었어요. 특히 당시 사회에서 소외받던 고아와 과부, 이방인, 가난한 자, 세리 등에 대한 사랑을 강조하고 예수님을 하나님이시면서 인간의 모습을 가진 분으로 묘사하고 있습니다.

그는 헬레니즘Hellenism(기원전 334년 알렉산더 대왕의 동방 원정에서부터 기원전 30년 로마의 이집트 병합 때까지 그리스와 오리엔트가 서로 영향을 주고받으며 나타난 문화적 흐름. 세계시민주의 · 개인주의적 경향이 나타났고 자연과학이 발달하였다)의 영향을 받아 인간주의적 관점이 강한 사람입니다.

누가가 쓴 사도행전에는 아리스토텔레스Aristoteles, 플라톤Platon 등의 철학자나 에우리피데스Euripides 같은 극작가들이 이야기한 것과 비슷한 구절들이 많이 나옵니다. 누가복음은 그 기술 방식이 그리스 로마 시대의 것입니다. 돌아온 탕자 이야기는 그리스 사람이 쓴 책에도 나오는데, 성경에 나오는 이야기와 함께 놓고 읽으면 이해가 훨씬 쉽습니다.

그 위서는 아우를 망나니라고 적었습니다. 형은 성실하게 일하는데 막내는 도박하고 별짓 다 하고 다녀요. 이 형제가 여행 도중에 해적한테 붙들립니다. 그러고는 몸값을 요구하는 편지를 아버지에게 보냅니다. 놀란 아버지가 모든 걸 다 팔아보니 겨우 한 명 몸값밖에 안 되는 거예요. 모든 재산을 팔아 그 먼 길을 왔는데, 해적들은 형제 중에 한 명만 골라 데려가라고 합니다.

아버지가 누구를 데려올까요? 여기서 성경의 이야기와 겹쳐집니다. 어느 모로 보나 당연히 형을 데려와야겠지요. 그런데 아버지는 동생을 데려옵니다. 그런 선택의 뒷이야기를 보면 사실 눈물 나는 이야기입니다. 붙잡혀 있는 동생은 병에 걸린 상태입니다. 술 먹고 방탕하게 돌아다녀 얻은 병이겠지요. 아들은 아버지에게 이야기합니다.

"저는 병이 들어서 가봐야 얼마 살지도 못합니다. 그리고 제가 아버지 속을 좀 썩였습니까? 그러니 효자 형님을 데려가고 나 같은 개망나니는 버려두십시오. 형님을 데려가십시오."

그러면서 우는 거예요. 회개를 하는 거죠. 나쁜 짓 하고 돌아다니고 자기를 배신한 아들이 눈물을 흘리며 뉘우치자 아버지는 형을 버려두고 탕자를 받아들이고 끌어안습니다. 와봐야 죽을지 살지 모르는 동생을 데려오는 도중에 그나마 탕자는 죽어버립니다. 그런데 용케 그 형이 해적들 손에서 도망쳐 나왔습니다. 당연히 아버지를 원망했겠지요.

"아버지를 열심히 모신 저를 버리고 아파서 살지 죽을지도 모르는 그 녀석을 데려올 수 있습니까?"

그러니까 아버지가 내 재산은 원래 다 네 것 아니냐고 달래줍니다. 그러자 형은 다 필요 없다며 집을 나가버립니다. 그동안 큰아들이 아버지에게 순종하고 보살핀 것은 진정 어린 마음에서 나온 게 아니라 관습적이고 형식적이었다는 사실이 드러나는 것이죠.

## 돌아오기 위한 떠남

성경 이야기와 이 이야기를 나란히 놓고 보면 탕아 이야기의 주제가 잘 드러납니다. 탕아의 입장에서는 회개, 아버지의 입장에서는 무한한 사랑입니다. 동생은 비록 탕자 같은 삶을 살았지만 형을 위해서 기꺼이 죽음을 택하는 순간 구제받은 겁니다. 회개는 이렇게 중요합니다. 여기에서 회개의 뜻, 눈물의 뜻이 분명히 보입니다. 아버지는 자기의 죄를 깨닫고 "나는 불효자입니다. 그리고 병도 들었어요. 형님을 데려가고, 나는 이대로 죽게 내버려두십시오" 하고 진실로 회개하는 동생 쪽을 선택했습니다.

엄격한 경전주의자인 바리새인이 세리, 죄인, 여성들과 식사하시는 예수님을 비난했을 때, 예수님께서 뭐라고 하셨어요? "나는 의인을 부르러 온 것이 아니요 죄인을 부르러 왔노라"(마태복음 9:13) 하셨죠. 이 말을 하실 때의 예수님의 마음이 곧 탕자 아버지의 마음이라는 걸 여기서 분명히 알 수 있습니다. 그때 죄인들과 어울린다고 예수님을 비난했던 사람들이 겉으로만 아버지를 모시는 형님에 속한다는 것도 알 수가 있지요.

그런데 '돌아오다' 라는 말이 재미있어요. 멀리 갔다가 되돌아온 거예요. 회개를 하고 집으로 돌아오면 송아지를 잡아서 동네 사람들을 전부 다 모아놓고 기뻐합니다. 나가지 않고서 어떻게 돌아옵니까? 기쁨을 동네 사람들과 어떻게 함께합니까? 그럼으로써 동네 사람들도 함께 탕자를 맞아주게 되는 겁니다. 탕자가 집을 나갔다 돌아옴으로써 마을이 얼마나 평화로운 곳인지, 사람들이 얼마나 다정한 이웃들인지, 잔치를 통해서 깨닫게 됩니다.

아흔아홉 마리의 양 이야기는 유목민의 문화, 끝없이 나가기만 하는 문화인데, '돌아온 탕자' 이야기는 정착민의 이야기입니다. 이렇게 의미는 같지만 다른 문화를 배경으로 함으로써 문화적 차이를 넘어 이 이야기가 보편성을 얻게 되지요.

능력 있는 사람에게 금상을 주고, 능력 없는 사람에게 동상을 준다면 뭐하러 기독교를 믿겠어요. 예수님은 또 왜 믿겠어요? 아니꼬우면 출세하라는 말처럼 유능하기 위해 노력하면 될 거 아니에요? 그런데 정말로 낙오되고 소외되고 죄짓고, 누가 봐도 저건 구제불능이라고 여겨지는 사람은 어떻게 해야 할까요? 딱 한 분이 그 사람을 구해줍니다. 오직 하늘에 계신 분만이 그 일을 하고 계시다는 것을 탕자의 비유가 보여주는 것입니다.

보지도 못한 하나님이 날 도와주시는지 어떻게 알 수 있습니까? 그때 하나님의 마음을 살피게 해주는 멋진 비유가 돌아온 탕자입니다. 이걸 모르고 시장주의나 진화론이 세상의 작동 원리로 이야기하는 적자생존으로 성경을 이해하려는 건 부질없는 것이지요. 성경에는 이런 법칙이 통하지 않는, 현실 세계와 다른 가치관을 보여줍니다.

지금 이 글을 읽고 있는 여러분들은 자신이 탕자가 아닌 줄 알죠? 이 글을 읽는 모든 사람이 탕자입니다. 탕자가 되어보지 않은 사람은 아버지를 모르고 집의 소중함도 모릅니다. 아버지에게 효도했다는 그 형은 진짜 효자였을까요? 아니었을 겁니다. 동생을 환대한 것을 이해하지 못하고 아버지께 따지는 걸 보면 말이죠. 형도 집을 나가봐야 아버지가 어떤 존재인지 집이 어떤 곳인지를 알 수 있습니다. 떠난 사람, 그리고 그것을 뉘우치고 돌아오는 사람이 아니고는 집의 소중함, 아버지의 소중함을 알기 어렵습니다.

그러고 보니 한국말에 '나그네' 라는 말이 새롭게 들리네요. '나그네' 는 탕자처럼 밖으로 '나간 이' 를 뜻합니다. 우리는 끝없이 집을 떠나는 여행을 통해서 역설적으로 집을 향해 돌아오고 있는 것입니다. 우리가 죄인이라는 것을 알아야 죄에서 벗어나는 것이지요. 그래서 '돌아온 탕자' 는 특수한 이야기가 아니라 모든 사람들, 집 나간 사람들의 이야기이며 동시에 돌아오는 사람들의 이야기입니다. 회개하고 눈물을 흘리는 사람들의 이야기이지요. 그래도 받아주는 손에 관한 이야기입니다. 이 지구상의 모든 것, 우박, 번개, 눈, 인간의 죽음까지도 받아주는 지구보다 더 큰 손. 우리를 끌어안

아주는 하나님 아버지의 큰 손입니다. 그게 탕자의 아버지고 우리들의 아버지입니다. 그래서 주님을 맞이하는 것을 회심回心이라고 하는가 봅니다.

흑색 예수

## 탕자의 노래

내가 지금 방황하고 있는 까닭은
사랑을 하기 시작했기 때문입니다.

내가 지금 헤매고 있는 까닭은
진실을 배우기 시작했기 때문입니다.

내가 지금 멀리 떠나고 있는 까닭은
아름다운 순간을 보았기 때문입니다.

지금 집으로 돌아갈 수 없는 것은
사랑을 알고 진실을 배우고
아름다움은 보았지만
나에게 믿음이 없는 까닭입니다.

나의 작은 집이 방황의 길 끝에 있습니다.
날 위해 노래를 불러줘요. 집으로 갈 수 있게
믿음의 빛을 주어요.
개미구멍만 한 내 집이 있기에
나는 지금 방황하고 있어요.

# 제2부

우리의 몸집이 집으로,

그 집이 점점 더 넓어져서 영원의 집이 되고

그것이 성전, 성막이 되어가려면

우리 몸집 하나를 하나님의 말씀으로 먼저 채우는 것이 중요합니다.

이렇게만 된다면 돼지 집이라도

'영원의 집', 하나님의 집이 됩니다.

# 7
## 영혼으로 지어가는 집

한국말에는 '하우스house'와 '홈home'이 구별되어 있지 않습니다. '우리 집'이라고 하면 건축물로써의 집뿐만 아니라 가정家庭이란 뜻도 있습니다. 그래서 "우리 집이 텅 비었어" 하면 가구가 없다는 얘기일 뿐 아니라 사람이 없다는 얘기도 됩니다. 요즘 유행하고 있는 말로 풀이하자면 벽돌, 콘크리트로 지은 집, 매매되는 집이 하드웨어고, 사랑하는 가족들이 모여 사는 가정은 소프트웨어라고 할 수 있습니다. 팔 수 없는 집 말입니다.

홈하고 하우스의 개념은 이렇게 중요한 것입니다. 정보화 사회에서도 컴퓨터라는 하드웨어, 그 안에 블로그나 인터넷 등을 운영하는 운영체제OS, 소프트웨어가 들어 있지요. 아무리 근사한 하드웨어가 있어도 콘텐츠를 움직이는 소프트웨어가 없으면 깡통이 되는 것처럼 사람들이 집에 모여 있는 것만으로 가정이 되지는 않습니다.

한자로 써보면 그 의미가 더욱 분명해집니다. 집을 가리키는 '가家' 자는 지붕을 뜻하는 갓머리 밑에 '시豕' 자를 쓰는데, 이것은 돼지를 뜻하는 말입니다. 집이라는 게 돼지우리라는 건가요? 황당하지요? 아니, 지붕 밑에 사람이 들어 있어야 집이지, 왜 돼지가 들어가 있느냔 말이에요.

## 먹고 자고 새끼 치고

그래서 어떤 사람은 "아, 집이라는 게 별거 아니다. 돼지우리랑 같은 거다. 먹고 새끼 치는 거다. 봐라, 사람들이 나갔다가 먹을 때 되면 들어오지 않느냐. 그래서 새끼 많이 낳고 먹성 좋은 돼지 자를 쓴 것이다"라고 이야기합니다. 어떤 사람은 자기 자식을 "우리 돼지들, 강아지들"이라고 부르기도 합니다. 실제로 옛날에는 남한테 자기 자식을 낮춰서 '돈아豚兒'라고 부르기도 했답니다. 상대방을 높이는 대신 자기를 낮추어 상대를 존대하는 거지요.

이 말에 얽힌 우스갯소리가 있는데, 해방 직후에 어떤 분이 자기 자식을 취직시키려고 고관한테 편지를 써 보내면서 "돈아를 보내니, 잘 선처해주시기 바랍니다" 했습니다. 편지를 받은 고관이 돼지가 올 줄 알고 잔뜩 기대하고 있었는데 사람이 오는 거예요. 게다가 빈손으로 와서는 취직 얘기만 하는 거죠. 그래서 "자네 아버지가 아무 말씀 안 하시던가? 자네 편에 돼지 새끼를 보내셨을 텐데?"라고 고관이 물었답니다.

어떤 사람은 '가家'는 자식이 번창하라는 뜻의 한자라고 말합니다. 돼지가 새끼들을 많이 낳는 것을 보고 하는 말입니다. 집은 먹는 식食 공동체이며 동시에 생식 공동체라는 것이지요. 또 어떤 사람은 이렇게 말합니다. 아주 먼 옛날 인간이 동굴에 살던 시절, 수렵해 온 멧돼지 같은 동물들을 길들이느라 울타리를 하고 지붕을 만들어서 가두었다는 것입니다. 그런데 가만히 보니까 돼지 집이 자기가 사는 동굴보다 낫거든요. "이럴 것이 아니라, 아예 저기 들어가서 살자"고 해서 돼지 집을 나타내는 '가家' 자가 집을 가리키게 된 거라는 얘깁니다.

그런데 권위 있는 사람들이 갑골문자를 분석해봤더니 '가家'는 성스러운 제사를 드리는 곳을 뜻하는 글자더랍니다. 사람이 먹고 자는 집이 아니라 조상신에게 제사를 지내는 사당과도 같다는 이야기이죠. 지금도 고사를 지낼 때면 돼지머리를 상에 올리잖아요? 동양이나 서양이나 집이라는 형태는 애초에 사당이나 천막 같은 역할을 한 것이지요.

우리가 어렸을 때 노래 불렀던 집을 생각해보세요. "달아 달아 밝은 달아 이태백이 놀던 달아. 저기 저기 저 달 속에 계수나무 박혔으니 옥도끼로 찍어내고 금도끼로 다듬어서 초가삼간 집을 지어"라는 바로 그 집 말입니다. 그런데 달나라까지 가서 옥도끼로 찍고 금도끼로 다듬으면 굉장한 집을 지어야 할 것 같은데, 고작 초가삼간을 짓는다니 맥이 확 풀리지요. '아니, 초가집 하나 지으려고 옥도끼,

금도끼까지 동원하나? 이왕에 상상한 얘기, 달나라 계수나무까지 가려거든 99칸짜리 어마어마한 집을 짓지 겨우 초가삼간이야? 그렇게 배포가 적으니까 만날 요 모양 요 꼴로 사는 거지.' 이렇게 생각하는 사람이 있을 겁니다.

하지만 그 노래 뒷부분을 불러보세요. "양친 부모 모셔다가 천년만년 살고지고"라고 했습니다. 요즘 세태로는 양친이 아니라 좋아하는 여자가 되겠지만 '천년만년' 영원히 살려면 삼대 이상은 살아야 되니, 효자가 아니라도 양친과 살아야 합니다.

여러분은 어느 집에서 살고 싶습니까? 초가삼간이지만, 천년만년 사는 영원의 집에서 살고 싶습니까? 호화로운 궁궐에서 몇 년 살다가 죽고 싶습니까? 어느 것이 더 욕심이 많고 배포가 큰 것입니까? 사실 우리나라 사람들 아주 욕심쟁이입니다. 양친을 모셔야지만 천년만년 사는 거예요. 부모님이 날 낳아주시고, 내가 또 아들과 손자를 낳고 이렇게 대대로 이어 천년을 사는 것이 바로 가족입니다. 이거야말로 요즘 유행어로 지속 가능한sustainable, 가장 생산적인 생명의 집이지요.

그리고 왜 하필이면 초가삼간일까요? 할아버지와 할머니가 한 칸, 아버지와 어머니가 한 칸, 그다음 한 칸에 내가 사는 걸 말하는 것입니다. 이걸 '삼대동당三代同堂'이라고 하는데, 삼대가 한 칸씩 사는 미니멀 공간이지요. 우리 선조들은 이렇게 한집에 삼대가 사는 것을 가장 이상적으로 보았습니다. 이것이 인간이 살 수 있는 최고의 집입니다. 가난의 미학이 아니라 기가 막히게 합리적으로 생각한 이상적인 집의 모습입니다.

아파트는 아무리 넓어도 삼대가 살기 어렵습니다. 아파트란 말 자체가 따로 분리된 것을 의미하는 말에서 나온 것이지요. 그런데 초가삼간에서는 좁아도 삼대가 살 수 있습니다. 마루 같은 완충장치가 있기 때문입니다. 가운데 마루가 있어 젊은 부부가 아이를 데리고 마루 이쪽에, 부모가 저쪽에 살면 됩니다. 중간 공간인 마루에는 조상님의 위패를 모십니다. 제상이 놓여 있어서 모두가 조심하니까 젊은 부부가 부모님으로부터 프라이버시를 지킬 수 있었습니다. 집 안 한곳에 초월적인 공간을 둔 것이죠. 얼마나 지혜롭습니까? 이것이 집이라는 하드웨어 속의 소프트웨어입니다.

## 영원한 삶의 모티브

요즘 집들은 이런 지혜를 잊은 듯합니다. 지속 가능한 생명의 집이 아니라 지속이 불가능한 고대광실을 선택합니다. 아무리 좋은 집이라도 부모와 아이들이 각자 방으로 들어가버리고 나면 그 큰 집에 누가 남습니까? 요즘 그런 집 참 많습니다. 여남은 개나 되는 침실을 그득 채우고 있던 아이들이 다 커서 떠나고 나면 큰 집만 덩그러니 남습니다. 큰 아파트에 부부 두 사람만 단출하게 사는 것이지요. 하지만 그렇게 둘만 돼도 다행입니다. 부부가 같이 살다가 한 사람이 먼저 떠나면 남은 사람은 얼마나 허전할까요?

전생에 원수였던 사람들이 부부로 태어나는 거라는 말도 있지만 막상 한 사람이 죽어보십시오. 얘기가 달라집니다. 이런 일화가 있습니다. 부인이 죽어 사람들이 문상을 왔습니다. 그런데 갑자기 정전이 됐어요. 그러자 그 남편이 무의식적으로 "여보, 초 어디다 뒀어?" 하며 묻더라는 겁니다. 부인이 이미 죽었는데도 자기도 모르게 부인을 찾는 거예요. 그만큼 자기도 모르게 의지하며 살아온 것입니다. 그러니 빈자리가 얼마나 크겠습니까? 무의식적으로 아내를 찾는 남편의 모습에 문상 온 사람들이 전부 울었다고 합니다.

가까이 지내던 사람을 잃는 것은 언제든 가슴 아픈 일입니다. 그래서 사람들은 달을 바라보면서 오래 살게 해달라고 빌었던 것입니다. 달에는 불사약을 가지고 간 항아姮娥(중국 고대 신화 속의 월신. 『회남자淮南子』「남명훈覽冥訓」에 의하면, 항아의 남편 예가 서왕모西王母로부터 불사약을 구했는데 항아가 이를 훔쳐 달로 달아난 뒤 두꺼비가 되어 달의 신령이 되었다는 이야기가 전한다)가 살고 있기 때문이지요. 지상에서는 죽을 수밖에 없지만 달에서는 영원한 삶을 살 수 있다는 겁니다. 그래서 달을 보면서 '천년만년 살고지고' 하며 영생을 꿈꾸는 노래가 태어난 것입니다.

달과 집은 영원한 삶의 모티브로 겹쳐집니다. 그러고 보면, 영혼이 거주하는 제례 공간으로써의 고대 집은 실체와 형식이 결합한 영원의 집인 셈입니다.

그래서 농경문화의 정주 생활을 하면서도 우리는 유목민들의 주거인 천막과도 통하게 되는 것이지요. 성막은 유대 역사상 히브리인들이 약속의 땅을 향해 방랑하던 시기에 예배를 드릴 수 있도록 모세가 세운 이동식 성소聖所를 뜻하는 것으로 세상 가운데 있는 하나님의 집, 신성한 곳을 의미합니다. 구약 시대에는 오로지 제사장들만 드나들 수 있었다고 합니다. 그래서 보통 사람들은 제사장을 통해서만 하나님을 만날 수 있었죠. 그러나 예수님이 십자가에서 돌아가신 후 성막의 휘장이 위에서부터 아래로 찢어지면서 성도들이 자유롭게 하나님께 나아갈 수 있게 되었습니다.

성막은 하늘에 계신 하나님이 땅 위에 사는 사람들을 만나주시던 곳이며 동시에 그들의 죄를 씻기 위해 제사를 드렸던 곳이었기 때문에 궁극적으로는 인간들의 죄를 대속하기 위해 이 땅에 오신 그리스도를 상징하는 것입니다. 성막은 곧 천년만년 살고 싶다던 우리의 초가집과 같습니다. 영생을 상징하는 것이지요.

그 성막 안에 하나님이 계십니다. 화려하게 지어진 단단한 건물이 아니라 어디든 진실로 믿는 자들이 있는 곳이 교회가 됩니다. 진짜 교회는 우리 몸 안에 있는 것입니다.

우리나라 말이 얼마나 재미있는지 우리 민족은 기독교를 전혀 몰랐을 때도 몸집이라는 말을 썼습니다. 몸집 좋다고 그러거든요. 이 몸집이라고 하는 것은 몸이 들어가 있는 집이지요. 칼집에는 칼이 들어 있고, 몸집에는 몸이 들어 있습니다. 그것도 집인 것입니다. 인간의 삶이 잠정적이듯 이 집 역시 일시적입니다. 교회도 집도 일시적인 삶을 닮아가며 점점 세속적이고 일시적인 하우스가 되어 갑니다.

집이 크고 좋은 것이 중요한 게 아니라 하나님을 향한 시간을 늘리는 것이 더 중요합니다. 99칸짜리 좋은 집 가진 사람을 부러워할 것이 아니라 삼간밖에 안 되어도 영원히 살 수 있는 집을, 마음의 집을 만들어야 할 것입니다. 사람들은 낡은 집의 표면을 리모델링하는 데만 관심을 갖고 있습니다. 하지만 영원의 집이라는 관점에서 보면 허망하지요. 어마어마한 집을 지어놓으면 사람들이 '와' 하지만 백 년, 천 년을 생각해보십시오. 초가집과 다를 게 하나도 없습니다. 이것이 성경에서 말하는 집입니다. 우리의 몸집이 집으로, 그 집이 점점 더 넓어져서 영원의 집이 되고 그것이 성전, 성막이 되어가려면 우리 몸집 하나를 하나님의 말씀으로 먼저 채우는 것이 중요합니다. 이렇게만 된다면 돼지 집이라도 '영원의 집', 하나님의 집이 됩니다.

## 육체와 영혼이 함께하는 영원의 집

이 세상에도 성역이라고 불리는 곳이 있지만 이런 마음이 없으면 완전한 것은 아닙니다. 완전한 집, 하늘의 집, 휘황찬란하게 묘사되어 있는 천국, 우리의 육신이 죽어야 가는 천국의 집이야말로 완전하고 영원하다고 합니다. 천국, 영원의 집은 생명의 빛, 영원의 빛으로 지은 집, 그것이 죽음을 피할 수 없는 우리의 육체, 죽음의 집과 다른 것입니다.

지상의 집에 들어가기 전, 우리는 어머니의 자궁이라는 집에 삽니다. 이것이 바로 생명의 집입니다. 그러나 육신이 죽으면 '유택幽宅', 무덤에 머뭅니다. 아기집과는 반대로 이건 죽음의 집이지요. 이 둘 사이에 낀 삶이 어찌 온전하겠습니까? 생명의 집에서 벗어나는 순간, 우리 삶은 죽음의 집을 향해 나아갑니다. 인생을 다리로 치자면 아기집과 유택이라는 두 교각 사이에 걸린 흔들리는 다리 같은 것입니다.

흔들리는 다리를 건너가는 것이 얼마나 무섭습니까? 아래를 내려다보면 아득하고 저 앞의 목적지가 하염없이 멀게만 보입니다. 그런데 그 다리에서 우리를 지탱하는 것은 몸집뿐입니다. 흔들리다가 떨어지면 박살이 나버리는 유리그릇 같은 존재입니다. 그게 이 세상에서의 삶입니다. 이렇게 깨지기 쉬운데, 사람이 붐비는 지하철도 타야 하고, 어떨 때는 막 뛰어가야 합니다. 저 앞에서 사람들이 다가오기만 해도 깜짝 놀라지요. 저이가 나를 해치지 않을까? 나를 속이지 않을까? 나를 깨뜨리지 않을까? 그렇게 불안해하면서 말입니다.

우리는 집을 생각할 때마다 이 집이 어디에 속하는 집인가를 생각해보아야 합니다. 흔들리는 삶을 든든히 지탱해줄 집이 필요하기 때문이지요. 몸집도 있고, 성스러운 집도 있고, 하늘의 집도 있고, 수많은 집들이 있습니다. 하지만 겉모습이 얼마나 멋들어진 집인가는 하나도 중요하지 않습니다. 돼지우리를 영원의 집으로 만들기 위해서는 지혜가 필요할 뿐입니다. 홈은 없고 하우스만 있는 사람, 하우스는 있는데 홈은 없는 사람, 그것은 육체와 영혼이 분리되어 있는 겁니다. 가장 이상적이고 가장 아름다운 집, 그것은 이 둘이 함께 하는 영혼의 집입니다. 그리고 그것은 이 세상 어디에나 있습니다. 빵만으로는 살아갈 수 없듯이 집도 지상의 집에서만 살 수 없는 것이지요. 그래서 하늘의 집, 영원의 집, 교회가 있어야 합니다. 아치 모양의 둥근 교회 지붕을 돔dome이라고 부르고 있지만 그것은 그리스 말로 집, 주거를 뜻하는 도모스domos에서 나온 말이라고 합니다. 그런데 그것이 이탈리아의 두오모duomo로 변하면서 하나님이 사시는 영원의 집, 교회당을 의미하는 말이 되었다고 해요. 천국 혹은 하늘을 가리키는 '헤븐heaven'이라는 말은 덮개라는 뜻을 가지고 있습니다. 하늘이라는 커다란 덮개 아래 어느 곳이라도 천국이 될 수 있는 것입니다.

상처난
얼굴

## 내가 살 집을 짓게 하소서

내가 살 집을 짓게 하소서
다만 숟가락 두 개만 놓을 수 있는
식탁만 한 집이면 족합니다.
밤중에는 별이 보이고
낮에는 구름이 보이는
구멍만 한 창문이 있으면 족합니다.

비가 오면 작은 우산만 한 지붕을
바람이 불면 외투 자락만 한 벽을
저녁에 돌아와 신발을 벗어놓을 때
작은 댓돌 하나만 있으면 족합니다.

내가 살 집을 짓게 하소서
다만 당신을 맞이할 때 부끄럽지 않을
정갈한 집 한 채를 짓게 하소서
그리고 또 오래오래
당신이 머무실 수 있도록
작지만 흔들리지 않는
집을 짓게 하소서

기울지도
쓰러지지도 않는 집을
지진이 나도 흔들리지 않는 집을
내 영혼의 집을 짓게 하소서

# 8

## 버린 돌로 집을 세우는 목수

예수님은 지상에서는 사람의 아들로 목수 요셉의 아들이며 하늘나라에서는 하나님의 독생자입니다. 비유적으로 말해서 하나님은 우주를 창조하셨으니 그 큰 집을 지으신 목수라고 할 수 있지요. 그렇다면 지상에서나 천상에서나 비유로 말할 때 예수님은 목수의 아들이라고 볼 수 있지요. 한자로도 우주는 '집 우宇', '집 주宙' 로 되어 있지요. 인도어에서는 아예 하나님을 '목수' 라고도 불렀어요. 인도어로는 하나님을 '투바슈트르tvastr' 라고 하는데 그게 바로 목수라는 뜻입니다.

'투바슈트르' 라는 말은 목수를 뜻할 뿐만 아니라 무언가를 만든다는 뜻의 여러 단어로 파생되었습니다. '무엇을 짠다', '조립한다' 는 뜻의 '텍스처texture' 가 그렇고, 건축을 뜻하는 '아키텍처architecture', 기술을 뜻하는 '테크놀로지technology' 도 모두 이 말을 어원으로 삼고 있습니다. 옛날 사람들은 실제로 이 세상이 집처럼 커다란 건축물이라고 생각했던 것 같습니다. 하늘이 끝도 없이 펼쳐진 거라고는 생각 못하고 지붕처럼 세상을 덮고 있는 거라고 생각했던 거죠.

일본 사람들은 '텐슈각天守閣' 라고 해서 성城의 맨 꼭대기에 다락방처럼 망루를 만들었는데, 거기서는 큰 소리로 말하지 못했습니다. 하늘에 계신 신이 듣는다고 생각했기 때문입니다. 또 유목민들은 천막이라고 생각했지요. 골격을 세운 후 천막을 덮었다는 거지요. 영어에서도 지붕을 뜻하는 '루프roof' 는 '덮는다' 는 뜻이랍니다. 별도 하늘이라는 큰 천막에 구멍이 나서 저 하늘로부터 빛이 흘러 들어오는 거라고 생각했다는 겁니다.

옛사람들이 생각한 별 이미지가 참 재미있지요. 시적詩的이라기보다는 오히려 현실적이었던 것 같아요. 하늘의 천막이 낡아서 듬성듬성 구멍 난 것이 별이라고 생각한 것입니다. 그리고 천막 너머에는 아주 밝은 세계, 천국의 세계가 있을 것이라고 생각했지요. 우리가 보는 별빛이 바로 그 빛입니다.

그래서 옛날 건축 용어는 바로 우주의 언어이고, 우주의 언어는 바로 신의 언어가 됩니다. 우주는 하나의 커다란 집이고, 창조주는 바로 목수라는 것입니다. 따라서 예수님은 목수인 요셉의 아들인 동시에 우리의 큰 집, 자연, 이 세계를 지어주신 목수 하나님의 아들이라고 생각한 것입니다.

세계를 짓고 우주나무로 잇다

기독교뿐만이 아닙니다. 그리스 신화에서도 하늘을 지붕이나 천막으로 생각했습니다. 그러니까 내려앉을까 봐 제우스가 거인 아틀라스Atlas를 시켜 어깨로 하늘을 떠받치도록 한 것입니다. 세상을 하나의 구조물로 본 것이지요. 기둥이 없으면 하늘과 땅이 짜부라질 거라고 생각했기 때문에 기둥이 꼭 필요했지요. 그래서 동양이나 서양이나 하늘과 땅을 이어주는 코스믹 트리Cosmic Tree, 우주수宇宙樹가 필요한 것입니다.

이 아이디어를 저는 88서울올림픽 때 도입했습니다. 성화대를 우주의 나무로 상징한 것이지요. 하늘과 땅을 이어주며, 그냥 이어주기만 하는 것이 아니라 땅에서 하늘로 갈 수 있는 계단으로 보았지요. 그래서 성화대를 우주수로 만들어 풍선으로 가려놓았습니다. 그러면 사람들이 "성화대가 어디 있지?" 하며 궁금해하겠죠? 그때 성화대를 가리고 있던 풍선이 날아오르면서 비로소 사람들은 하늘과 땅을 이어주는 우주수로서의 성화대를 깨닫게 되는 것입니다.

우리는 이 지상에서의 삶이 전부라고 생각하지만 아무것도 없을 것 같은 하늘이 우리와 연결되어 있다는 것을 상징한 것입니다. 마치 아기의 탯줄이 엄마의 몸과 연결되어 있듯이 땅에서의 삶은 하늘과 이어져야만 온전해지는 것입니다. 땅과 하늘을 이어주는 파이프라인pipeline이 없으면 우린 죽은 것입니다. 진짜 인간이 되려면 육체와 영혼이 합쳐져 있어야만 합니다. 그러니 육체로서의 땅과 영혼으로서의 하늘이 분리되어 있으면 안 됩니다. 이 영혼이 기독교적 의미에서만이라고 생각하면 곤란합니다. 죽으면 하늘나라에 간다는 믿음은 어떤 종교를 막론하고 세계 공통입니다.

옛날 인도 사람들은 사람이 죽으면 영혼이 빠져나갈 수 있도록 지붕에 구멍을 뚫거나 굴뚝을 열어주었다고 합니다. 우리 민족은 사람의 영육을 합쳐 '혼백魂魄'이라는 말을 썼죠. 혼은 하늘로 날아가고(혼비魂飛), 육체는 땅에 흩어집니다(백산魄散). 그리고 인간이라는 존재는 이 두 가지가 합쳐져야만 온전합니다. 혼이 있어도 그것이 거주할 육체가 없으면 아무 소용없고, 육체가 있어도 혼이 없으면 더 이상 사람이 아니죠. 그래서 혼과 백이 다시 만나면 살아날 수 있다고도 믿었습니다. 그리고 그 혼백이 만나는 자리를 북쪽이라고 생각해서 무덤이 있는 곳은 북망산이라고 합니다. 기독교를 몰랐던 옛 사람들도 오늘의 크리스천처럼 부활을 꿈꾸었던 겁니다.

성경으로 돌아가서 이야기해봅시다. 목수이신 예수님, 예수님을 보고 사람들이 "이 사람이 마리아의 아들 목수가 아니냐"(마가복음 6:3)라고 합니다. 예수님 스스로도 자신을 목수 이미지로 표현한 구절이 베드로전서와 마가복음 등 여러 군데 흩어져서 나옵니다.

> 너희가 성경에 건축자들이 버린 돌이 모퉁이의 머릿돌이 되었나니 (마가복음 12:10)

건물을 지을 때 목수는 가장 중요한 역할을 합니다. 모퉁이의 머릿돌 역시 건축물의 기준이 되는 가장 중요한 물건이죠. 아무리 큰 집이라도 돌 하나부터 시작하지 않습니까? 돌 하나 놓고 또 돌 하나 놓고 그다음에 기둥 세우고 지붕을 올립니다.

그러므로 집에서 가장 중요한 것이 코너스톤cornerstone, 즉 주춧돌입니다. 주춧돌을 고르는 건 쉽지 않은 일입니다. 여러 개의 돌 가운데 주춧돌을 고르면서 돌들을 버립니다. 하지만 건축자들이 쓸모없다고 버린 이 돌이 성전의 주춧돌이 되었다는 겁니다. 세상에서 버린 돌이 가장 귀한 성전의 돌이 되는 것, 바로 예수님에 대한 비유입니다. 예수님은 누구에게 죽임을 당합니까? 바로 그분이 구원하려고 했던 유대인이요 인류입니다. 건축자들이 버린 돌이 성전의 주춧돌이 되듯이 인간이 버린 예수님이 바로 우리의 구원자가 되십니다.

> 이 예수는 너희 건축자들의 버린 돌로써 집 모퉁이의 머릿돌이 되었느니라 (사도행전 4:11)

> 그러므로 믿는 너희에게는 보배이나 믿지 아니하는 자에게는 건축자들이 버린 그 돌이 모퉁이의 머릿돌이 되고 (베드로전서 2:7)

구약을 보면 이 말씀이 어디서 유래된 것인지 알 수 있습니다. 욥기에서 욥과 하나님이 토론하는 장면이 나옵니다. "이 세상을 지을 때 네가 있었느냐? 네가 어떻게 내 의도를 알겠느냐?"라고 하나님이 말씀하시거든요. 제가 가장 좋아하는 장면입니다. 인간과 토론하시는 하나님, 기가 막히지요! 온갖 시련을 겪고 그를 위로해주려고 모인 친구들조차 다 가버렸는데, 하나님이 나타나십니다. 욥은 하나님을 잘 믿고 순종했는데 어떻게 이런 시련과 고난을 겪게 할 수 있는지 하나님이 원망스럽기만 합니다. 그러니까 막 대드는 거예요.

### 공평으로 줄을 삼고, 의로 추를 삼아

모든 사람들이 그러지 않습니까? 저도 가끔 그러거든요. '나는 정말 열심히 했는데 왜 하필 나만 이런 거야' 하고 불평합니다. 시간이 늦어 바쁘게 차를 타고 가다보면 꼭 신호등마다 걸립니다. 신호에 밀려 죽 늘어서 있으면 덜 억울할 텐데, 앞차까지 씽 가버린 후 신호등 바로 앞에서 첫 번째로 서는 겁니다. 그러면 운전해주시는 분께 "우리가 밤낮 무슨 죄를 지었다고 꼭 우리 앞에서 신호가 바뀌는 겁니까?" 하고 농담하곤 하는데, 인생도 마찬가지입니다. "하나님, 내가 열심히 믿고 애쓰는데 왜 그렇게 밤낮 스톱에 걸리게 하시나요?" 하나님이 앞에 계시다면 욥처럼 되겠죠. 그때 하나님이 뭐라고 하실까요? 욥기 38장에서 40장에 이 이야기가 나옵니다.

하나님이 이러시는 겁니다. "내가 우주를 제일 먼저 만들 때 너 있었니? 있기나 했니? 내가 무슨 뜻으로 지었는지 너 알기나 해? 그냥 네가 네 머리로 이해하려고 한다고 이해가 되니?"라고요. "너 한

번 설명해봐. 이 우주가 어떻게 창조되었는지? 아담이 어떻게 탄생했는지?" 그런데 이 대목을 읽을 때면, 버릇없는 얘기지만 빙그레 웃음이 나옵니다. 하나님이 꼭 어린아이 같잖아요. 애들이 싸움할 때 보십시오. "네가 내 흉봤다며?" 하고 따지면 분이 나서 말하지요. "내가 흉보는 거 네가 봤어, 봤어?"라고 따지잖아요. 하나님께서 욥에게 하는 말씀이 '내가 초석을 놓았다'는 것입니다.

우주를 건축할 때 초석이 되는 것, 그것은 가로축의 파운데이션foundation이면서 동시에 수직적으로 하늘을 연결하는 중심축中心軸, 액시스 문디axis mundi입니다. 하나님께서 그 축이 되는 돌멩이를 놓을 때 네가 있었느냐고 물어보시는 겁니다. 집을 짓는 맨 처음, 목수들이 제일 먼저 초석을 놔서 집의 중심을 잡는 것처럼 우주의 중심점을 만들어서 어떤 것이 와도 흔들리지 않는 안정된 집을 짓는 최초의 돌을 놓을 때 너 있었느냐고 물으시는 겁니다. 그리고 또 물으십니다. "그때 그 우주를 짓던 내 마음을 네가 아느냐?"

> 누가 그것의 도량법을 정하였는지, 누가 그 줄을 그것의 위에 띄웠는지 네가 아느냐. 그것의 주추는 무엇 위에 세웠으며 그 모퉁이 돌을 누가 놓았느냐 (욥기 38:5-6)

공동번역으로 읽어보면 훨씬 이해가 잘됩니다.

> 누가 이 땅을 설계했느냐? 그 누가 줄을 치고 금을 그었느냐?

Who determined its measurements? Surely you know! Or who stretched the line upon it?

집을 짓기 위해서는 줄자로 길이를 재겠지요. 줄line은 준승measuring lines을 가리키는 것으로 실제적으로는 평면의 경사를 측정하는 도구인 '수준기'와 '먹줄'을 가리킵니다. 하지만 여기선 하나님이 시험하시는 일을 측정하는 비유적 표현으로 사용된 것이죠. 하나님의 초월적인 능력을 드러내시려는 의도로 하나님께서 욥에게 "누가 그 준승을 그 위에 띄웠는지 네가 아느냐"고 물으신 겁니다. 또 다림줄plumb line 비유에서도 드러나듯 줄은 우리들의 죄를 재는 하나님의 공의로도 비유됩니다. 곧 하나님의 심판을 의미하는 셈이죠. 이사야도 하나님의 심판 때에 공평公平으로 줄을 삼고 의義로 추를 삼을 것이라고 말하고 있습니다.

## 주춧돌로 쓰이는 버려진 돌

목수인 하나님이 하시는 말씀 가운데 가장 감동적인 구절은 이것입니다.

건축자가 버린 돌이 집 모퉁이의 머릿돌이 되었나니 (시편 118:22)

버려진 돌이 초석이 된다는 이 말이 우리들에게 굉장한 위로를 줍니다. 소외된 사람들, 쓸모없다고 생각되는 사람들에게도 위로와 희망이 생기는 것이지요. 대입 시험에 떨어졌어요, 입사 시험에 떨어졌어요. 버려진 돌 같지요? 그런데 이 사람이 나중에 성스러운 초석이 된다는 말입니다. 버려진 돌이라고 절망하지 않아도 됩니다. 욥기 전체를 보면 욥한테 하나님이 말씀하시길, 이게 기둥감으로 쓸 만하다고 누가 그 도량을 정하였는지를 알겠느냐고 물으십니다. 이 우주를 만든 초석은 누가 세웠는지, 그 모퉁이 돌은 누가 놨는지를 알라는 것이지요.

아무리 집주인이라도 지은 사람만큼 그 집에 대해 잘 알지는 못합니다. 목수가 더 잘 안단 말입니다. 그래서 급한 일이 있으면 집 지은 사람한테 설계도 내놓으라고 야단치는 거예요. 그러니까 우리가 하나님을 안 믿을 수가 없지요. 왜냐하면 아무리 내 집이라도 지어준 사람이 아니고는 이 집을 잘 모르거든요. 어디에 수도가 묻혀 있고, 어디에 전깃줄이 들어앉아 있는지 몰라요. 보통 집도 그러는데, 하물며 우주야 어떻겠어요? 또 하나님이 직접 지으신 우리는 어떻겠습니까? 베드로전서에 참 아름다운 이야기가 나옵니다.

> 그러므로 믿는 너희에게는 보배이나 믿지 아니하는 자에게는 건축자들이 버린 그 돌이 모퉁이의 머릿돌이 되고 또한 부딪치는 돌과 걸려 넘어지게 하는 바위가 되었다 하였느니라 그들이 말씀을 순종하지 아니하므로 넘어지나니 이는 그들을 이렇게 정하신 것이라 (베드로전서 2:7-8)

믿는 너희들에게는 보배이지만 믿지 않는 자들에게는 건축자들이 버린 돌이 모퉁이의 머릿돌이 된다고 그랬습니다. 믿는 자들에게는 그 돌이 보석 같은 것입니다. 아주 값진 거예요. 그런데 안 믿는 자에게는 발에 걸려서 넘어지는 돌부리에 불과한 것이죠. 믿는 사람에게는 주춧돌이요, 앞으로 영원불변할 아름다운 집을 짓는 첫 돌인데, 보통 사람들에게는 걸려 넘어지는 방해물, 걸림돌인 것이지요.

돌부리에 걸리면 보통 발로 차버립니다. "이놈의 돌이 왜 여기 있어?"라고 욕을 하면서요. 믿지 않는 사람들이 교회를 향해 욕을 할 때도 마찬가지예요. 하나님을 욕하는 사람들은 자기가 잘못해서 넘어진 줄은 모르고 왜 여기에 돌이 있느냐고 욕을 하는 것입니다. 2층 집에서 그 장면을 내려다본다고 생각해보세요. 돌부리에 걸린 사람들의 반응이 제각각이지 않겠어요? 침을 뱉는 사람, 소리 지르며 화를 내는 사람, 얼굴 붉히는 사람 등 반응도 참 가지각색일 것입니다.

그런데 우스운 것은 누구 하나 그 돌을 치우려고 하지 않는다는 것입니다. 사람들은 자기가 재수 없어서 돌부리에 걸렸다고도 생각합니다. 우연히 그 자리에 돌이 있었기 때문에 넘어졌다고 말합니다. 그러나 그것은 우연이 아닙니다. 왜냐하면 발을 차이고도 그것을 치우려는 생각을 하지 않는다면, 남들이 다칠까 봐 치워주는 마음이 없다면 이미 그 사람은 죄인입니다. 벌을 받고 있는 것입니다. 이때 이 돌은 사람들에게 그가 죄인임을 경고하는 것이지요. 쓸모없다고 생각되는 돌이 따지고 보면 귀한 일을 하고 있는 것입니다. 어때요? 이런 돌로 성전을 짓는다면 어떻겠습니까?

## 버려진 돌들에게 희망을

이런 식으로 생각하면 모든 가치관이 그날로 바뀌겠죠. 가치관이 바뀌게 되면 그것이 자기를 해치는 돌이 아니라 성스러운 코너스톤이며, 이 코너스톤이 바로 예수님의 몸이라는 것을 깨닫게 됩니다. 에베소서에서도 이렇게 이야기하고 있지 않습니까? "너희는 사도들과 선지자들의 터 위에 세우심을 입은 자라, 그리스도 예수께서 친히 모퉁이 돌이 되셨느니라"(에베소서 2:20). 우리가 십자가에 매달아 처절하게 버렸던 예수님의 몸, 그것이 영생의 집을 짓기 위해 놓은 첫 돌, 코너스톤이라는 것을 알게 되면 성경의 의미도 차츰 알게 될 것입니다. 자기 자신을 생각할 때도 마찬가지입니다.

우리는 가끔 자기 자신이 쓸모없는 인간, 소외된 인간이라고 생각하기 쉽습니다. 그러나 모든 사람이 돌부리에 차여 욕을 하고 지나는데, 버려진 돌을 귀한 돌이라고 말씀하는 단 한 분이 계십니다. 그분이 바로 예수님이십니다. 저는 주님을 맞이할 때 나 자신을 버려진 돌로 생각했고, 그 버려진 돌을 귀한 돌로 만드시는 주님께 감사했던 것입니다. 그때 쓴 시가 「길가에 버려진 돌」입니다. 선택받은 사람들, 유태인들만이 귀하게 쓰이는 것이 아닙니다. 그렇다면 기독교는 그저 한 민족의 종교일 뿐이겠죠. 기독교의 하나님은 오늘날의 모든 버려진 돌들, 버려진 사람들, 소외되고 박해받는 이방의 사람들일지라도 귀한 돌로 쓰임 받을 수 있다는 희망을 줍니다.

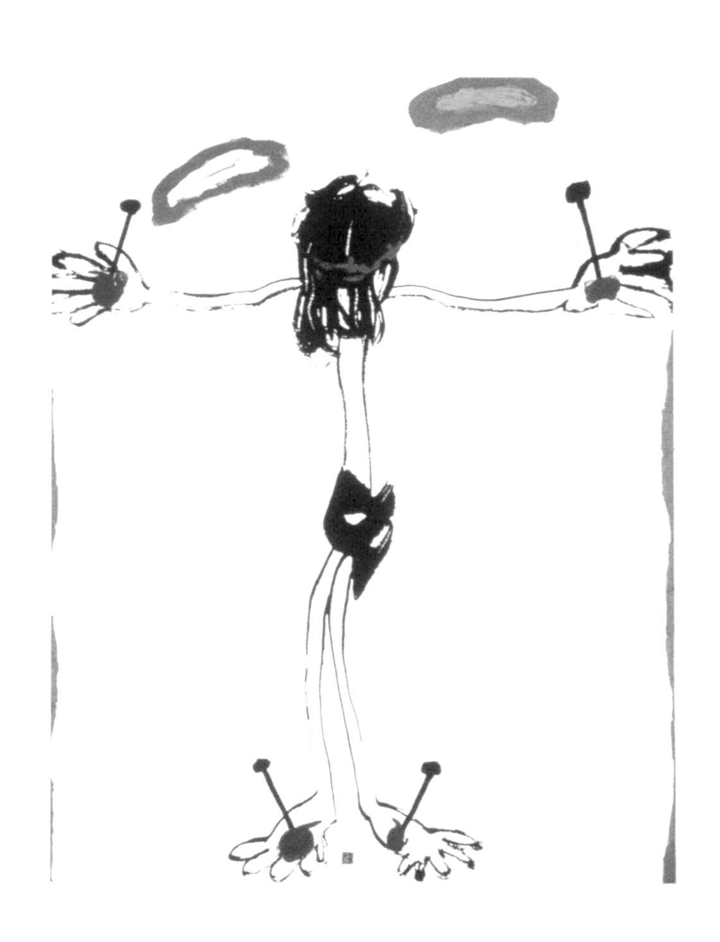

## 길가에 버려진 돌

길가에 버려진 돌
잊혀진 돌
비가 오면 풀보다 먼저 젖는 돌
서리가 내리면 강물보다 먼저 어는 돌

바람 부는 날에는 풀도 일어서 외치지만
나는 길가에 버려진 돌
조용히 눈 감고 입 다문 돌

가끔 나그네의 발부리에 차여
노여움과 아픔을 주는 돌
걸림돌

그러나 어느 날 나는 보았네
먼 곳에서 온 길손이 지나다 걸음을 멈추고
여기 귓돌이 있다 하셨네
마음이 가난한 자들을 위해 집을 지을
귀한 귓돌이 여기 있다 하셨네

그 길손이 지나고 난 뒤부터
나는 일어섰네
눈을 부릅뜨고
입 열고 일어선 돌이 되었네

아침 해가 뜰 때
제일 먼저 번쩍이는
돌
일어서 외치는 돌이 되었네

# 9

## 접속하라 열릴 것이다

요즘 아침에 출근할 때도, 저녁에 퇴근할 때도, 자기 전에도 컴퓨터를 켜는 것이 습관이 되었습니다. 이제 인터넷은 우리 생활에 없어서는 안 될 중요한 매체가 되었습니다. 인터넷을 쓰던 초기에 '접속 거부access denied'를 맞닥뜨리면 괜히 구애하던 여자한테 뺨이라도 맞은 것처럼 기분이 나빴습니다. 컴퓨터뿐만이 아니라 접속 거부는 다른 데서도 많이 쓰입니다. 자기가 좋아하는 사람을 병적으로 집요하게 쫓아다니며 괴롭히는 사람을 스토커라고 하지요. 스토커를 경찰에 신고하면 '접근 금지명령'을 내립니다. '액세스 디나이드'입니다. 부부지간이라도 법원에서 접근 금지처분을 내리면 집 안에서도 몇 미터 이내로는 배우자에게 접근할 수 없습니다. 인간이 살아가는 일은 세상 모든 것에 '액세스' 하는 것입니다. 직장에 접속하고 국가, 세계, 모든 것에 접속하는 거예요. 액세스라는 말이 삶 자체입니다.

종교를 영어로 릴리전religion이라고 하는데, 그 어원을 보면 끊어진 것을 다시 잇는다는 뜻이기도 합니다. 종교란 신과 인간의 단절된 관계를 다시 잇는 것. 그렇지요. 목사님들이 설교를 한다고 하지만 사실은 신도들과 하나님을 접속시키는 것이지요. 유목 생활을 하던 과거에야 목자가 양들을 몰고 오는 것처럼 하나님께 인도하는 것이었지만 인터넷 시대에는 신도들을 하나님께로 접속시켜야 하는 것이지요.

설교가 목사님이 성도들을 마주 보면서 일방적으로 들려주는 것이라면 이제는 목사님이 성도들과 같은 방향을 바라보면서 이들을 이끌어 스스로 하나님과 접속하도록 해야 합니다. 목사님의 설교를 듣고 "목사님, 설교 참 잘 들었습니다" 하지 말고 "오늘 참 접속이 잘됐습니다. 할렐루야" 이러면 어떨까요? 컴퓨터의 아이디 창에 아이디와 비밀번호를 치면 가상현실의 사이버 세계로 접속되듯 목사님이 키보드, 마우스가 되어 예배 시간에 우리를 하나님 나라에 접속시키는 것이지요.

## 분명 존재하지만 본 적 없는 세계

접속은 얼마나 귀중한 말입니까? 영어 성경에 'access' 라는 키워드를 넣어 검색하면 세 개가 나옵니다. 그런데 우리나라 말로는 전부 "하나님 나라로 들어간다. 은총으로 들어간다. 하나님께로 나아간다"라고 번역되어 있습니다. '들어간다'는 것은 부피가 있는 어떤 공간으로 가는 것이고, '나아간다'는 것은 어디로 향해 있는지 모르는 쭉 뻗은 길 위를 간다는 말입니다. 그걸 '접속'이라는 말로 번역하면 어떨까 생각해봤습니다. 그러면, 젊은 사람들이 "이제 알았어. 하나님이 계시는 하늘나라는 바로 인터넷 같은 사이버 세계야" 하면서 고개를 끄덕거릴 것입니다. 정말 그렇잖아요? 하나님 세계로 나아가는 것을 방해하는 마귀가 있는 것처럼 사이버 세계에도 접속을 교란하는 버그bug가 있지요. 이렇게 분명히 존재하지만 본 적이 없는 사이버 세계, 하나님 세계와 비슷하지 않습니까?

아이디와 비밀번호만 있으면 다른 세상에 접속이 돼서 희한한 유튜브도 보고, 댓글도 입력하고, 수많은 정보를 한눈에 볼 수 있습니다. 또 트위터, 페이스북에서 연락이 끊긴 친구도 쉽게 찾을 수 있습니다. 이처럼 물리적으로는 갈 수 없는 세계에서 사람들도 만나고 소통도 하는 거지요. 그러니 "하나님이 있다는 거 너 봤어? 하나님 나라가 어디 있어?" 하고 따지는 젊은이들에게 인터넷의 가상 세계를 이용해 설명하면 더 잘 알아듣지 않겠습니까? 인터넷보다 열 배, 스무 배, 백 배 차원을 높이면 그게 바로 영적 세계이고, 우리가 '액세스' 하려는 하늘나라라고 말이지요.

교회에 왜 갑니까? 하나님 만나려고 가지 않습니까? 하나님께 접근하고 하늘나라에 접속하려고 갑니다. 여기서 '접근하는 것'은 아직 들어간 게 아닙니다. 사이버 세계는 들어갈 수 있습니까? 못 들어가지요.

가상 세계는 접속할 수는 있어도 그 세계에서 살 수는 없습니다. 진짜로 사이버 세계에 들어간다면 큰일이지요. 우리가 1과 0의 디지털 부호가 되어 육체고 뭐고 다 없어져야 하니까요. 그래서 하늘나라나 성스러운 곳, 또는 사랑, 정의, 이런 모든 인간의 추상적 가치나 인간이 살아 있는 채로는 도저히 갈 수 없는 가상의 세계는 액세스 할 수밖에 없습니다. 접속할 수밖에 없어요.

사이버 세계라는 것은 있는 것도 아니고 없는 것도 아닌 세계, 접속 가능한 공간입니다. 실체가 없으니 부술 수도 없습니다. 내가 어떤 사이트에 아이디, 비밀번호 입력하고 접속하면 이메일도 오고 그러는데 그 사이트라는 것이 실제로 존재합니까? 존재한다면 어디에 있습니까? 인터넷을 폭격해봐요. 컴퓨터는 부서져도 사이버 세계는 사라지지 않습니다. 하늘나라와 여러 가지 속성이 비슷합니다. 그래서 젊은이들에게 하늘나라를 설명하려면 인터넷 사이버 세계의 원리를 이용해야 합니다.

그리고 또 하나 필요한 것은 용기입니다. 접속을 하면 우리는 가상 세계와 연결connect됩니다. 그런데, 이 '커넥트' 라는 단어는 공격의 의미를 담고 있습니다. 이 말의 어원은 프랑스어인데, 중세 프랑스어로 '공격하다' 라는 뜻이었답니다. 어택attack이라는 뜻인 거죠. 스토커들이 강제로 막 쳐들어가니까 접근 거부access denied가 되는 겁니다. 그러니까 접속, 접근이라는 뜻의 'access' 에도 공격적인 의미가 담겨 있는 것이죠. 우리가 하나님 나라라는 세계에 접속하려면 낯설다고 머뭇거리지 않아야 합니다. 한번 해보겠다, 다가가보겠다, 공격하는 것 같은 용기 또한 필요합니다.

젊은이들은 "하나님, 예수님은 볼 수도 없는데, 하늘나라라는 게 있지도 않은데, 라고 생각했는데, 인터넷의 가상 세계와 마찬가지구나. 하늘나라가 사이버 세계 같은 거구나, 주님의 세계라는 게 있는 거구나. 우리가 인터넷에 접속하는 것처럼 끝없이 접속하는 그 마음이 기도구나" 하겠지요. 그리고, 할렐루야, 아멘, 십자가처럼 기독교에서 쓰이는 말이나 상징들은 하늘나라에 접속할 때 필요한 아이디, 패스워드 같은 것임을 깨닫게 되는 것이지요.

## 하나님 세계로 접속하는 패스워드

끝없이 하나님께 접속하는 비밀 부호. 이건 「알리바바와 40인의 도둑」에서 도둑들이 "열려라 참깨"라고 주문을 외면 문이 열리는 것과 같습니다. 알리바바를 해치기 위해 문에 표시를 해두었지만 슬기로운 하녀처럼 다른 집에도 모두 똑같은 표시를 하면 찾을 수 없는 것과 같습니다. 이렇게 되면 곤란하겠지요. 특별한 표시, 특별한 주문이 꼭 필요합니다. 그래서 하나님께 접속하기 위해서는 형식적인 것들도 무시할 수 없습니다. '믿음이 중요하지, 성경이 뭐가 중요해, 주일마다 교회 가는 게 뭐가 중요해, 기도 좀 게을리하면 어때' 해서는 안 된다는 것이지요. 접속 신호는 대단히 중요합니다. 그건 "내가 이렇게 나아가고 있습니다. 내가 접속하려고 합니다"라는 하나의 형식적 표현인 셈이니까요.

성경의 말씀들은 전부 하나님 세계로 접속하는 패스워드, 즉 비밀번호입니다. 그것을 통해야 우리가 제대로 접속할 수 있기 때문입니다. 그리고 그것을 도와주는 분이 목사님입니다. 목사님 자신이 하나님은 아닙니다. 접속을 도와주는 키보드와 같습니다. 클릭을 도와주는 마우스이지요. 목사님한테 "목사님은 키보드야, 마우스야" 라고 농담을 하면 화내실지 모릅니다. 하지만 마우스나 키보드가 없으면 접속할 수 없습니다. 그런데 그 키보드나 마우스가 잘 작동하지 않으면 어떻게 합니까? '에잇, 이놈의 키보드' 하며 던져버리고 새로 사지 않습니까? 그러니까 목사님들이 접속을 잘 시키면 존경을 받지만 그렇지 않으면 욕을 먹는 것과 같습니다.

그러나 그것은 마우스나 키보드가 잘못된 거지, 접속하려고 하는 세계가 잘못된 것은 아닙니다. 그러니까 목사님을 절대화해서 목사님 흉보는 걸 기독교를 부정하는 걸로 생각하는 사람들도 있는데, 이것은 액세스의 의미, 하나님의 세계를 잘못 알거나 모르는 사람들의 이야기입니다. 교회라는 공간 역시 결국은 하늘나라로 우리를 접속시키는 커다란 키보드 달린 컴퓨터 같은 것이지요. 도구이지 그 자체가 아니라는 말입니다.

때로 접속에 필요한 도구들이 너무 까다로운 경우가 있습니다. 기억하기 힘들게 너무 복잡하거나 어려운 아이디, 패스워드처럼 말이지요. 영어를 기반으로 만들어진 키보드로 겹자음이 있는 우리 글을 쓰려면 시프트shift 키와 글쇠를 함께 눌러야 해서 한 손으로는 해결이 안 됩니다. 쉽게 만들면 더 좋을 텐데 말이죠. 기독교도 마찬가지입니다. 쉬운 이야기인데 이것을 아주 어려운 이야기로 설명하는 사람들이 있습니다. 기독교나 성경을 너무 어렵게 설명하면 접속하려던 사람들도 나가떨어지고 맙니다. 예수님은 학식 있는 사람들에게만 설교하지 않으셨어요. 예수님은 어부나 창녀처럼 소외된 민중들, 가난하고 못 배운 사람들한테 쉽게 설명했습니다. 그런데 어떤 사람들은 이걸 접근도 하지 못하게 어렵게 설명합니다.

다시 성경 이야기로 가봅시다. 제가 성경에 접속access이라는 말이 세 번 나온다고 했지요? 그 부분을 한번 봅시다.

> 이는 그로 말미암아 우리 둘이 한 성령 안에서 아버지께 나아감을 얻게 하려 하심이라 (에베소서 2:18)
>
> For through Him we both have access by one Sprit to the Father.

아버지께 나아간다는 말, 그것이 액세스로 표현되었습니다. 두 번째 구절을 봅시다.

> 또한 그로 말미암아 우리가 믿음으로 서 있는 이 은혜에 들어감을 얻었으며 하나님의 영광을 바라고 즐거워하느니라 (로마서 5:2)
>
> through whom also we have access by faith into this grace in which we stand and rejoice in hope of the glory of God.

여기서도 믿음을 가지고 은혜로 나아간다, 들어간다라고 되어 있습니다. 번역이 좀 어색하지요? 만약 이 단어를 접속이라는 말로 바꾼다면 요즘 젊은 사람들도 이 구절을 잘 이해할 수 있지 않을까요? 믿음으로 우뚝 서 있는 거룩한 하나님의 은혜의 세계로 접속하겠다는 것이 되니까요. 은혜로 나아간다는 추상적인 말보다 접속한다는 말이 훨씬 의미 전달이 잘되지 않습니까? 이처럼 성경을 죽어 있는 권위적인 경전이 아니라 시대와 세대에 맞게 조금씩 재해석해주면 의미는 제대로 전하면서 더 쉽게 다가갈 수 있지요. 이렇게 보면 컴퓨터 용어로만 알고 있던 '접속'이라는 말이 정말 귀한 신학적 용어라는 것을 알게 됩니다. 세대를 넘어 얼마나 가슴에 딱 와 닿는지 알 수 있을 겁니다.

## 가까이하기엔 너무 먼 하나님

앞에서도 이야기했지만 교회를 짓거나 건물을 지을 때는 제일 먼저 기준이 되는 돌을 코너스톤, 주춧돌이라고 합니다. 외국에서도 성당을 지을 때 보니 기준 돌을 놓으면 거기에 신부님들이 성수를 부은 후에 십자가를 대더군요. 이런 과정을 거치면 평범한 돌이 성스러운 장소의 코너스톤이 됩니다. 코너스톤은 하나의 접속점interface입니다. 인터페이스가 온라인과 오프라인을 이어주듯 코너스톤이 인터페이스가 됩니다. 인터페이스가 잘못되면 사이버 세계에 접속할 수 없는 것처럼 코너스톤이 잘못 놓이면 하나님의 세계에 접속할 수 없습니다. 오늘날의 교회나 종교가 인터페이스를 편하고 쉽게 만들어줘야 하는 이유입니다. 그걸 게을리하니까 하나님 나라와 사람의 접속이 잘 안 되어서 나날이 이 둘은 멀어지기만 하는 겁니다.

요즘 인터넷에 접속해보면 그 안에 어마어마하게 좋은 자료가 많습니다. 정말 귀중한 자료를 블로그나 인터넷 카페 등에서 공짜로 다 보여줘 저는 가끔씩 비명을 지릅니다. 10분 전에도, 아니 10초 전까지도 몰랐던 방대하고 놀라운 지식이 손가락 클릭 한 번으로 내 머릿속으로 들어오는 겁니다. 하늘나라도 마찬가지입니다. 그 세계에도 공짜로 전해주는 놀라운 진리들이 잔뜩 있는데, 접속이 제대로 안 돼서 모르고 지내는 겁니다. 말하자면 하늘나라(온라인)와 인간세계(오프라인)가 점점 멀어져서 그 사이버 세계의 어마어마한 메시지들, 아름다운 동영상들이 우리에게 전해지지 못하는 것입니다.

하지만 제아무리 좋은 것들이 잔뜩 있어도 그 세계를 게임이나 하고 재미나 찾는 세상 정도로 생각한다면 아무것도 못 얻습니다. 접속하려는 사람의 태도도 문제인 거죠. 교회 다니는 사람들 가운데서도 건성으로 다니는 사람들은 귀하고 아름다운 보석 같은 진리를 찾지 못합니다. 접속만 잘하면 은혜로운 것을 얼마든지 찾을 수 있는데 싶어 정말 안타깝습니다.

정보는 어마어마하게 많습니다. 홍수를 이루고 있는데, 그 정보의 값어치를 아는 사람은 드뭅니다. 쓸데없는 정보까지 넘쳐나는 바람에 익사할 지경입니다. 노아의 방주처럼 꼭 필요한 것만을 담아 그 넘쳐나는 정보의 홍수 속을 빠져나오는 지혜가 필요합니다. 하나님의 세계로 잘 접속시킬 수 있는 교회와 목회자, 접속한 후에 귀한 이야기를 들으려고 귀를 쫑긋 세우는 사람들이 있어야 하나님 세계는 더 풍요로워지겠지요.

## 기도는 접속이다

친구와 말하고 싶을 때 나는 컴퓨터나
호주머니 스마트폰으로 접속합니다
보이지 않는 곳에 그가 있어도
들리지 않는 곳에 그녀가 있어도
나는 접속할 수 있습니다.
그와 그녀의 아이디만 알면.

기도를 드릴 때에는 두 눈을 감고 손을 모읍니다.
자판을 건드리는 엄지손이 아닙니다.
아이디는 주 예수. 암호는 할렐루야와 아멘
보이지 않아도 들리지 않아도
그 빛과 소리는 내 가슴의 판넬 위에
떠오릅니다.

두드려라 그러면 열릴 것이다
키보드를 두드립니다.
혹은 터치 스크린을 애무하듯 손끝으로 건드립니다.
사이버 공간에서 친구를 만나듯
이제 두 손만 모으면 성령의 공간으로
접속할 수 있습니다.

친구에게 문자를 보낼 수 있는 것처럼
그렇게 아주 가까이 오늘 나는 기도를 드립니다.
저 영원한 빛과 소리에 접속하기 위해서
주님의 비밀번호를 찾기 위해서
손을 모읍니다.

# 10

## 낙타와 바늘귀

성경 본문을 컴퓨터로 검색해보면, '낙타'라는 단어가 60번 가까이 나옵니다. 기독교가 원래 사막 지방에서 탄생한 종교이기 때문에 낙타가 자주 등장하는 듯합니다. 그중에 가장 유명한 구절은 "낙타가 바늘귀로 들어가는 것이 부자가 하나님의 나라에 들어가는 것보다 쉬우니라"란 구절일 겁니다. 한 부자 청년이 예수님께 와서 어떻게 해야 영생을 얻을 수 있느냐고 묻습니다. 예수님은 먼저 계명들을 지키라고 하십니다. 그러자 그 사람이 물어요. "이 모든 것을 내가 지키었사온대 아직도 무엇이 부족하니이까." 그러자 예수님이 뭐라고 하세요? "네 소유를 팔아 가난한 자들을 주라 그리하면 하늘에서 보화가 네게 있으리라"라고 하시죠. 그러고 나서 이 유명한 말씀을 제자들에게 하신 겁니다.

다시 너희에게 말하노니 낙타가 바늘귀로 들어가는 것이 부자가 하나님의 나라에 들어가는 것보다 쉬우니라 하시니 (마태복음 19:24)

이 문장에 대해서는 문학적으로, 역사적으로 다양한 해석이 있습니다. 논쟁이 많은 구절입니다. 신학자들도 문학자들도 이 구절에 대해 많이들 논쟁을 합니다. 아무리 비유라지만, 바늘구멍에 왜 느닷없이 낙타냐는 거지요. 이 말의 기원을 찾아가면 여러 가지 재미있는 이야기가  있습니다. 왜 하필 낙타일까? 성경은 원래 히브리어와 아람어 등을 기초로 하여 쓰여졌습니다. 셈족(함족, 아리안족과 함께 유럽 3대 인종의 하나. 아시리아인, 아라비아인, 바빌로니아인, 페니키아인, 유대인 등이 이에 속한다) 토착어를 다른 언어로 번역하는 과정에서 오역이 생겼다는 겁니다.

## 유리 구두와 낙타

히브리어로 낙타는 'gamla', 밧줄은 'gamta' 입니다. 이 두 말의 발음이나 스펠이 너무 비슷해서 밧줄을 낙타로 잘못 번역한 것이라고 주장하는 사람들이 있죠. 그러니까 원뜻은 밧줄을 바늘구멍에 넣는 것이 부자가 천국 가는 것보다 더 쉽다는 거죠. 그리스어로 해도 마찬가지라는 겁니다. 그리스 말로 'kamilos' 는 밧줄이고 'kamelos' 는 낙타입니다. 여기에서는 'i' 가 'e' 로 바뀐 것뿐입니다. 비단 부자만이 아닙니다. 식자우환識字憂患이라고, 뭘 많이 아는 사람들도 천국에 들어가기 어려울 겁니다. 이렇게 낙타다, 밧줄이다 말이 많으니 어찌 천국엔들 편안히 들어갈 수 있겠습니까? 오역은 때로 놀라운 수사학적 결과를 낳기도 합니다. '신데렐라' 이야기 다들 아시지요? 프랑스 말로 다람쥐 가죽을 '베르vair'라 하는데, 유리도 '베르verre'예요. 민담에는 유리 구두가 아니라 가죽 구두라고 되어 있었답니다. 그런데 이 민담이 다른 나라로 전해질 때, 가죽과 발음이 비슷한 유리로 옮겨졌다는 거죠.

유리 구두가 되니까 이미지가 훨씬 더 우아하고 아름답게 느껴집니다. '신데렐라의 가죽신'보다 '신데렐라의 유리 구두'가 더 멋져 보이지 않습니까? 그래서 전 세계에 유리 구두로 퍼지게 되고, 민담의 진원지였던 프랑스에서까지 유리 구두가 되어버린 겁니다. 게다가 유리 구두가 되니까 나중에 왕자가 신의 주인을 찾을 때도 말이 딱 들어맞습니다. 가죽은 좀 늘어나기도 하니까 딱 맞는지 아닌지 유리 구두보다 판별하기가 어려우니까요.

밧줄이 정말 낙타로 바뀐 것인지는 모르겠지만 큰 것이 작은 곳으로 들어간다는 비유는 확실해졌습니다. 실제로 당시 사회에서 낙타는 '크다'의 상징이었습니다. 성경 속 여러 군데에서 이미 그런 상징으로 쓰였지요.

바늘구멍에 대해서도 여러 이야기가 있습니다. 어떤 학자들은 바늘구멍은 비유가 아니라 실제로 존재하는 문이라고 주장합니다. 성으로 들어가는 큰 문이 닫혔을 때 여행자들이 드나드는 작은 곁문을 바늘귀라고 불렀다는 것입니다. 그래서 낙타가 짐을 지고는 그 좁은 문으로 들어갈 수가 없었답니다. 짐을 다 내려놔야 했습니다. 어찌나 작았던지 그러고서도 무릎 꿇고 기어 들어가야 한다는 것입니다. 부富(짐)도 명예(무릎 꿇기)도 모든 걸 다 버린 겸허한 자세가 아니면 들어갈 수 없는 문이 바늘귀라는 성문이라는 겁니다.

한 여행객이 다마스쿠스를 여행하면서 시리아인 안내자에게서 들었던 이야기가 지금도 글로 전해지고 있습니다. 성벽에 이르자 안내인이 큰 나무 문 옆에 작은 문을 가리키면서 저걸 바늘귀라고 부른다고 했다는 겁니다. 비유라기보다 실제로 바늘귀라는 좁은 문이 있다고 하니, 앙드레 지드의 『좁은 문』이 그 문을 말하는 거구나 하고 무릎을 치는 사람들도 있을 겁니다. 그러나 다른 학자들의 연구에 따르면 실제 예루살렘에서는 그런 문은 발견된 적도 없거니와 그런 것을 기록한 문헌도 없다는 겁니다. 후대 사람들이 갖다 붙인 거라는 거죠.

조금만 수사학 공부를 해본 사람이라면, 즉 성경을 하나의 문학적 텍스트로 읽을 수 있는 사람들은 이런 분분한 의견들을 한 방에 날릴 수 있습니다. 왜냐하면 이미 예수님은 다른 곳에서도 큰 것을 '낙타'에 비유하고 있으니까요. 마태복음을 보세요. 당시 위선적인 서기관이나 바리새인들이 소외된 사람들을 업신여기고 자기들이야말로 신앙심 많은 자들이라고 거들먹거리고 다녔습니다. 그들을 보고 예수님은 이런 말씀을 하시죠. "화 있을진저 외식하는 서기관들과 바리새인들이여 너희가 박하와 회향과 근채의 십일조를 드리되

율법의 더 중한 바 의와 정의와 긍휼과 믿음은 버렸도다 그러나 이것도 행하고 저것도 버리지 말아야 할지니라"(마태복음 23:23)라고 하시면서 "맹인된 인도자여 하루살이는 걸러내고 낙타는 삼키는도다"(마태복음 23:24)라고 하세요. 이때 하루살이는 바늘귀와 같이 작은 것을 의미하는 것입니다. 이건 바늘귀로 들어가기보다 더 어려운 겁니다. 낙타를 사람이 삼키다니요. 이런 구절이 있음에도 불구하고 사람들은 논쟁을 하느라 정말 중요한 것은 보지도 못합니다.

낙타가 아니라도 남의 눈에 티끌을 보면서 자기 눈 속에 있는 들보를 깨닫지 못한다는 말도 똑같습니다. 티끌과 들보가 얼마나 큰 차이가 있습니까. 이런 것을 수사학에서는 아주 흔한 과장법hyperbol이라고 합니다.

그래서 성경을 다시 읽자는 것입니다. 안 믿는 사람, 무신론자, 기독교를 반대하는 사람, 지식 많은 사람들이 마음을 비우고 그냥 성경를 읽어보면 우선 재미있고 드라마틱 하고 속이 후련해지기도 합니다. 바리새인, 서기관 같은 사람들의 허위의식과 위선을 여지없이 부수는 예수님의 기막힌 비유들을 보면, 창조가 무엇인지, 상상력이 무엇인지 생각해보게 되지요. 사물을 바라보는 충격적인 시선을 경험하게 됩니다. 저는 예수님을 믿기 전부터 성경을 수사학 텍스트로 강의해왔습니다. 제가 강의를 하면 학생들이 웃고 박수치고, 어떤 때는 탄성을 질러요. 안 믿는 학생일수록 더 그렇습니다.

## 긍정적 사랑의 힘

예수님께서 말씀하실 때 독창적으로 하시는 경우도 있지만 구약성경에 있는 말씀을 많이 인용하셨습니다. 또 민중들이 알아듣기 쉽게 당시 떠돌아다니는 이야기를 활용하기도 했습니다. 그러니 예수님의 말씀을 아주 어렵게 해석하는 건 잘못입니다. 진짜 진리는 쉬워요. 그것에 무거운 주석을 다는 사람들이 그걸 어렵게 만듭니다. 마치 소설은 쉽게 읽히는데, 비평을 보면 아주 어려운 것과 마찬가지랍니다. 성경에서 예수님이 하신 말씀들은 율법학자 같은 식자들이 아니라 대체로 가난하고 배우지 못한 어부나 양 치는 일반 대중들에게 하신 겁니다. 신학이 아주 어렵다고 하지만 근원을 파고들면 오히려 쉽습니다. 큰 강도 그 근원을 따라가보면 술잔 하나 띄울 정도의 작은 샘물에 불과한 것처럼요.

이제 하루살이에서 눈을 돌려 낙타 비유로 가볼까요? 부자들이 들어가려는, 그들이 들어가려면 낙타가 바늘구멍 들어가기보다 더 어렵다는 천당의 문이 무엇인지 그 의미를 생각해보자는 겁니다. 이 구절 때문에 '예수님은 공산당'이라는 말까지 나왔는데요, 성경 속에서 젊은이가 실망한 것처럼 예수님은 이 세상 모든 부자들을 적대시하는 것처럼 보이니까요. 그런데 과연 그럴까요? 이것은 사람은 빵만으로 사는 것이 아니라고 하면 하나님의 말씀으로만 살아야 한다고 극단적으로 해석하는 것과 마찬가지입니다. '빵만으론'이라고 하면 빵을 제외하는 것이 아니라 포함하는 것입니다. 영어로 하자면

'not ~ but' 이 아니라 'not only ~ but' 이지요. "낙타가 바늘구멍으로 들어가는 게 더 쉬우니라"라는 말도 마찬가지입니다. '어렵다' 는 부정적 표현이 아니라 '쉽다' 는 긍정적 표현에 주목해야 합니다.

성경에서 비유를 쓸 때는 대개 긍정적으로 씁니다. "천당에 들어가는 것보다 무엇이 어디에 들어가는 것이 더 어렵다." 이렇게 이야기하면 그건 부정적 수사법입니다. 예수님은 말씀을 하실 때 모두 '된다' 라고 하지, '안 된다' 라고 하지 않습니다. '노no' 가 아니라 언제나 '예스yes' 입니다. 구약의 하나님은 징벌하고, 무섭고, 치열하고, 복수하는 모습으로 많이 그려져 있지만, 신약의 경우에는 긍정적 표현으로 되어 있습니다. 성경이 많은 사람들에게 읽히는 이유도 이 때문입니다. 다른 종교에서는 '하지 말라' 는 말이 많이 등장합니다. 부정하고, 금지하고, 벌합니다. 관습에서도 하지 말라, 먹지 말라는 '터부taboo' 가 많습니다.

그러나 예수님은 "두드려라, 그러면 열릴 것이다"라는 말처럼 모든 것을 긍정적으로 이끌어줍니다. 똑같은 말이라도 우리는 극장 앞에 '연소자 입장 불가' 라고 써 붙이는데, 기독교 문화권에서는 '성인만 가능adult only' 이라고 표현합니다. 같은 의미인데도 지향성이 다릅니다.

기독교에서 '쉬다, 편하다' 가 어디에서 나옵니까? '쉬다' 는 영어로 '레스트rest' 인데 프랑스어의 'repos' 에서 온 말입니다. 영어에서 식당을 가리키는 레스토랑restaurant이라는 말은 마태복음 11장 28절 "수고하고 무거운 짐 진 자들아 다 내게로 오라 내가 너희를 쉬게 하리라Come to me, all you who labor and are heavy laden, and I will give you rest"에서 나온 것이라고 합니다. 이 성경 구절이 너무 좋아 처음 프랑스에서 식당을 연 사람이 벽에 붙여놓은 거죠. 그런데 문장이 너무 기니까 사람들이 마지막 단어인 'rest'만 오래 기억하는 거예요. 바로 여기서 레스토랑이라는 말이 생겼다는 설도 있습니다.

보통 사람들은 예수님이 가시나무 관을 쓰고, 십자가에서 피 흘리시니까 기독교가 고통스럽고 부정적인 종교인 줄 아는데, 그게 아닙니다. 기독교는 즐거움, 기쁨, 쉼, 그리고 온화함 같은 긍정적 사랑으로 가득 차 있습니다. 칙센트미하이Csikszentmihalyi(1934, 헝가리 출신 미국 학자로 '긍정심리학' 분야의 선구적 학자. 40년 동안 시카고 대학교 심리학 · 교육학 교수로 재직하다 현재 클레어몬트 대학교 피터드러커 경영대학원 심리학 교수이자 '삶의질연구소' 소장으로 있다)라는 요즘 잘나가는 학자가 있습니다. 그가 이야기한 몰입flow 이론은 무엇인가에 열정을 갖고 몰입함으로써 행복해지는 길을 이야기합니다. 그에 따르면 고통도 불행도 창조적 상상력을 통하면 행복으로 변합니다. 세계에서 가장 추운 아이슬란드에 시인이 제일 많다고 해요. 길고 추운 겨울날의 고통을 아름다운 이야기로 바꿔놓은 사례죠. 이 긍정의 심리학을 이미 2천 년 전에 예수님이 하셨던 것입니다.

## 즐거운 상상력과 창조의 종교

창세기로부터 시작되는 기독교는 문자 그대로 창조의 종교이지 않습니까? 구약에서 모세의 십계명은 무엇무엇을 하지 말라고 되어 있지만, 예수님은 바로 그런 계명으로부터 인간을 풀어주고 자율적으로, 마음에서 우러난 바른 행동을 하도록 하셨습니다. 율법을 뛰어넘는 일을 하신 겁니다. 예수님께서 말씀하신 것처럼 율법을 폐하러 온 것이 아니라 오히려 온전하게 하러 오신 것입니다. "낙타가 바늘귀로 들어가는 것이 부자가 하나님의 나라에 들어가는 것보다 쉬우니라." 이 말은 부자만 꼬집어서 말한 것이 아닙니다. 돈뿐만 아니라 권력, 명예, 지식 등 가진 것이 많은 사람들은 모든 것을 벗어던져 자신을 완전히 비우고 진리를 향해 달려가기가 아무래도 어렵다는 의미로 말씀하신 것입니다.

낙타는 등에 항상 무거운 짐을 지고 다닙니다. 대부분 자신의 짐이 아니라 다른 사람의 짐을 대신 진 것이죠. 그러니까 낙타의 비유는 부자는 천국에 갈 수 없다는 것이 아니라 뭐든 욕심껏 많이 가진 사람들, 곧 부자에 대한 비유입니다. 짐을 많이 진 낙타라도 천국의 문에 이를 수 있는 방법이 있습니다. 몽골에서 전하는 낙타에 대한 재미있는 이야기를 하나 들려드릴게요. 낙타의 머리를 보면 꼭 뿔이 부러진 것처럼 생겼죠? 그래서 아마도 몽골 사람들이 상상한 것인가 봅니다. 원래 낙타에게는 뿔이 있었는데, 너무 아름다워서 다른 짐승들이 부러워했답니다. 그러던 어느 날, 사슴이 오더니 "그 뿔 좀 빌려

달라"고 했대요. 마음씨 착한 낙타는 인심 좋게 자기 뿔을 빌려줬다는 거죠. 그런데 아무리 기다려도 뿔을 돌려주지 않는 거예요.

그래서 낙타는 지금도 언제 사슴이 오나 하고 뭔가를 기다리는 것처럼 지평선을 바라보는 것이랍니다. 부자에 비유된 낙타들처럼 우리도 무언가를 잔뜩 짊어진 채 삶이라는 황량한 사막에서 무엇인가를 기다리지요. 옛날에 잃어버린 에덴동산의 추억이라고 해도 좋고, 영원한 삶을 사는 천국이라고 해도 좋겠지요. 어쨌든 우리는 허망하기 짝이 없는 현세의 것들을 찾아 등에 지기 바빠서 하나님이나 진리를 보지 못해요. 우리는 슬픈 눈으로 뭔가를 막연히 기다리고 있는 낙타와 같습니다. 그게 종교를 향한 마음, 영성을 향한 마음이겠죠. 내가 찾고 있는 것이 혹시 거추장스러운 짐뿐인 건 아닌가, 생각해본다면 우리가 삶이라는 광야에서 무엇을 찾고, 기다리고, 바라보고 있는지 알게 될 것입니다. 그걸 알게 되면, 부자든 가난한 사람이든 우리 앞에 비로소 천국의 문이 활짝 열릴 것입니다. 무거운 짐을 내려놓고 내게 와 쉬라는 말이 바로 그 낙타의 이유로 보면 될 것입니다.

## 내가 아는 것은 다만

남들은 같은 동족이 로마 군사에게 짓밟힐 때
당신은 갑옷을 입고 그들과 싸우시지 않았다고 합니다.
남들은 당신께서 내 이웃들이 세리에게 쫓길 때
그들과 함께 식사와 이야기를 나누었다고 합니다.
안식일 때 일하시고 손 씻지 않고 음식을 나눴다고
분노합니다.

남들은 그 비싼 향유면 굶는 사람 수십 수백을
구할 수 있었을 텐데
헛되이 당신 발에 뿌리게 놔두었다고 합니다.
고귀한 레위족 제사장들을
가짜 포도원지기라고 하셨습니까.
겉으로만 일하러 나간다고 하고
온종일 노는 아들이라고 하셨습니까.

남들은 죄지은 자에게 돌을 던지듯이
당신께 돌을 던졌습니다.
그러나 보세요. 나는 아무것도 모릅니다.
내 아는 것은 당신을 핍박하던 대 로마가
당신께 무릎 꿇고 그들의 깃발 대신 십자가를
세운 것밖에는 아무것도 모릅니다.

소돔의 성이 무너지듯이
네로의 궁전이 무너지는 것을
우리는 보았습니다.

내 어머니 한 분으로 모든 세상의 어머니들을
성스러운 어머니로 만드시고
아들 하나가 아니라 모든 사람을
사랑받는 아들로 만드신 것을 우리는 압니다.
이제 당신 이름만 부르면 무화과나무에
열매가 열리고
포도밭에 포도가
열립니다.

압니다. 육신보다 오래 사는 생명
당신께서 맨발로 걸어가신 발자국마다
새 새끼들이 일제히 알을 까고 나오는
생명의 깃을 봅니다.
내 아는 것은 이 지상에 빵보다 귀한 것
육신보다 더 피가 짙은 영혼이 있다는 것
나는 당신에 대해 그것밖에는 모릅니다.

# 제3부

과학이라는 건 아무리 위대한 과학자라도

설명할 수 있는 것만을 설명하는 것입니다.

블랙홀이니 뭐니 하는 것은 다 있는 것을 설명하는 것입니다.

그런데 종교는 설명해서는 안 되는 것을

자꾸 설명하려 드는 것입니다.

# 11

## 신 포도가 포도주로 변할 때

이솝 우화의 '여우와 신 포도' 이야기를 들어본 적이 있지요? 가끔씩 이솝 우화의 여우가 바로 자신이라고 느끼는 분들이 많았을 겁니다. 실제로 우리는 누구나 다 여우입니다. 우리는 무엇인가 하려다 하지 못했을 때 으레 다음과 같이 변명을 하죠. "그래, 이건 못한 게 아니라 안 한 거야" 하며 자신의 행동을 합리화합니다. 그래서 여우는 높은 가지의 포도를 따 먹을 수 없었으면서도 can't, 따 먹을 수 있지만 신 포도라 일부러 안 먹은 거라고 don't 자기를 합리화하지요. 그래서 "저 포도는 시어" 하는 것입니다.

이 이야기도 번역이 잘못된 거라고 주장하는 사람도 있어요. 신 포도가 아니고, 원래 희랍어로는 '언라이프 그레이프unripe grape' 라는 거죠. 설익어서 떫은 포도였다는 겁니다. 포도는 원래 조금은 신 과일입니다. 그래서 직접 먹기보다 포도주나 샴페인, 코냑과 같은 술을 담그는 용도로 주로 쓰였습니다. 우리가 먹는 당분이 많은 종류는 전체 포도의 20퍼센트밖에 되지 않는다고 합니다. 그러니까 포도가 신 건 당연하고, 아직 덜 익은 떫은 포도라고 해야 맞는다는 것이지요. 그리고 단순히 신 포도라 따 먹지 않은 것이 아니라 "지금은 때가 아니야, 나중에 익으면 따 먹으면 돼"라고 했다는 겁니다.

## 자기 합리화, 자기기만, 자기 위로

앞에서 말한 언라이프는 미숙함, 젊음을 뜻하기도 합니다. 누군가를 혼자서 오래 짝사랑하다 어렵게 고백을 했다가 상대방에게 거절을 당하면 "재는 아직 너무 어려서 몰라. 더 커야 해"라는 식으로 해석하는 사람들도 있지 않습니까? 포도를 못 먹은 여우의 표정은 어땠을까 한번 생각해보십시오. 몇 가지를 짐작할 수 있겠지요. 우선 자기 합리화입니다. 이건 누가 옆에 있을 때 작동합니다. 옆에 다른 여우들이 있었다면 포도를 따 먹으려고 기를 쓰다가 손을 놓은 자신이 민망했겠지요. 친구들이 "어이, 재 저거 못 따 먹는다"라고 놀리는 것 같아서 "내가 못 따 먹은 게 아니야. 저거 덜 익은 신 포도야" 이러고 가는 거란 말입니다.

그런데 아무도 없을 때는 자신이 먹고 싶어서 애썼던 걸 스스로 알기 때문에 자신이 초라하게 느껴지는 겁니다. 그러니까 "어이구, 저거 따 먹어봐야 지금 제철이 아니라 시고 떫을 거야. 내가 못 따 먹은 게 아니지" 하며 스스로 달랩니다. 그러니까 이건 자기 합리화가 아니라 자기 위로에 가깝지요. 사실 신 포도가 아니라는 것을 스스로 잘 알면서도 너무 비참하니까 자기를 위로하는 것입니다. "너무 서러워할 것 없어." 마치 자기가 남이 된 것처럼 나를 다독이는 거지요.

그리고 자기기만이 있습니다. 거짓말을 한참 하다보면 진짜처럼 느껴질 때가 있지요? 그러니까 이건 자기가 자기를 속이는 것입니다. 먹어보지도 않았으면서 진짜 신 포도라고 믿어버리는 겁니다. "아, 내가 못한 게 아니야. 내가 무능력자가 아니야." 그러면서 돌아갑니다. 이 경우는 자기 위로에서 한 발 더 나아가 자신을 속이는 겁니다. 그러니 이 작은 우화에서 얼마나 많은 의미를 부여할 수 있습니까? 자기 합리화, 자기 위로, 또 자기기만.

하워드라는 심리학자는 이 이야기를 '신 포도 심리학'이라고 이름 붙였습니다. 신 포도 심리학이란 '셀프디펜스 메커니즘Self defense mechanism'이라고 해서 어려운 일이 생겼을 때 '아유, 내 팔자야', '다 재 탓이야'라며 자신을 비하하거나 남 탓으로 방어하려는 심리를 말합니다. 이것을 자기방어 기제自己防禦機制라고 하는데 이것은 아주 중요한 것입니다. 이것이 없으면 사람이 살 수 없습니다. 우울증에 걸려 눈물로 지새우거나 자포자기에 자살까지도 하게 될 테니까요.

사람들이 그들의 욕망대로 살다가는 파멸하고 말 것입니다. 인간이 오늘날까지 살아올 수 있었던 것은 먹고 싶은 포도를 먹지 못하고도 '저건 신 포도야' 하고 아무렇지 않게 욕망의 포도나무를 스쳐 지나왔기 때문입니다. 그래서 포기하면서도 마음에 상처를 입지 않았던 것입니다. 이런 심리 덕에 사람들이 여태까지 살아온 것이지요. 그러고 보니 이 여우가 불쌍해 보이지 않습니까? '저 여우가 바로 나구나' 하는 생각이 들면서 말이죠.

에리히 케스트너Erich Kästner(1899~1974)라는 유명한 독일 작가는 이 이솝 우화를 현대판 포도 이야기로 재연합니다. 여우가 신 포도라고 단정해버린 포도가 실제로 신 포도일 수도 있잖아요. 사실 그 포도를 안 먹어봤으니 맛은 누구도 모릅니다. 따 먹지 못한 포도가 신 포도인지 단 포도인지는 누구도 알 수 없습니다. 케스트너의 포도 이야기에서 포도는 실제로도 신 포도였습니다. 포기했던 이솝 우화 속 여우와는 달리 케스트너의 여우는 열심히 뛰어서 포도를 따 먹는 데 성공을 합니다. 옆에 있던 여우들이 말합니다. "저렇게 높이 있는 것을 따 먹은 거야? 정말 대단해!" 하고 환호하고 박수를 칩니다. 갑자기 스타가 된 여우가 "이거 신 포도야"라고 말할 수 있나요? 포도가 시어도 행복한 표정으로 "이 포도 정말 달고 맛있어"라고 말합니다.

다른 여우들이 부러워하고 칭찬을 하는 바람에 여우는 신 포도인데도 계속해서 높은 가지의 포도를 애써 참고 따 먹습니다. 포도가 먹고 싶은 게 아니라 남들이 부러워하니까 자랑하려고 말입니다. 하지만 신 포도를 계속해서 먹다가 결국에는 위궤양에 걸려 죽었다는 것이 새로운 버전의 이솝 우화라는 거죠. 다른 여우들은 포도를 따 먹은 여우를 부러워했겠지요. "우리가 못 따 먹는 걸 재는 따 먹었어. 높은 가지에 열려서 다들 포기했을 때, 포기하지 않고 끝까지 노력했어. 우리도 재처럼 노력하면 포도를 먹을 수 있을 거야." 다른 여우들은 바로 오늘날의 타인 지향적인 인간의 모습을 나타내고 있습니다.

회사에 취직을 하고 그 회사의 사장이 되고 싶어 견습생에서 시작해 노력해온 사원들이 있습니다. 사장이란 자리는 높은 가지이지요. 그래서 사장 자리에 오르려다 탈락했을 때, "어, 저 포도는 신 포도야"라며 포기하고 정년퇴직을 하는 사람이 있습니다. 반면에 실제로 따 먹은 사람이 있어요. 어렵사리 사장이 됐습니다. 그런데 사장이 되고 보니 평사원이었을 때가 훨씬 더 편하고 즐거웠던 거예요. 그렇다고 가족들이 "어, 우리 아버지 사장 됐어"라며 기뻐하는데 사장직을 그만둘 수 없잖아요. 사실은 너무나 고통스러운데, 남들이 "사장님, 사장님" 하고 부러워하니 자기 자신을 속이는 겁니다. 속탈이 나서 죽을 지경인데도 계속해서 신 포도를 따 먹다가 스트레스로 암에 걸리거나 과로사를 하고 마는 거죠. 그래서 참된 행복이 뭘까 여전히 의문이 남습니다. 그러니 이솝 우화 가지고는 진리를 설명할 수 없겠지요?

## 치유하고 위로하는 포도

성경에는 포도 이야기가 많이 나옵니다. 컴퓨터로 검색해보니 63개절에 무려 78번이나 나오더군요. "새 포도주는 새 부대에 넣어야 둘이 다 보전되느니라"(마태복음 9:17) 하는 얘기는 크리스천이 아닌 사람들도 많이 인용하는 구절입니다. 하지만 성경에서 가장 강력한 포도의 종교 코드는 예수님이 스스로를 포도나무로 비유하신 것일 겁니다. 그렇다면 우리는 무엇일까요? "나는 포도나무요 너희는 가지라"(요한복음 15:5)고 하셨으니 우리는 포도나무 가지인 것이지요. 가지에서 싹이 나고 꽃이 피면 열매가 열립니다. 이 열매가 잘 익으면 포도주가 됩니다. 포도주는 최후의 만찬에서 예수님의 피로 선포됩니다. 예수님은 최후의 만찬에서 포도주를 자신의 피라고 하며 제자들에게 먹이고 십자가에 매달려서 피를 흘리셨습니다. 이처럼 포도는 예수님과 철저하게 연관됩니다.

상징 코드만이 아니라 실제 포도주에는 치유의 효능이 있다고 합니다. 성경에도 나오지요. 착한 사마리아 사람이 강도를 만난 사람을 돕는 이야기에 포도주와 향유가 나오거든요. 상처를 씻고 발라 치유해줍니다.

예수께서 대답하여 이르시되 어떤 사람이 예루살렘에서 여리고로 내려가다가 강도를 만나매 강도들이 그 옷을 벗기고 때려 거의 죽은 것을 버리고 갔더라 마침 한 제사장이 그 길로 내려가다가 그를 보고 피하여 지나가고 또 이와 같이 한 레위인도 그곳에 이르러 그를 보고 피하여 지나가되 어떤 사마리아 사람은 여행하는 중 거기 이르러 그를 보고 불쌍히 여겨 가까이 가서 기름과 포도주를 그 상처에 붓고 싸매고 자기 짐승에 태워 주막으로 데리고 가서 돌보아주니라 그 이튿날 그가 주막 주인에게 데나리온 둘을 내어주며 이르되 이 사람을 돌보아 주라 비용이 더 들면 내가 돌아올 때에 갚으리라 하였으니 네 생각에는 이 세 사람 중에 누가 강도 만난 자의 이웃이 되겠느냐 이르되 자비를 베푼 자니이다 예수께서 이르시되 가서 너도 이와 같이 하라 하시니라 (누가복음10:30-37)

이 비유를 쓴 누가는 의사였습니다. 포도주의 의학적 효능을 잘 알고 있었을 것입니다. 이렇듯 성경에 나오는 포도는 치료와 피와 구제를 상징합니다. 포도주를 왜 순결하다고 할까요? 이건 과학적으로도 입증된 것인데, 포도 껍질에는 이미 효모균이 있습니다. 그래서 포도 껍질이 터지는 것만으로도 효모의 작용이 시작됩니다. 포도 껍질에 있던 효모가 포도의 당분을 이산화탄소와 알코올로 만드는 것이 발효 작용인데, 이 과정에서 인간의 몸에 해로운 균들이 사라지고 이로운 것들이 생성됩니다. 꼭 선한 것이 악을 몰아내는 것과 같지요. 거기까지 가지 않더라도 포도주는 그 자체로 목마른 사람에게 즐거움을 줍니다. 성경에서 포도주로 상처를 치료하고 갈증을 해소한다는 것은 예수님이 보내셔서 인간을 구원한 것을 상징합니다.

진리와 구원에 대한 갈망. 성경에서는 진리와 구원을 찾아 헤매는 사람을 목이 타서 샘물을 찾아다니는 연약한 사슴에 비유합니다. 그런데 이것도 이스라엘 사람이나 사막지대에 사는 사람이 아니면 잘 이해하기 어렵죠. 우리는 목이 마르면 쉽게 물을 마실 수 있습니다. 그러니 목이 탄다는 말을 뼛속 깊이 이해하긴 어렵습니다. 도처에 냇물이 있으니까요. 혀가 돌덩이처럼 굳는 사막에서의 갈증이 어떤 것인지 상상하기도 어렵습니다. 갈증을 제대로 아는 사람은 사막에 사는 사람들입니다. 하나님을 갈구하고 "내 영혼을 구하소서!"라고 외치는 절박함을 갈증에 비유하면 우리의 갈증은 사막 사람들에 댈 게 못 됩니다. 믿음과 갈구의 정도는 비례하는 것이니 진짜 어느 쪽의 신앙심이 더 강렬할까요? 요즘처럼 아무 데나 자판기가 있어서 동전만 있으면 목을 축일 수 있는 세상에 불타는 듯한 목마름과 절실함을 느낄 수나 있을까요? 하지만 잠시 갈증을 달래주지만 나중에는 더 목마르게 하는 자판기 탄산음료 같은 가짜 진리는 어쩌면 우리를 더 종교적으로 이끌지 모릅니다.

포도를 먹으려는 불타는 갈증이 필요합니다. 아주 고통스럽겠지요. 하지만 하나님은 우리에게 고통만 주시지 않습니다. 포도주를 주신 것이 그 증거입니다. 고통과 함께 치유도 주신 거죠. 하지만 그런 포도주도 많이 마시면 취합니다. 취하면 머릿속이 흐리멍텅해집니다. 그래서 매번 새로워지는 것이 필요합니다. 그래서 예수님은 최후의 만찬에서 "이제 이 세상의 술은 그만 마시고, 부활해서 새 술을 마시겠다"고 말씀하십니다.

그러나 너희에게 이르노니 내가 포도나무에서 난 것을 이제부터 내 아버지의 나라에서 새것으로 너희와 함께 마시는 날까지 마시지 아니하

리라 하시니라 (마태복음 26:29)

그러니까 예수님의 보혈 자체가 하나님이 주신 새로운 포도주입니다. 불필요한 악을 제거하고 인간에게 필요한 것만 걸러주는, 갈증을 해소하고 병을 고쳐주는 치유와 위로입니다. 그런데, 그런 포도를 맺는 포도 가지들이 바로 우리들이라고 했습니다. 그러니까 포도가 자라고 있는 포도원은 선택받은 사람들, 하나님을 믿는 사람들의 세계입니다. 성경은 하나님의 나라, 크리스천이 있는 나라와 교회, 믿는 사람 모두를 포도원으로 표현했습니다. 게다가 아가서나 시편에서 사랑을 고백하는 장소에는 모두 포도나무가 나옵니다. 포도나무에서 싹이 나고, 꽃이 피는 얘기를 반복해서 합니다. 사랑을 고백하고 서로 사랑하는 사랑의 공간입니다.

## 이파리만 무성한 포도나무들

그런데 이 포도원의 포도나무들이 열매 맺을 생각은 안 하고 이파리만 무성합니다. 예수님이 이른 대로 많은 사람들이 포도원에 가서 일을 하는데도 열매를 맺지 못합니다. 예수님은 이 점을 한탄하셨습니다. 신앙의 열매를 못 맺는 것이죠. 오늘날 우리나라에는 대형 교회가 많습니다. 어마어마하게 많은 사람들이 모여드는데, 이 사람들이 얼마나 많은 열매를 맺고 있나요? 겉만 화려한 교회는 바로 예수님께서 말씀하신 잎만 무성하고 열매를 맺지 않는 포도원이 아닐까요? 그러면 어떻게 하면 좋을까요?

포도원 주인 이야기도 나옵니다. 포도원 주인이 포도원을 맡겨놓고 길을 떠납니다.

> 그가 또 이 비유로 백성에게 말씀하시기 시작하시니라 한 사람이 포도원을 만들어 농부들에게 세를 주고 타국에 가서 오래 있다가 때가 이르매 포도원 소출 얼마를 바치게 하려고 한 종을 농부들에게 보내니 농부들이 종을 몹시 때리고 거저 보내었거늘 다시 다른 종을 보내니 그도 몹시 때리고 능욕하고 거저 보내었거늘 다시 세 번째 종을 보내니 이 종도 상하게 하고 내쫓은지라 포도원 주인이 이르되 어찌할까 내 사랑하는 아들을 보내리니 그들이 혹 그는 존대하리라 하였더니 농부들이 그를 보고 서로 의논하여 이르되 이는 상속자니 죽이고 그 유산을 우리의 것으로 만들자 하고 포도원 밖에 내쫓아 죽였느니라 그런즉 포도원 주인이 이 사람들을 어떻게 하겠느냐 와서 그 농부들을 진멸하고 포도원을 다른 사람들에게 주리라 하시니 사람들이 듣고 이르되 그렇게 되지 말아지이다 하거늘 (누가복음 20:9-16)

농부들은 자기네들이 주인인 것처럼 행세합니다. 하나님이 보낸 선지자들, 관리자들이 오니까 박해하고 때리고 심지어 죽이기까지 합니다. 아들이 오니 농부들은 "이는 상속자니 죽이고 그 유산을 우리의 것으로 만들자" 하며 아들을 죽여버립니다.

포도원의 주인이신 하나님의 아들, 예수님을 가리키는 것입니다. 성경 말씀대로 사람들은 예수님을 죽입니다. 그러면 그다음에는 누가 나타납니까? 주인이 나타날 수밖에 없어요. 현재는 상속자가 죽고 주인은 아직 나타나지 않은 상태입니다. 그러나 포도원의 주인, 바로 하나님이 오면 가짜 주인들은 어떻게 될까요? 더 이상 포도원에 있을 수 없겠지요. 이것은 평신도들을 뜻하는 게 아니라 교회의 지도자, 제사장들을 두고 한 소리입니다. 그래서 예수님은 "창기나 세리들이 너희들보다 먼저 천국을 가리라"라고 말씀하셨습니다. 포도원을 열심히 가꾸며 주인인 것처럼 행세하지만 평신도보다 못할 수도 있다는 것입니다. 그러니 포도에 얼마나 많은 뜻이 담겨져 있는지 상상하기도 어렵습니다.

"내 포도는 아직 시어"

제가 세례를 받기 전, 저는 기독교인들이 아무나 붙잡고 자꾸 예수 믿으라는 게 제일 싫었습니다. "예수 믿으라, 예수 믿으라." 그래서 자꾸 도망만 다녔습니다. 원래 포도의 습성이 넝쿨이 막 뻗어나가는 것인데, 그걸 잘 몰랐으니 싫었던 거지요. 나무는 가만히 있는데, 가지들이 뻗어나가니까 가끔씩 잘리기도 하지요. 그래도 계절이 지나가면 잎이 나고 꽃이 피고 향기로운 포도송이들이 주렁주렁 달릴 겁니다. 그걸 알면서도 저는 아직도 포도원에 들어가지 못한 채

포도원 바깥에서 서성대며 이야기를 전하고 있습니다.

언젠가 진짜 포도원에 들어가더라도 내 포도송이들이 향기로운 술이 될 만큼 잘 익었는데도, 어쩌면 따지 못하고 "에그, 이 포도는 아직 시어" 할지도 모르겠습니다. 그러니 여러분들은 미리 포도의 의미를 알고, 직접 들어가서 포도를 배우라는 것입니다. 하늘나라를 비유한 포도원의 포도, 그러니까 하나님의 말씀을 들으라는 거죠. 그래야 이솝 우화처럼 "저 포도는 시다" 하고 체념하거나 자기기만 하지 않을 수 있습니다. 그렇게 하면 정말 향기롭고 단, 예수님의 피처럼 순결한, 나의 죄와 나의 갈증을 씻어주는 포도가 될 수 있습니다. 이솝 우화는 하워드가 분석하는 지적인 포도가 될 수는 있어도, 예수님께서 말씀하신 포도와는 차원이 다릅니다. 이솝 우화의 포도가 인간세계의 이야기라면 성경 속 포도는 이 지상을 초월한, 지성을 넘는 영성의 포도 이야기이기 때문입니다.

포도가 잘 익거든 "포도원에 평화와 사랑이 넘쳐 내 포도가 익을 때 너에게 사랑이 거하겠노라" 신앙을 고백하는 겁니다. 요즘 애인 있는 사람들이 별별 곳에 가서 사랑을 고백하는데, 이제는 포도밭에 가서 사랑을 한번 고백해보십시오. 자기 연인의 얼굴이 천사의 얼굴로 바뀔 수도, 영원히 변하지 않는 사랑이 될 수도 있습니다. 누구든지 진짜 사랑을 해본 사람이라면, 포도원에 가본 사람이라면 기독교와 천국이 무엇인지 짐작해볼 수 있을 것입니다.

## 맹물이 포도주로 변할 때

기억은
시간의 저장소가 아닙니다.

휘파람 소리같이 지나가는 시간과 사건들을
욕망의 참나무통 안에 가두어 발효시키는 것

철 지난 포도알들이 노을처럼 불타다가 터지면
그때 당신은 내 일상의 기억들을 발효시키는
지하실의 어둠이 되어 찾아오십니다.

당신은 거기에서
오래 침묵하는 법과
아픔을 참는 법과
눈물 없이 망각하는 법을
일러주십니다.

이제는 늙어 마지막 내 한 방울의 젊음이
가을 벌판에 쏟아지는 찬비가 되는 날
비로소 나는 당신의 목소리를 듣습니다.

따르라 빈 잔에
눈물처럼 고이게 하지 말고
희열의 샘물처럼
사랑의 잔을 넘치게 하라.

맹물의 기억은 오로지
당신의 지하 창고의 어둠 속에서만
진한 향기의 포도주가 됩니다.

# 12

## 나중 온 일꾼

앞 장에서는 포도원 주인 이야기를 했습니다. 그런데 실생활에서도 우리는 가끔 주인 행세하는 사람들을 만납니다. 주인이 아닌데 자기가 주인인 것으로 착각하고 있는 사람들 말입니다. 그런 사람일수록 주인보다도 더 주인 행세를 하려고 하지요. 사실 우리는 포도밭에 가도 거기 주인이 누군지 잘 모릅니다. 남들에게 물어나 봐야 알 수 있겠죠. 그런데 포도를 사 먹는 데는 포도밭 주인을 모른다거나 가짜 주인이라고 해도 아무 지장이 없겠지요. 그러나 우리가 포도를 취하고 말면 그만인 포도원이 아니라, 우리가 살고 있는 믿음의 집이나 사랑의 집, 삶의 집의 주인을 헷갈리게 되면 큰 고역을 치르게 됩니다.

예수님이 처음 예루살렘에 나귀를 타고 입성했을 때 예루살렘의 종교 지도자들은 시골에서 온 예수님을 보고 업신여깁니다. 지금 우리나라로 치면 예루살렘은 서울이라고 할 수 있습니다. 그런데 첩첩 산중 작은 산골 마을에서 사람이 왔으니 우습게 여긴 거죠. 가나안 땅의 한 결혼식에서 물을 포도주로 만드는 기적을 행했다는데도 코웃음을 칩니다. 외려 "당신이 무슨 권능이 있어 하나님 아들 행세를 하고 다니느냐?"며 비난하지요. 이때 예수님은 그들을 향해 다음과 같은 포도 이야기로 답하십니다. '두 아들 중에 누굴 택하겠느냐'는 돌아온 탕자와 비슷한 이야기입니다.

### 누가 아버지의 뜻대로 하였느냐

그러나 너희 생각에는 어떠하냐 어떤 사람에게 두 아들이 있는데 맏아들에게 가서 이르되 얘 오늘 포도원에 가서 일하라 하니 대답하여 이르되 아버지 가겠나이다 하더니 가지 아니하고 둘째 아들에게 가서 또 그와 같이 말하니 대답하여 이르되 싫소이다 하였다가 그 후에 뉘우치고 갔으니 그 둘 중의 누가 아버지의 뜻대로 하였느냐 이르되 둘째 아들이니이다 예수께서 그들에게 이르시되 내가 진실로 너희에게 이르노니 세리들과 창녀들이 너희보다 먼저 하나님의 나라에 들어가리라 (마태복음 21:28-31)

아버지가 두 아들에게 "포도밭에 가서 일하라"고 말합니다. 형은 "예, 아버지. 열심히 일하겠습니다"라고 말하고는 가지 않았습니다.

동생은 "싫소이다" 하며 버텼습니다. 하지만 아버지의 말을 거역한 게 마음에 걸리는 거예요. 그래서 곧 뉘우치고 포도밭으로 일하러 갑니다. 이 이야기는 예루살렘에서 내로라하는 소위 기득권 신자들을 빗대어 풍자한 것입니다. 제사장이다 뭐다 하는 사람들이 겉으로는 "예, 포도밭에 가서 열심히 일하겠습니다" 하면서 실제로는 안 갑니다. 겉보기에는 아주 순종적이지만 뒤에서는 아버지 말씀을 따르지 않는 자들이지요.

그런데 동생은 다릅니다. 아버지한테 대들고, 안 한다고 반항하지만 결국 회개하고, 실제로 포도밭에 갑니다. 포도밭에 가서 땀 흘려 포도를 거두는 사람들은 "예, 알겠습니다!" 하고 복종하는 체하는 사람들이 아니라 세리, 창기, 가난하고 소외된 사람들이었습니다. 겉으로는 죄지은 사람, 문제가 많은 사람, 부도덕한 사람처럼 보이지만 이 사람들이 나중에 주님을 맞아 주님의 말씀을 따르고 복종하는 사람들입니다.

버려진 돌 이야기를 기억하시지요? 내버려진 모퉁이 돌이 신전을 만드는 주춧돌이 됩니다. 포도밭이 만들어지는 것입니다. 성경에선 "둘 중 누가 아버지의 뜻대로 하였느냐"는 예수님의 질문에 사람들은 대답합니다. "그거야 둘째 아들이죠. 어디 맏아들을 택하겠어요?" 그러나 그들은 대답을 하면서도 맏아들이 바로 자기네들을 가리키는 말인 줄은 모릅니다. 자기네들이 면전에서만 "내가 하나님 뜻을 받들어서 열심히 믿겠나이다" 해놓고 실제로는 안 믿은 사람들이면서요. 이런 사람이 일도 하지 않고 포도밭 주인 행세하는 사람들입니다.

포도밭 비유를 보면 주인이 관리인을 보내도 통제가 안 됩니다. 주인이 맡기고 간 포도밭인데도 도리어 관리인들을 내쫓지요. 두 번 세 번 가도 매로 때리고 마지막으로 상속자인 아들을 보내도 결국 "이는 상속자니 죽이고 그의 유업을 차지하자"며 죽여버립니다.

이것은 바로 하나님이 독생자 예수님을 이 땅에 보내셨는데, 겉으로만 믿는 종교 지도자들이 결국 예수님을 십자가에 못 박히게 한 것과 같은 얘기입니다. 예수님은 이 이야기를 통해 자신의 운명을 예언한 것입니다.

구약에도 포도와 관련된 상징적 이야기들이 많습니다. 예를 들면 예수님이 하늘과 땅을 이어주는 포도나무이고, 예수님이 흘린 피가 포도주라는 이야기는 구약에 먼저 등장합니다.

> 이스라엘은 열매 맺는 무성한 포도나무라 그 열매가 많을수록 제단을 많게 하며 그 땅이 번영할수록 주상을 아름답게 하도다 (호세아 10:1)

호세아 선지자는 이스라엘 전체를 포도원으로 봤습니다. 그 열매가 많을수록, 즉 제자가 많을수록 주님을 아름답게 한다는 뜻으로, 이 포도원 얘기는 예수님이 말씀하시기 전부터 하나님의 약속의 땅에서 열매를 맺으면 하나님과의 소통이 이루어질 수 있음을 알려주고 있습니다. 시편 80편에도 참 아름다운 이야기가 나옵니다.

주께서 한 포도나무를 애굽에서 가져다가 민족들을 쫓아내시고 그것을 심으셨나이다 주께서 그 앞서 가꾸셨으므로 그 뿌리가 깊이 박혀서 땅에 가득하며 그 그늘이 산들을 가리고 그 가지는 하나님의 백향목 같으며 그 가지가 바다까지 뻗고 넝쿨이 강까지 미쳤거늘 주께서 어찌하여 그 담을 허시사 길을 지나가는 모든 이들이 그것을 따게 하셨나이까 숲 속의 멧돼지들이 상해하며 들짐승들이 먹나이다 만군의 하나님이여 구하옵나니 돌아오소서 하늘에서 굽어보시고 이 포도나무를 돌보소서 주의 오른손으로 심으신 줄기요 주를 위하여 힘 있게 하신 가지니이다 (시편 80:8-15)

## 설명해서는 안 되는 것

구약 성경에서 먼저 나온 포도원 이야기가 신약에 오면 아주 구체적인 비유로 나옵니다. 포도원의 가짜 주인은 벌을 받고, 포도원은 문을 활짝 열어 가난하고 소외된 사람들에게도 똑같이 포도주를 나눠주겠다고 합니다. 포도의 비유로 기적을 보여주시더니 마지막에는 "이것은 많은 사람을 위하여 흘리는 나의 피 곧 언약의 피니라" (마가복음 14:24) 하며 주십니다. 이 비유들이 모두 아귀가 딱딱 들어맞습니다.

저는 기호학과 문학을 공부한 사람입니다. 그래서 소설을 보다가도 앞뒤가 안 맞으면 "이 소설은 기본이 안 됐다"고 판단합니다. 좀 알려진 이야기로 제가 20대에 쓴 「표본실의 청개구리」 비평이 있습니다. 염상섭은 자연주의를 표방하는 작가입니다. 그가 쓴 이 소설에서 청개구리를 해부하는 장면이 나옵니다. 청개구리는 해부가 어려울 정도로 작은데, 소설에서 배를 째니까 김이 모락모락 난다고 썼지요. 청개구리는 양서류의 냉혈동물인데 어떻게 김이 나느냐는 것입니다. 사실 소를 잡아도 김이 날까 말까 한데 말입니다. 그런데도 사람들은 아무런 의심 없이 그 대목을 읽어왔을 뿐만 아니라 리얼리즘의 대표적인 묘사로 칭송했습니다.

이효석의 단편소설 「메밀꽃 필 무렵」도 마찬가지지요. 마지막 부분에 동이의 왼손에 채찍이 들려 있었다는 대목이 나옵니다. 왼손잡이인 허생원은 역시 왼손잡이인 동이를 보고 자신의 아들이라고 확신하죠. 독자들은 이 대목을 보고 무릎을 치며 감동을 받습니다. 하지만 실제로는 왼손잡이는 유전되지 않는다고 합니다. 그걸 아는 순간, 감동은 사그라지지요.

아무리 치밀한 머리, 상상력이 뛰어난 작가라도 이렇게 인간이 만든 것은 허점이 많습니다. 그런데 성경에는 겉으로는 믿기 어렵지만 그 의미를 따지고 들면 빈틈없이 앞뒤가 들어맞는 이야기들이 가득합니다. 소설은 과학 이상이지 과학 이하가 아닙니다. 물론 아예 비과학적인 것도 있지요. 민담이나 우화 중에는 과학적 사실을 거스르는 내용도 많지요. 육지에 사는 토끼가 바다에 사는 거북이와 만나 경주한다는 것은 아무리 우화라고 해도 말이 되지 않습니다. 하지만 아무리 문학적으로 허용된다고 해도 개연성은 있어야 합니다.

젊은 시절의 나는 이런 것만 찾았습니다. 지성이 이런 것이라고 생각하고 유치하게 잘난 체하던 시절이었습니다. 특히 기호학은 이런 것들을 더 고급스럽게 해석한 학문이거든요. 그래서 남들이 나보다 요만큼 더 아는 것 같으면, 나는 이만큼 더 안다고 소리를 질렀지요. 구약 성경은 특히 더 싫었습니다. 말이 안 되는 건 둘째치고, 이스라엘 사람들 얘기인데다가 자기 편은 살려주고, 상대편은 깡그리 죽여버리니까 너무나 편협한 종교라는 생각이 들었습니다. 하지만 성경을 꼼꼼히 읽으면서 구약의 의미를 제대로 알려면 신약과 함께 읽어야 한다는 것을 깨달았습니다.

40년도 더 된 이야기이니 내가 아직 기독교를 안 믿을 때입니다. 그때 성경을 두고 기독교 방송에서 지명관 선생하고 토론을 했습니다. 격렬하게 성경을 비판했어요. "아니, 노아의 방주에 모든 생물을 다 넣었다고 하는데 물고기도 방주 안에 넣었나요?" 목사님들은 말할 것도 없고 베드로한테 물어도 묵묵부답일 것입니다.

인간 세상의 논리로는 이해할 수 없는 성경을 논리적으로 이해하려다보면 욥처럼 됩니다. 그러니까 하나님이 와서 말씀하시죠. "야, 욥아, 내가 악어 만들 때 너 있었어?" 그러시잖아요. 그것은 우리는 알 수 없는 이야기라는 것입니다. 누군가 그랬습니다. "설명할 수 있는 것을 설명하는 게 과학이다." 과학이라는 건 아무리 위대한 과학자라도 설명할 수 있는 것만을 설명하는 것입니다. 블랙홀이니 뭐니 하는 것은 다 있는 것을 설명하는 것입니다. 그런데 종교는 설명해서는 안 되는 것을 자꾸 설명하려 드는 것입니다.

## 피가 통하는 생명의 이야기

그래서 기독교는 도그마에 얽매이면 안 됩니다. 피가 통하는 생명의 이야기로 읽어야지요. 그렇기 때문에 율법만 따르며 형식적으로 하나님을 믿는 사람들을 예수님은 꾸짖습니다. 그렇게 온화하고 관대한 예수님인데도 신전에서 장사를 하고 자신의 신앙심을 과시하는 사람들을 꾸짖고 "돈 바꾸는 사람들의 돈을 쏟으시며 상을 엎으"(요한복음 2:15)십니다 죄인 앞에서는 한없이 너그러우시지만, 선을 내세우고 종교지도자 행세를 하는 거짓 증인들에게는 가차 없는 심판을 내리십니다.

우리는 하나님을 믿는다고 하면서도 항상 인간의 나약함을 내세웁니다. 나도 욕망을 가진 어쩔 수 없는 인간이라고 주장하는 것이지요. 그런데 똑같은 육체를 가지고 여인의 몸에서 태어났음에도 예수님은 인간의 한계를 넘어서 부활하십니다. 사람으로 육을 지니고 있으면서도 영의 세계로 나아간 예수님 앞에서 더 이상 인간의 나약함만을 내세우고 자신의 잘못을 인간의 태생적인 나약함을 탓할 수 없게 된 것입니다.

나는 하나님을 믿지 않을 때에도 예수님만은 한 인간으로서 존경하고, 그의 비극적인 한 생을 보며 영웅서사시의 한 대목을 보듯 감동하곤 했습니다. 그런데 그 많은 포도 이야기를 읽는 동안 점차로 그 비유가 인간의 상상력의 결과인 문학적 표현이 아니라 인간을 초월한 존재로서만 말할 수 있는 수사로 이루어져 있음을 깨닫게 되었습니다.

또 하나의 포도주 이야기가 있습니다. 예수님이 길을 가시는데, 목이 마릅니다. 하나님의 아들이면서도 동시에 인간의 몸을 지닌 예수께서는 우리처럼 똑같이 목말라하십니다. 길가에 있는 무화과나무를 보고 기뻐하시지만 그 나무에 열매가 달려 있지 않은 것을 보고 분노하십니다.

> 예수께서 나무에게 말씀하여 이르시되 이제부터 영원토록 사람이 네게서 열매를 따 먹지 못하리라 하시니 제자들이 이를 듣더라 (마가복음 11:14)

성경에 이 구절의 배경이 된 때는 4월입니다. 4월은 원래 과일이 열리지 않는 초봄이지요. 무화과는 보통 8, 9월에 열매를 맺으니 4월에 무화과 열매가 없는 건 당연합니다. 예수님이 그걸 모르셨을까요? 이것을 비유로 풀어봅시다. 목이 마른 사람은 예수님 혼자가 아니었습니다. 길을 지나는 수많은 사람들이 진리와 영원에 대해 갈증을 느낍니다. 이 갈증을 해소해줄 사람이 누구입니까? 바로 종교지도자들입니다. 그런데 이 지도자들이 열매를 맺지 않은 무화과나무처럼 지도력을 발휘하지 못하고, 소외된 사람들을 외면하고 도와주지 않습니다. 예수님은 이런 사람들이 지도자 행세를 하는 것에 대한 분노를 표현하신 것입니다.

그 분노의 대상이 보통 사람들이 아니라는 것입니다. "내가 하나님께 봉사하고, 하나님의 뜻을 받드는 사람이다" 하고 나서는 사람들이 실제로 아무것도 하지 않으면서 말로만 떠들 때, 하나님은 이 사람들을 가차 없이 치시는 겁니다. 큰일 날 소리지만, 하나님께 사랑받으려면 지도자를 자처하지 않아야 합니다. 우리 같은 보통 사람이 잘못하면 너그럽게 용서하시지만 지도자가 잘못하면 더 크게 노하십니다.

때로 제가 "하나님, 심심하시면 저하고 바둑 두실래요?" 하고 말해도 하나님은 노하지 않으세요. 이런 걸 어리광 피운다고 그러죠? 그러면 "아, 그래, 그래, 이리 와" 그러시지요. 그런데 모범생이라는 애들이 점수를 더 내자고 커닝을 하거나 백지를 내보세요. 선생님이 얼마나 화를 내겠어요? 그런데 공부 지지리도 못하던 아이가 몇 개 맞춰봐요. "아휴, 너 이리 와라. 너 몇 개라도 맞췄구나" 하고 칭찬하지요. 백 점 받던 모범생이 99개 맞추고 하나 틀리면 선생님이 얼마나 실망하겠어요?

### 너희들은 모르고 그랬노라

무화과나무의 저주라는 것은 오늘날 거짓 선지자들, 하나님을 팔고 다니는 사람들, 그리고 많은 사람들을 신의 이름으로 핍박하는 사람들, 선지자를 욕되게 하는 사람들을 향한 것이라고 봅니다. 하나님이 징벌할 때 보통 집에 사는 사람들에 대해서는 "너희들은 모르고 그랬노라" 하고 용서하십니다.

그러나 교회가 나쁜 짓을 할 때는 하나님의 노여움이 특히 심해집니다. 우리 주변에도 너무나 많지요. 포도주가 아쉽고 무화과열매가 아쉬운데, 신 포도주를 줍니다. 예수님께서 십자가에 달리셨을 때 너무나도 갈증이 나서 포도주를 청했을 때 사람들은 무엇을 드렸습니까? 신 포도주였습니다.

하나님이 우리를 구원해주신다고 그러시는데 사실 우리를 구원하는 것이 곧 하나님을 구원하는 것입니다. 자신의 말 하나 못 알아듣는 인간들이 얼마나 답답하고, 그래서 외롭고 화가 나시겠어요? 하나님은 참고 또 참고 용서하셔도 어느 날, 분노가 폭발하는 날에는 무시무시한 심판이 행해집니다.

'심판의 날'이라는 것의 라틴어 '디에스 이라이dies irae'의 원뜻은 분노의 날입니다. 하나님이 분노하시는 날이에요. 그러니까 그때 포도주는 희생의 피가 아니라 분노의 뜨거운 피라는 것입니다. 천사들이 포도 열매가 익었으니 열매를 거두라고 말하는 것과는 전혀 다른 포도주입니다. 앞의 포도주는 치유하고 구제하는 것이라면 마지막에 화가 났을 때의 붉은 피는 심판의 붉은 불입니다. 그래서 마지막 심판의 날에는 엉키고 엉킨 악의 무리를 태워버립니다. 그런데도 예수님은 이런 하나님을 막아서며 "아니되옵니다. 한 번만 더 기회를 주시옵소서" 하시며 우리들을 감싸는 겁니다.

이태리 시스티나 성당에 있는 미켈란젤로Michelangelo(1475~1564)의 「최후의 심판」을 보면 그런 생각이 듭니다. 그 그림에서는 근육질의 예수님이 한 손으로 지옥을 가리키며 죄지은 자를 분노의 얼굴로 심판하시는 모습이 그려져 있습니다. 그러나 제 마음속의 「최후의 심판」은 그것과 달랐습니다. 그 그림 속에서 예수님은 우리들을 측은하고 불쌍히 여기는 얼굴로 "내가 그렇게 너희들을 위해서 목숨까지 바쳤는데, 옆구리의 창 자국이 아직도 아픈데, 그때 좀 회개하지" 하며 눈물을 흘리면서 지옥으로 가는 사람들을 아쉬워하는 모습이었습니다.

하나님은 삼위일체라 여러 속성이 있습니다. 가위바위보처럼 말입니다. 사실 가위바위보가 어디 있어요? 없습니다. 한 손 안에서 가위와 바위와 보가 한데 어우러져 있는 것이지 따로 존재하는 것이 아니라는 겁니다. 합쳐서 가위바위보라야 순환이 이루어집니다. 그것처럼 삼위일체라는 것도 따로따로 존재하는 독립체가 아닙니다. 펴고 오무리고 같은 손인데도 작용에 의해서 세 개의 다른 특성을 지닌 주먹과 보자기, 그리고 가위로 제각기 움직이는 거죠. 공평하신 하나님, 인자하신 하나님, 분노의 하나님이 모두 한 분이라는 것이지요. 우리는 이 모두를 보지 못하고 가위바위보의 주먹만 보면서, 혹은 가위만 보면서 하나님의 속성을 정의하곤 합니다.

여러 가지 포도주 이야기에서도 각 포도주가 무엇을 이야기하는지 참뜻은 모르고 예수님이 마지막에 마셨다는 성배만 찾으러 다니니 참 딱합니다. 성배 속에 들어 있는 포도주가 중요한 것이지 그 성배가 중요한 게 아닌데 말입니다.

오병이어의 기적을 베푸셨을 때에도 마찬가지입니다. 예수님은 자신의 말보다 기적의 빵을 보고 모여드는 군중 앞에서 외로움을 느끼셨을 것입니다. 예수님이 다섯 덩이의 빵과 두 마리의 물고기로 5천 명을 먹이는 기적을 보이실 때, 사람들은 그 빵과 물고기만 보고 모여들었습니다. 거기서 예수님이 하신 말씀이 무엇인지 귀 기울인 사람은 많지 않았지요. 오병이어의 그 음식은 먹어도 결국은 죽게 됩니다. 유일하게 먹으면 죽지 않는 빵이 곧 예수님의 말씀입니다. 그래서 예수님께서는 자신을 "생명의 빵이 여기 있는데 왜 다른 것을 찾느냐" 하며 한없는 아쉬움을 느끼셨을 겁니다. 그렇게 답답하실 때 꼭 예수님은 "진실로 진실로 너희에게 이르노니"라는 표현을 씁니다. "진실로 진실로 너희에게 이르노니 믿는 자는 영생을 가졌나니 내가 곧 생명의 떡(빵)이로다"(요한복음 6:47-48).

## 나중 온 일꾼의 품삯

또 포도에 대한 재미난 비유가 있지요. 마태복음(20:1-16)에서 천국을 포도원으로 비유한 성경 구절입니다. 포도원 주인이 포도를 수확하기 위해 아침부터 일꾼들을 구합니다. 포도원 주인이 저잣거리에 나가 사람을 구하면서 1데나리온 줄 테니까 와서 일하라고 말합니다. 예수님 시절에도 요즘처럼 실직자가 많은 때였을 거예요. 그러니 얼마나 좋겠습니까. 일자리가 모처럼 생겼으니 사람들이 너나 없이 일하러 갑니다. 그런데 다시 포도원 주인이 나와보니 늙은 사람도 다 가는데 하루 종일 빈둥빈둥 놀고 있는 자들이 있단 말입니다. "너희는 어찌하여 종일토록 놀고 여기 서 있느냐" 하니까 그중 한 젊은이가 "우리를 품꾼으로 쓰는 이가 없음이니이다" 그랬단 말이지요.

그러자 주인이 "너희도 포도원에 들어가라" 하며 일거리를 줍니다. 해가 뉘엿뉘엿 지고 이미 일이 끝날 때가 가까이 왔습니다. 그런데 품삯을 나누는데 보니 아침부터 많은 일을 한 사람이나 다 저녁 때 와서 일한 것이 별로 없는 사람이나 삯이 똑같은 겁니다. 그러니 아침에 온 사람이 화가 나겠죠. "나중 온 이 사람들은 한 시간만 일하였거늘 그들을 종일 수고하며 더위를 견딘 우리와 같게 하였나이다" 하며 당연히 항의할 거 아니에요? 그때 포도원 주인 말이 참 재미있습니다.

"친구여 내가 네게 잘못한 것이 없노라 네가 나와 한 데나리온의 약속을 하지 아니하였느냐 네 것이나 가지고 가라." 그러니까 하나님이 자기 뜻을 몰라줄 때 응답하시는 말씀은 꼭 어린애 같으십니다. 욥하고 얘기할 때도 그랬던 것처럼 "내 돈 가지고 내가 그러는데 왜 그래? 네 돈이냐? 네 일이나 잘해" 하는 거잖아요. 그 속에 순수한 진리가 있기 때문에 다른 가식이 없는 것입니다. 무슨 의미일까요? 하나님은 건성으로 일하는 사람인지, 기뻐서 기꺼이 열심을 다해 일하는 것인지 보는 것입니다.

> 이와 같이 나중 된 자로서 먼저 되고 먼저 된 자로서 나중 되리라 (마태복음 20:16)

저는 이 말씀을 읽고 희망을 가지게 되었습니다. 남들 다 젊었을 때 세례 받고 아침부터 열심히 일하고 있는데, 저는 이게 뭐예요. 이제 와서 알지도 못하는 성경 얘기나 하고, 그럴 때마다 가슴이 뜨끔뜨끔한데 하나님은 품삯을 똑같이 주시잖아요. 늦게 온 자가 먼저 온 자보다 낫다고까지 하시니, 제가 할렐루야 하지 않겠어요? 그래서 웃기도 합니다. 철없이 그냥 먼저 온 자들에게 큰소리쳐보는 거예요.

"하나님 앞에 먼저 온 자, 늦게 온 자가 어디 있어? 마음이 중요한 거야. 내가 지금 온 건 그동안 나를 품꾼으로 써주지 않으셔서 그런 거야. 주인이 나를 못 보셨으니까 그렇지. 지금 인정해주셔서 '너 일해라' 하신 거잖아. 일 자체가 중요한 게 아니야. 그 마음이 중요한 거야. 일을 하고 포도원에 들어가서 가꾼 자는 한 포기를 가꾸든 열 포기를 가꾸든 하나님은 숫자로 따지지 않아. 노동의 대가를 자본주의 방식으로 따지시는 분이 아니야."

하나님은 "늦게 왔지만 기특하구나. 네가 비록 늦게 와서 한 시간밖에 일하지 않았지만 열 시간 일한 사람들처럼 감사하는 마음으로 일했으니, 너에게 1데나리온을 주겠다" 하시는 분이지요. 늦게 온 사람이 먼저 온 사람보다 후대받았을 때, 하나님이 어떤 분이신지 깨달을 수 있습니다. 그것이 하나님의 계산법입니다. 처음부터 가서 열심히 일한 사람보다 늦게 와도 회개하는 사람을 후대하십니다. 먼저 온 사람은 당연히 불평하겠죠. 돌아온 탕자에게 잔치를 베풀어주는 아버지께 형이 불평하는 것과 같습니다. 돌아온 탕자는 알게 됩니다. 아버지가 얼마나 한결같이 내 편이셨는지를요. 하나님에게 필요한 것은 생산성이 아니라 진심성이었던 거죠.

## 포도원의 진짜 주인

제가 늦게 온 건 맞는 것 같습니다. 그리고 아직 일을 제대로 안 하고 있어서 1데나리온도 못 받을 것 같기도 합니다. 그래서 열심히 이 포도밭 이야기를 하고 있는 것이지요. 요컨대 주인을 분명히 알자는 겁니다. 교회 열심히 나가고, 헌금 많이 하고, 부흥회 쫓아다니는 것보다 늦게라도 하나님을 올바로 아는 것이 중요하다는 것입니다. 교회를 자기 것으로 생각하는 사람도 있을 것입니다. 자기 노력으로 자기 자금으로 세웠다고 말입니다. 그걸 이단, 사교 집단이라고 하지요! 사교 집단이 얼마나 많습니까? 그런 곳은 진짜 생명을 빼앗기도 합니다. 실제로 사교 집단 신도들이 생명을 바친다고 집단으로 자살하는 일도 벌어지곤 하잖아요.

이따금 기독교가 욕을 먹는 이유가 무엇입니까? 바로 이 포도원의 가짜 주인들 때문입니다. 포도원의 진짜 주인이 누구인지 아는 사람은 핍박받지 않습니다. 그래서 우리는 "나는 예수님을 믿습니다. 나는 크리스천입니다"라고 말하는 사람들을 더 주의 깊게 살펴봐야 합니다. 1데나리온의 품삯을 받기 위해 건성건성 시간만 채우는 사람인지, 포도원 주인이 고마워 돈을 안 줘도 열심히 하겠다는 사람인지를 살펴야 합니다. 1데나리온이라는 돈 때문에 일하는 사람은 아무리 많은 일을 해도 뒤에 온 사람만 못하지 않겠습니까?

그냥 일하는 것만으로도 감사하는 사람이 진짜 크리스천입니다. 먼저 온 사람도 "지금 1데나리온 때문에 온 게 아니다 나를 써주셨기 때문이다. 그게 1데나리온보다 더 고맙다. 나는 포도원에 있다. 포도원을 정성껏 가꾸겠다"며 사명을 느낀다면 참으로 겸허한 참신자라 할 수 있습니다.

"내가 하나님을 더 일찍 믿어왔는데, 왜 뒤늦게 온 사람들에게 특별 기도를 해주는가" 불평하는 사람이 있겠지요. 그런데 특별 대우가 아닙니다. 탕자고, 이제까지 건들건들 놀다가 해가 다 질 때 "어, 날 써주지도 않는데 어떻게 가요?" 그랬더니 포도밭으로 오라고 해서 포도원에 들어온 거예요.

와서 보니 내가 미처 깨닫지 못한 일들이 참 많더라는 겁니다. 주렁주렁 매달린 포도가 있는데 나는 여태껏 이솝 우화의 포도, 이육사의 청포도, 조선백자의 포도 문양만 알고 있었더군요. 사람들의 이야기가 아닌 영적인 포도원의 이야기를 이제야 알았습니다. 우리는 이 포도원의 진짜 주인이 누구인지 알고, 또 주인의 마음을 알

때, 진짜 황량한 땅의 그 포도밭의 의미를 알게 됩니다. 떡이 아닌 빵을, 복숭아, 살구 아닌 이역의 땅에 나는 그 포도와 포도주의 의미를 말입니다.

## 포도밭에서 일할 때

포도는 잡초도 자라지 않는 척박한 땅에서
자란다고 하더라
그 목마름이 얼마나 타올랐기에
물을 찾는 뿌리가 수십 척 땅속
암반수巖盤水에 이른다고 하더라
포도나무 가지에 움이 트고
작은 꽃들이 피어날 때
님이 와서 말한다고 하더라
너를 사랑한다고

그 갈증의 뿌리가 나뭇가지마다
포도송이를 영글게 할 때
포도원지기는 이마의 땀을 씻고 말한다 하더라
이 포도밭은 당신의 것
당신이 이 포도밭 주인이라고

그분이 목말라할 때 신 포도주가 되지 않도록
사람들은 새벽에 일어나 포도를 딴다 하더라
알알이 소망의 빛이 배인 포도송이를 따다 술을 빚고
말한다고 하더라

여기 지상에서 가장 향기로운 술이 있나이다
말한다고 하더라
내가 마시기 위해서가 아니요
오직 한 분의 입술을 적시기 위해서라고
말한다고 하더라

포도로 빚은 술은 사람의 피보다
더 붉다 하더라
여름 태양빛이 노을로 불탈 때보다
더욱 붉다 하더라

내가 포도밭에서 일할 때
그런다고 하더라

# 13

## 제비가 준 믿음의 박 씨

옛날 사람들은 제비 하면 아마도 『흥부전』의 제비를 생각했겠지요. 일제 식민지 시절이었다면 날쌔게 달려가는 기차를 떠올렸을 겁니다. 만주까지 가는 급행열차 이름이 제비(쓰바메ツバメ) 였으니까요. 시속 67킬로미터 정도의 기차니까 지금의 KTX에 비하면 아무것도 아니지만 당시에는 제일 빠른 특급열차였죠. 그리고 수년 전 영화화된 한국 최초의 여류 비행사 이야기에서도 제비가 나옵니다. 일제 강점기에 살았던 박경원이라는 인물의 일대기입니다.

어린 시절 하늘을 나는 비행기를 보고 '나도 저렇게 날고 싶다'는 생각을 품었던 박경원은 갖은 역경을 헤치고 마침내 비행사 자격증을 땁니다. 그러나 비행기를 타고 고향으로 날아오다 추락해 사망하고 맙니다. 그 영화의 제목이 「청연靑燕」, 파란 제비였습니다. 그러니까 제비는 비행기처럼, 고속 열차처럼 빠르고 날쌔게 움직이는 것을 연상시키나 봅니다.

요즘 젊은이라면 어떨까요? 아마 '제비족'을 연상하지 않을까요? 시대가 변한 탓인지 제비가 부정적인 이미지로 전락하고 말았네요. 더구나 제비족이라는 말은 한국 사람이 만든 게 아닙니다. 1910년대 일본에 하라스카 라이초(1910년대 일본 여성해방운동의 대표적인 인물)라는 열렬한 여성운동가가 있었습니다. 이 여성운동가는 다섯 살 연하의 오쿠무라라는 화가와 사랑에 빠져 동거를 합니다. 오쿠무라는 하라스카에게 방해가 되지 않겠다는 생각으로 몸을 피해 숨어 지냅니다. 그리고 하라스카에게 시를 써서 보냅니다. "물새들이 노는데, 잘못 끼어든 제비 같도다." 그때부터 정식 결혼을 하지 않고 연상 여인의 그늘에서 사는 남자들을 '와카쓰바메'라고 불렀다고 합니다. '젊은 제비'라는 뜻이죠. 이 말이 우리나라에 전해지면서부터 '제비족'이라는 말이 널리 쓰이게 된 것이지요.

## 생명의 계절을 알리는 전령

하지만 제비의 가장 대표적인 이미지는 봄을 가져오는 전령일 겁니다. 추운 겨울 끝에 봄이 얼마나 반갑겠어요? 그래서 제비는 흔히 좋은 소식을 의미해서 우리나라 우체국에도 상징으로 제비를 씁니다. 보세요. 제비가 오면 눈이 녹고 얼었던 강물이 풀리고 꽃이 핍니다. 긴 겨울이 끝나고 생명의 계절이 새로 시작됩니다. 꼭 부활의 상징 같지 않습니까? 제비가 부활, 새로운 삶, 영생의 기쁨을 전하고, 봄을 알리듯 우리도 영생할 수 있다고 알려주는 것 같습니다. "너희들도 죄에서, 그 추운 겨울에서 벗어날 수 있다"고 말씀하시는 예수님처럼 말예요. 참으로 좋은 소식 아닙니까? 그래서 아예 제비를 다시 오신 예수님의 이미지로 비유하기도 하죠. 빨간 제비 목덜미가 예수님께서 당하신 고난의 표시라고 하면서요.

또한 제비는 위로의 새이기도 합니다. 흥부전에서도 제비는 복을 가져다줌으로써 힘없고 가난한 민중을 위로하는 새로 등장합니다. 또 예수님이 십자가에서 돌아가셨을 때 제비가 콘솔콘솔console(슬픔이나 고통 따위를 위로하다, 힘내게 하다) 하고 울었다는 이야기에서도 알 수 있듯 성경에서도 제비는 위로의 새로 등장합니다.

> 나는 제비같이, 학같이 지저귀며 비둘기같이 슬피 울며 내 눈이 쇠하도록 앙망하나이다 여호와여 내가 압제를 받사오니 나의 중보가 되옵소서 (이사야 38:14)

유다왕 히스기야가 병들었다가 하나님의 도움으로 살아난 이야기를 적은 대목입니다. 병들어 곧 죽을 것 같은 히스기야가 "제비같이 학같이 지저귀며 비둘기같이 슬피" 운다고 썼습니다. 비둘기는 우는데, 제비와 학은 지저귄다고 했어요. 아픈 사람이 스스로에게 뭐라고 지저귈까요? 한편으로는 "아이고, 내 신세야" 하고 슬퍼하겠지만 또 한편으로는 '괜찮아, 괜찮아. 다 잘 될거야' 이렇게 스스로를 위로할 것입니다. 예수님이 십자가의 고통을 당할 때, 콘솔콘솔한 것도 어쩌면 곧 예수님이 부활할 것이니 '걱정하지 마, 잘될 거야' 라고 이야기하는 거 아닐까요? 이렇게 보면 제비는 위안이면서도 동시에 부활을 예언하는 조짐인 셈입니다. 하지만 더 핵심적인 역할을 보여주는 대목이 있습니다.

> 나의 왕, 나의 하나님, 만군의 여호와여 주의 제단에서 참새도 제 집을 얻고 제비도 새끼 둘 보금자리를 얻었나이다 (시편 84:3)

제비가 어디에 둥지를 트나요? 새들은 보통 인간의 눈을 피해서 집을 짓습니다. 까치만 해도 사람이 못 오를 나무 꼭대기에 집을 짓습니다. 참새는 교활하게도 처마 밑 깊숙한 초가지붕 속에 집을 짓고 알을 낳습니다. 사람이 곳간에 모아둔 곡식을 먹어야 하니 먼 데다 집을 지을 수는 없고, 그렇다고 눈에 띄는 곳에 지을 수도 없으니 사람이 찾기 어려운 곳에 짓는 겁니다.

저도 어렸을 적에 초가지붕 밑에 손을 넣어 참새 알을 주웠던 기억이 있습니다. 정직하게 말하면 훔친 거죠. 그런데 제비는 우리가 빤히 보는 눈앞 처마 밑에다 집을 지어요. 얼마나 영악합니까? 아무리 개구쟁이라도 제비를 해치는 법은 없잖아요. 모든 새들과 짐승들은 인간을 경계하여 도망을 치는데 유독 제비만이 사람들 처마 밑에, 그것도 손이 닿을 수 있고 가장 왕래가 빈번한 곳에 둥지를 틉니다.

그것을 무엇이라고 부르면 좋을까요? 바로 믿음이지요. 사람을 믿으니까 거기다가 둥지를 트는 겁니다. '나 잡아가라. 잡아도 좋다. 하지만 그러지 않을 걸 믿고 있어요.' 그런 태도입니다. 참새구이는 있어도 제비 먹는다는 얘기 들어보신 적 있습니까? 고급 식당에 가면 제비집이라는 요리가 있긴 하더군요. 이 제비집은 '해연海燕'이라고 우리가 일반적으로 알고 있는 제비집이 아니라 바다제비의 집을 말합니다. 해안가 절벽에 해초, 생선 뼈 등을 타액으로 뭉쳐 지은 바다제비의 집은 고단백 영양 식품이고 맛도 굉장히 좋다고 합니다. 하지만 제비집이라는 것만으로 웬지 꺼림칙합니다.

이처럼 사람들은 제비를 해치기는커녕 오히려 보호해줍니다. '난 당신 믿습니다' 하고 처마에다 집을 딱 지어놓으니까 애들이 얼씬만 해도 어른들이 야단을 치며 흥부 놀부도 못 봤느냐, 제비 다치게 하면 벌받는다고 나무랍니다.

## 영성이 쏟아지는 박 씨

심지어 가끔 뱀이 알을 먹으러 오면 뱀을 내쫓고 알을 보호해줍니다. 제비의 천적이 무엇인지 압니까? 까치입니다. 까치들이 와서 알을 쪼아 깨 먹습니다. 하지만 까치나 다른 동물들은 사람이 있는 곳에 접근하지 못하죠. 즉 우리가 하나님을 믿고 의지하면 사탄이 감히 건드리지 못하듯이 제비가 사람을 믿고 사람 곁에 집을 지으면 뱀이나 까치들이 감히 접근하지 못하는 것과 같아요.

그런데 단순히 믿음만으로 사람 사는 집에 집 짓는다고 사람들이 놔뒀을 것 같지는 않습니다. 열에 하나라도 '뭐, 옳다, 잘됐다. 너 자진해서 왔으니까, 원망 마라' 그럴 수 있잖겠습니까? 참 신비롭고 놀라운 것은 사람들이 제비를 보호해주는 데에는 다 이유가 있었다는 겁니다.

우리나라처럼 농경문화권에서 제비는 이로움을 주는 새입니다. 제비가 날아다니면서 해충들을 잡아먹기 때문이지요. 그래서 초등학교 과학 시간에 흐린 날 제비가 낮게 나는 것은 벌레들이 낮게 날아 그걸 잡아먹기 위해서다, 이런 것도 배웠잖아요. 가만히 있는 벌레를 잡는 것이 아니라 날아다니는 곤충을 잡으니 곤충보다 빨리 납니다. 보통 1초에 12미터 정도라니까 어마어마한 속도입니다. 그래서 제비는 느닷없이 나타나는 새로 여겨지기도 합니다.

제비는 약하고 몸집이 작으며 적으로부터 몸을 보호할 발톱이나 뾰족한 부리가 없습니다. 제비는 철새라 먼 곳까지 날아갈 수 있는 힘과 스피드 말고는 가진 것이 없죠. 알을 막 깨고 나온 새끼 제비들을 보면 그 작고 여린 것이 날갯짓을 배워 그 먼 바다를 넘어갈 힘을 가지고 있다는 것이 놀랍습니다.

이제 따뜻한 봄이 왔다는 좋은 소식을 갖고 오는 것만도 반가울 텐데, 해충을 잡아 벼농사를 도와주고 사람과 함께 어울려 사니 얼마나 고마운 일입니까? 제비에 대한 믿음과 사랑 덕에 제비는 『흥부전』 같은 재미있는 이야기로, 또 '청연' 처럼 푸른 꿈의 매개로 우리 곁에 친근하게 머무는 거 아닐까요?

기독교에서 위로와 믿음을 상징하는 제비는 또한 '때'를 알고 지키는 것의 상징으로도 등장합니다.

> 공중의 학은 그 정한 시기를 알고, 산비둘기와 제비와 두루미는 그들이 올 때를 지키거늘 내 백성은 여호와의 규례를 알지 못하도다 (예레미야 8:7)

하나님께서 새들도 올 때를 다 알아 지키는데 어찌 내 백성은 올 때를 모르느냐고 합니다. 하나님이 보시기에 답답하신 겁니다. 왜 답답하셨을까요? 교회에 가서 성경 읽고, '주여' 부르는 것이 다를 뿐 마음은 보통 사람들과 똑같은 것이 답답한 겁니다. 제비 이야기로 풀어볼까요? 『흥부전』에서 사람들이 제일 좋아하는 대목은 제비가 물어다준 박 씨에서 자란 박에서 쌀과 보물이 쏟아져 나오는 장면일 겁니다. 그동안 형에게 구박받으며 고생하던 흥부가 드디어 살림이 피었거든요. '야, 대박이다. 흥부는 이제 팔자 고쳤네' 합니다. 흥부의 착한 마음씨보다 박 속에서 나온 보물에만 시선을 둡니다. 이런 사람들은 흥부가 그 박 씨를 어떻게 얻었는지는 잊어버리고 요행만 바랍니다. '내게도 하늘에서 행운이 뚝 떨어지지 않을까, 로또 복권이라도 당첨되지 않을까' 하고 말입니다.

이게 보통 사람의 마음이지요. 하지만 우리 크리스천이라면 좀 달라야 합니다. 성경의 제비가 우리에게 물어다주는 박 씨는 금은보화를 가져다주고, 화수분처럼 쌀이 가득한 물질적 풍요를 주는 것이 아닙니다. '내가 이렇게 교회에 열심히 나가고 헌금도 많이 했고 기도도 경건히 했으니까 하나님께서 행운을 내려주시겠지, 복을 내려주시겠지' 해서는 안 된다는 겁니다. 성경의 제비는 물질이 아니라 헐벗고 굶주리고 갈증으로 목 타는 영성의 세계를 채워주는 박 씨를 물어다줍니다.

### 더 간절하게 원하는 자

제비의 영어식 표현과도 딱 들어맞습니다. 제비는 영어로 '스왈로우swallow'인데, 동사로는 '삼키다, 다 없애버리다'는 뜻이 있습니다. 그래서 제비는 목마른 새, 배고픈 새, 갈구하는 새를 상징하기도 하지요. 우리가 주목해야 하는 것은 바로 이 '배고프고 목마른, 끝없이 무언가를 갈구하는 상태'입니다. 이것이 바로 신앙의 첫걸음이죠. 배부른 사람, 영적인 빈곤을 모르는 사람은 제비가 될 수도, 제비를 물어다준 박 씨를 얻을 수도 없습니다.

새끼 제비들이 저마다 입 벌리고 먹을 것을 달라고 짹짹거리는 모습이 진정한 크리스천의 모습일 겁니다. 어미 제비는 더 크게 입을 벌리는 녀석에게 먹이를 줍니다. 그 새끼가 더 간절한 줄을 아니까요. 신기하게도 이것은 실제 제비의 생태에서도 마찬가지라고 합니다. 보통 제비들은 다섯 마리에서 일곱 마리까지 새끼들을 낳는데, 얼굴에 표시가 있는 것도 아니고 저마다 입을 벌리고 짹짹거리면 먼저 먹은 놈이 누구인지, 덜 먹은 놈은 누구인지 구분할 수 있겠습니까? 그런데, 새끼들의 입 크기를 보고 입이 크게 벌어진 녀석만 주면 틀림없다는 것입니다. 일단 먹이를 삼키면 크게 입을 벌릴 수가 없기 때문이죠. 배가 부르면 생리적으로 입이 크게 벌어지지 않을 뿐 아니라 입안에 든 것 때문에라도 입이 잘 벌어지지 않겠죠. 간절하게 원하는 자에게 더 큰 것을 주시는 하나님과 똑같습니다.

요즘은 환경오염과 농약 사용 때문에 제비를 찾아보기가 힘들어졌다고 합니다. 숱한 거짓으로 오염되어 진정한 크리스천을 찾아보기 힘들어진 세태와도 비슷한 것 같네요. 제비가 오더라도 새끼들을 제대로 먹일 수 없다고 합니다. 잡을 벌레가 별로 없으니 10분, 20분 돌아다니다가 겨우 한 마리 잡아 오면 이미 먹은 녀석들도 벌써 소화가 다 되어 입을 크게 벌리니까 먼저 먹은 새끼와 못 먹은 새끼를 구분할 수 없는 겁니다. 결국 헷갈려서 많이 먹은 녀석은 배가 터져서 죽고, 못 먹은 녀석은 배가 고파서 죽게 됩니다. 정보이론의 '노이즈noise' 처럼 어미와 새끼 사이에 정보 전달 체계가 깨진 셈입니다.

이것을 인간의 삶에 비유하자면, 거짓 구원, 엉뚱한 확신, 그릇된 판단이 난무해 하나님과 우리 영혼 사이의 커뮤니케이션 법칙을 깨뜨리는 것이라 할 수 있습니다. 인간이 갈구하는 입을 크게 벌리면 하나님께서 그 입을 채워주시는데 악한 사람과 선한 사람이 마구 뒤섞여 질서가 엉켜버리니 혼돈에 빠지는 것입니다. 혼란 속에 빠져 있는 이때에 제비를 다시 한 번 생각해봅니다. 『홍부전』의 제비는 물질적 부의 박 씨를 전해주었습니다. 그런데 성경의 제비는 믿음의 박 씨, 우리의 영혼을 기름지게 하고, 타는 목마름을 해소해줄 구원의 씨앗을 가져다줍니다. 아니, 어쩌면 제비가 가져오는 것은 새끼들의 눈을 뜨게 할 때 쓰는 특별한 풀 같은 것일지도 모르겠습니다. 어두웠던 눈을 환하게 밝혀주어 새로운 삶을 살아가게 할 전설 속의 그 풀 말입니다. 그러고 보면 제비는 새 봄과 부활을 알려주는 전령사가 틀림없는 것 같습니다.

큰城 서울은 내가 너를 위해 우느니
새벽오히려赤明에 너를위해 우노나

## 제비

제비가 빨리 나는 것은
먹이를 잡기 위해서이다.
하늘을 나는 어떤 벌레보다도 빨라야
생존할 수 있다.

제비가 한곳에 모이는 것은
겨울이 오기 전에 따뜻한 강남으로
날아가기 위해서이다.
무리에서 떨어지면
생존할 수 없다.

강남 갔던 제비가 다시 돌아오는 것은
가난한 흥부네 집 처마라 해도
사람의 마음을 믿기 때문이다.
믿음이 없으면 생존할 수 없다.

사람들은 제비의 속도를 배워
비행기를 만들고
제비의 항해술을 배워
나침반과 레이더를 만들었다.
그러나 우리가 정말 배워야 할 것은
제비의 믿음을 배워야 산다는 것.

제비처럼 우리는 하늘을 믿고
그곳에 둥지를 튼다.
오직 믿음이 있을 때만이 영원히 산다.

# 14

## 평화의 전령 비둘기

비둘기는 흔히 평화의 상징이라고 합니다. 우리 민족을 평화를 사랑하는 '백의민족白衣民族'이라고 하는 것처럼 흰 비둘기를 순결과 평화의 상징으로 생각하는 겁니다. 그런데 실제로 비둘기 색깔은 회색에 가깝습니다. 당장 길거리에만 나가도 알 수 있는데, 우리 머릿속에 있는 비둘기는 여전히 하얗습니다. 순결하다, 평화롭다는 이미지 때문입니다. 상징이 실체를 규정한 셈이지요.

이미지뿐이 아닙니다. 같은 비둘기라도 조류학자와 인문학자가 말하는 비둘기는 다르죠. 이렇듯 마음속에, 그리고 영혼 속에 있는 언어와 육체와 현실 속에 있는 언어는 다릅니다. 외국어처럼 말이지요. 하물며 하늘의 언어와 땅의 언어는 어떻겠습니까?

저는 이제까지 문학 속의 언어들을 분석해왔지만 이 책에서는 성경에 쓰여 있는 신성한 언어, 하늘의 언어를 배우고 있습니다. 성경에는 비둘기 이야기가 많이 등장합니다. 가장 유명한 것은 노아의 방주에서 나온 비둘기 이야기일 겁니다. 방주에서 사람들이 물이 빠지기만을 기다리고 있습니다. 이제 물이 빠졌겠지 싶어 전령으로 보낸 것이 비둘기였습니다. 날려 보낸 비둘기가 감람나무(올리브나무) 가지를 물어 오자 물이 빠진 것을 비로소 알 수 있었지요.

보통의 경우 사람들은 여기까지만 알고 있습니다. 그런데, 노아는 비둘기를 보내기 전에 먼저 까마귀를 보냈습니다. 애석하게도 까마귀는 자기 본분을 다하지 못하고 아예 돌아오지 않았습니다. 그래서 비둘기를 다시 날려 보내지요. 비둘기는 그 메시지를 이해하고 하나님의 사도로서 자기 본분을 다합니다. 그래서 감람나무(올리브나무) 가지를 문 비둘기는 미래에 대한 희망을 전하는 메시지가 되곤 합니다.

## 희망과 평화의 메시지

물이 점점 줄어들어 열째 달 곧 그달 초하룻날에 산들의 봉우리가 보였더라. 사십 일을 지나서 노아가 그 방주에 낸 창문을 열고 까마귀를 내놓으매 까마귀가 물이 땅에서 마르기까지 날아 왕래하였더라 그가 또 비둘기를 내놓아 지면에서 물이 줄어들었는지를 알고자 하매 온 지면에 물이 있으므로 비둘기가 발 붙일 곳을 찾지 못하고 방주로 돌아와 그에게로 오는지라 그가 손을 내밀어 방주 안 자기에게로 받아들이고 또 칠 일을 기다려 다시 비둘기를 방주에서 내놓으매 저녁때에 비둘기가 그에게로 돌아왔는데 그 입에 감람나무 새 잎사귀가 있는지라 이에 노아가 땅에 물이 줄어든 줄을 알았으며 또 칠 일을 기다려 비둘기를 내놓으매 다시는 그에게로 돌아오지 아니하였더라 육백일 년 첫째 달 곧 그달 초하룻날에 땅 위에서 물이 걷힌지라 노아가 방주 뚜껑을 젖히고 본즉 지면에서 물이 걷혔더니 (창세기 8:5-13)

저도 비둘기의 의미를 직접 체험한 적이 있었습니다. 서울올림픽 때였지요. 개막식에서 비둘기를 날려야 하는데 흰 비둘기를 구하기가 어려웠습니다. 열 마리 중에 한 마리 있을까 말까 합니다. 평화의 상징으로 쓰는 거니까 다른 색 비둘기는 쓸 수가 없었지요. 게다가 수백 마리의 흰색 비둘기가 일제히 날아올라 햇빛에 은빛 날개가 반짝반짝 빛나면 너무 아름다운데 거기에 조금이라도 재색이 섞이면 옥의 티가 되고 말아요. 그래서 고르고 골라 수백 마리를 구해야 했으니 돈은 또 얼마나 많이 들었겠어요? 색채의 상징성은 물질보다 그만큼 중요한 것이지요.

이렇게 고른 비둘기들을 훈련시키는 데 비둘기가 한 마리라도 없어질까 봐 걱정이었습니다. 몇 번씩 연습을 시켜야 했는데 날아다니는 동물이니 연습할 때마다 몇 마리씩 날아가버리는 거예요. 자꾸 없어지니까 너무 아까워서 연습을 그만두고 개회식 당일에 이 비둘기를 날렸습니다.

그런데 익숙하게 길들이지 못한 탓으로 제자리로 돌아오지 않고 아무 데나 앉아버리는 거예요. 제일 난감한 게 성화대 위에 앉은 것들이었습니다. 이제 곧 성화대에 불을 붙여야 하는데, 잘못하면 타 죽을 수도 있는 거죠.

가슴이 조마조마해서 '저놈의 비둘기, 저놈의 비둘기' 하며 애를 태우는데 어떻게 쫓아버릴 방도가 없었습니다. 눈치 없는 비둘기들은 돌아갈 생각은 안 하고 콩 주워 먹으려듯 듯이 성화대 주변을 날아다니는 겁니다. 다른 곳도 아닌 성스러운 성화에서 평화의 새가 타 죽다! 세계의 신문들 1면에 이런 제호의 기사가 눈에 어른거리는 거예요. 전 세계로 생중계되는 거잖아요. 그런데 비둘기는 평화의 새가 되어 위험한 불을 피하여 재빨리 날아가 우리에게 승리의 월계수 잎을 물어다주었던 거죠. 그러니 노아의 방주로 되돌아온 비둘기를 사람은 물론 모든 생명들이 얼마나 기뻐했을까요! 정말 할렐루야 소리가 나왔겠지요.

보라 내가 너희를 보냄이 양을 이리 가운데로 보냄과 같도다 그러므로 너희는 뱀같이 지혜롭고 비둘기같이 순결하라 (마태복음 10:16)

그런데 순결만 가지고는 살아가기 힘들지요. 그래서 예수께서는 뱀같이 지혜롭고 비둘기처럼 순결하라고 했습니다. 이 땅에는 순결한 사람만 사는 게 아닙니다. 그래서 복음을 전하러 가는 사도들은 박해를 받을 수 있어요. 그러니 비둘기처럼 순결만 해서는 다 죽습니다. 어느 때는 뱀처럼 교활하지 않으면 살아남기가 힘들단 말입니다. 예수님께서는 이상주의자로 하늘의 언어만 전하러 오신 분 같지만 '인간이 얼마나 많은 죄를 짓고 있으며 얼마나 험하게 살고 있는지' 누구보다 잘 알고 계셨기에 이렇게 말씀하신 것입니다. 사람은 순결함만으로는 살아갈 수 없고 어느 때는 교활함도 지혜라고 생각하신 겁니다.

딸이 있는 분들은 다 아실 겁니다. 딸을 둔 부모들이 딸을 객지로 보낼 때 뭐라고 합니까? "얘, 너 똑바로 잘 처신하며 살아라. 그런데 때로는 늑대 같은 사람이 있어. 그러니까 아무나 너무 믿지 말고 이런 사람은 머리를 잘 써서 지혜롭게 대처해라. 너무 순진하면 안 된다"라고 얘기하겠지요?

예수님은 여기서 뱀의 영악한 이미지와 비둘기의 순결한 이미지를 한꺼번에 이야기하신 것입니다. 그러니 성경에 기록된 비둘기와 현실의 비둘기가 어떻게 다른지를 잘 비교하며 하늘의 상징적 언어와 지상의 과학의 언어를 다 같이 배우자는 것입니다. 이걸 게을리하면 예수님과의 소통이 어려워지는 것이지요. 예수님은 영과 육신을 함께 지닌 분이었기 때문이지요.

## 실제와 상징 사이의 비둘기

성경에서도 예수님이 화내는 대목이 있습니다. 사실 예수님은 웬

만하면 화를 잘 안 내세요. 인자하시고, 용서하시고, 우리 죄를 사해 주시기 위해 스스로 창과 못에 찔려 피를 흘리신 분이니 오죽하시겠어요. 그런 분께서도 격렬하게 화낼 때가 계신데, 그것은 메시지를 주었는데도 못 알아듣고 제대로 수행하지 않을 때입니다. 특히 제사장이나 권력자들, 즉 선택받은 사람들이 일을 제대로 안 했을 경우는 화를 내시고 엄격하게 심판을 하십니다.

예수님은 예수님을 모르는 사람이나 평신도들한테는 화를 잘 안 내십니다. 창기나 세리처럼 우리가 손가락질하는 사람들을 야단치신 적이 없습니다. 돌아가실 때에도 "아버지 저희들을 사하여주옵소서 자기의 하는 것을 알지 못함이니이다"(누가복음 23:34)라고 기도하시잖아요.

하지만 장로, 권사 이상의 직급을 받은 사람이 자신의 역할을 못할 때에는 엄한 벌을 내리십니다. 사명을 맡겼는데 그것을 소홀히 하면 하나님은 가차 없이 치십니다.

보세요. 까마귀는 사명을 완수하지 못했지만 비둘기는 자기에게 맡겨진 임무를 잘 수행하고 왔기 때문에 평화와 희망의 상징이 되었던 것입니다.

지금 도심의 비둘기는 천덕꾸러기가 되었지만 비둘기는 또한 아름다움의 상징이기도 합니다. 성경의 시편이나 아가서를 보면 가장 아름답고 사랑스러운 사람의 눈동자를 비둘기의 눈에 비교합니다. 어여쁘고 아름다운 신부의 눈으로 말이죠.

사실 비둘기가 귀여운 데가 많습니다. 비둘기 발을 본 적 있나요?

비둘기 발은 빨개요. 얼어 있는 것 같죠. 눈밭에 비둘기가 걸어가면 마치 단풍잎이 떨어진 것 같아요. 그래서 행인들은 비둘기의 아름다운 동그란 눈과 늘 얼어 있는 빨간 발을 마음에 담습니다. 호호 불어주고 싶은 발이거든요. 아름다움의 상징답게 그 발은 위대한 예술가를 낳기도 했습니다. 피카소는 화가였던 아버지가 그리는 비둘기 그림에 발만 그렸다고 합니다. 수천 개의 비둘기 발을 그리는 연습이 밑받침이 되어 위대한 화가가 된 것이죠.

그러면 인간의 상징 속에서가 아닌 실제 생물로서의 비둘기는 어떨까요? 평화의 상징답게 비둘기는 온순합니다. 먹이를 가지고 동족끼리 싸우는 법이 없습니다. 대개 짐승들은 서열이 있어서 대장이 다 먹고 난 후 차례대로 먹지요. 중간에 순서를 가로채면 다 쫓아버립니다. 하지만 비둘기들은 큰 비둘기든 작은 비둘기든 순서 없이 함께 먹습니다. 그래서 평화의 새입니다.

하지만 싸움이 시작되면 달라집니다. 독수리 같은 맹수급 동물들은 끝까지 싸우면 상대방이든 자기든 어느 한쪽이 죽는다는 걸 압니다. 힘이 있으니까요. 그래서 늑대나 곰, 호랑이 같은 맹금류는 싸우다가 질 것 같으면 배를 보여주며 드러누워버리거나 휙 도망가버립니다. 그게 항복의 표시지요.

개들을 보면 주인 앞에서 벌렁 드러누워 배를 보여줍니다. 자기들이 서열상 주인 아래라는 것을 알려주는 것입니다. 속수무책으로, 물든지 말든지 알아서 하라고 급소를 보여주는 것입니다. 새들도 싸울 때는 질 것 같으면 머리를 상대방에게 디밀어요. 그러면 상대방도 더 이상 쪼지 않습니다. 항복을 받아들인다는 뜻입니다.

그런데 비둘기는 이것을 모릅니다. 싸울 줄 모르는 사람이 싸우기 시작하면 더 무서워요. 누구 하나가 크게 다치거나 죽을 때까지 싸웁니다. 보통 평화만 알던 사람이 한번 틀어지면 걷잡을 수 없습니다. 종교인들의 싸움은 일반인들의 싸움과 다릅니다. 평화를 추구하는 사람들은 세속적인 더러운 경쟁심과 싸움이라는 걸 체험하지 못했기 때문에 일단 갈등이 생기면 죽도록 싸우는 것입니다.

비둘기가 그렇습니다. 동물행동학으로 노벨상까지 받은 오스트리아 동물행동학자 콘라트 로렌츠Konrad Lorenz(1903~1989)가 비둘기는 온순한 겉모습과는 달리 매우 잔인하다는 것을 발견했습니다. 한번 싸우기 시작하면 어느 한쪽의 숨이 끊어질 때까지 쪼아대는데, 상대방의 힘이 약해질수록 더 잔인하게 쪼아 죽인다고 합니다. 평화의 새라는 이름이 무색할 정도이지요?

맹금류들은 자신과 적의 공격력이 어느 정도인지 알고 있어 싸우더라도 죽이지는 않습니다. 하지만 비둘기들은 평소에는 평화롭게 돌아다니다가도 화가 나서 싸우면 사생결단死生決斷을 내는 것입니다. 평화를 사랑해서 고요한 아침의 나라 백의민족白衣民族인 우리 민족도 비슷합니다. 평소엔 비둘기같이 온화하다가 한번 수가 틀려 싸움이 벌어지면 삼대三代에 걸쳐 싸움을 하죠.

## 순결하고 교활하게

우리 크리스천들은 비둘기처럼 순결해야 하지만 동시에 뱀처럼 교활해야 합니다. 그래야 그 평화를 유지할 수 있습니다. 흰색처럼 쉽게 더러워지는 색이 있나요? 원래 흰색이 아닌 비둘기라면 흙탕물에 들어갔다 나와도 더러운지 깨끗한지 모릅니다. 하지만 흰 비둘기가 흙탕물에 젖으면 금세 눈에 띄잖아요. 크리스천이 평화의 새로서 그 역할을 잘하려면 그래서 힘든 겁니다.

또한 비둘기는 아름다운 새, 평화의 상징, 축복받은 새이면서 기독교적으로는 성령을 상징합니다. 예수님이 세례를 받으실 때, 하늘에서 내려오는 성령이 비둘기로 표현됩니다.

> 백성이 다 세례를 받을새 예수도 세례를 받으시고 기도하실 때에 하늘이 열리며 성령이 비둘기 같은 형체로 그의 위에 강림하시더니 하늘로부터 소리가 나기를 너는 내 사랑하는 아들이라 내가 너를 기뻐하노라 하시니라 (누가복음 3:21-22)

이렇게 다양한 의미가 겹쳐진 비둘기인데 실제 요즘 비둘기는 천대받고 수난을 당합니다. 유럽의 교회나 성당 같은 데 가보면 으레 비둘기들이 오지 못하게 망을 쳐놨습니다. 비둘기들이 분비물을 배설하는 바람에 건물 외장재가 삭고 색이 바라 지저분해지기 때문입니다. 한국에서도 도시 공기를 오염시키고 전염병을 유발한다는 이유로 2009년부터는 아예 환경부에서 유해 조류로 지정해 포획하거나 제거할 수 있게 했습니다.

비둘기에 겹쳐져 있는 이런 상반된 이미지들을 보면, 표면적인 평화는 오히려 분쟁과 갈등의 요소가 될 수 있고, 어찌 보면 평화의 이미지지만 정반대의 이미지가 드러날 수도 있다는 것입니다.

기독교적 이미지, 하늘의 이미지, 교회의 이미지도 마찬가지일 겁니다. 희면 흴수록 더러워지기 쉬운 것처럼 성스러우려고 할수록 역풍이 심해집니다. 자기 힘에 넘치는 막중한 소명을 약속하면 거짓말쟁이가 될 수 있습니다.

앞서도 이야기했지만 하나님은 예수님을 모르거나 평신도에게는 관대하십니다. 그래서 아직 부족한 저에게 하나님이 큰 미션을 주시기 않았기 때문에 저를 징벌하지도 않으실 거라고 믿고 있습니다. 오히려 제가 '하나님, 내가 신학 공부해서 학위도 받았습니다. 목사님 되겠습니다' 그랬다면 하나님은 절대 제 잘못을 묵과하시는 않을 겁니다. 하나님은 법과 질서가 엄격한 분이니까요. 하지만 우리처럼 미션을 안 내린 사람들에게는 기회를 주시는 것이지요.

그래서 저는 한밤중에 외로우면 하나님께 이렇게 말합니다. "하나님, 예수님, 주님, 심심하시죠? 외로우시죠? 저는 바둑은 아직 못 두지만 오목 같은 건 둘 수 있는데 한판 두실래요?" 그렇게 기도하면 "너 거기 있었느냐? 참, 여태까지 안 자고 뭐하느냐"라고 저를 부르실 것 같습니다. 왜냐하면 저는 아직 소명을 받은 비둘기가 아니라 까마귀니까요. 만일 제가 비둘기라면 절대로 용서 안 하실 것입니다. 담임선생님이 반장을 더 혼내는 것과 같은 이치지요. 하나님은 믿고 소명을 맡겼는데 안 지켰을 때 가차 없이 징벌하시거든요. 속으로는 우시지만 바로 그 사람을 위해 징벌하시는 겁니다.

베드로는 예수님의 생애를 직접 다 보고도 안 믿은 순간이 있었습니다. 반대로 바울의 경우는 어땠습니까? 사도 바울은 예수님을 한 번도 본 적이 없습니다. 예수님을 바로 옆에서 모신 제자가 아니었습니다. 그런데도 예수님의 가장 큰 제자가 되었습니다. 무려 2만 킬로미터를 돌아다니며 선교했고, 신약 성경 27개의 문서 가운데 13편에 달하는 방대한 편지를 남겼습니다.

그가 만약 맹신자였다면 그런 업적을 이루지 못했을 것입니다. 그는 다마스쿠스의 회심 이전에는 크리스천을 박해하는 데 앞장섰다는 이야기도 있습니다. 하지만 예수님을 가장 열심히 공부했기에 가장 치열하게 예수님을 알릴 수 있었던 것입니다.

저는 하나님께서 바울을 통해서 처음으로 유대교와 다른 세계 보편적인 종교를 만든 것이라 생각합니다. 그가 아니었다면, 어쩌면 기독교는 유대교의 한 종파, 민족종교로만 남았을지 모릅니다. 그렇게 만든 것은 지성의 힘입니다. 베드로는 교회의 열쇠를 받아 지상에 천국의 열쇠를 위임받았지만[내가 천국 열쇠를 네게 주리니 네가 땅에서 무엇이든지 매면 하늘에서도 매일 것이요 네가 땅에서 무엇이든지 풀면 하늘에서도 풀리리라고 하시고(마태복음 16:19)] 우리에게 지금 정말 필요한 것은 바울이라는 것입니다.

## 또 다른 심장이 뛰는 순간

저에게 이렇게 이야기하는 사람들이 있습니다. "당신같이 공부 많이 하고, 과학도 아는 사람이 남자 갈비뼈로 여자를 만들었다는 천지창조설을 믿으시오? 처녀가 혼자서 수태했다는 이야기를 믿으시오?" 그러면 제가 대답합니다. "아니, 그렇게 안 믿어요? 안 믿어지세요?" 그러고는 이렇게 덧붙입니다.

"여보시오. 당신 뉴턴을 알지? 또 잔다르크나 루소, 셰익스피어도 다 알지? 그 사람하고 예수님을 한번 비교해보시오. 예수님은 말이야, 배우지도 않으시고 당신들이 볼 때는 맨발로 예루살렘에 들어온 나사렛 촌사람이야. 그것도 명문가의 아들도 아니고 목수의 아들이라고. 지금 같으면 저 산골 변두리에서 올라오신 분이거든. 예루살렘의 제사장들이 봤을 때, 나귀 타고 예루살렘에 들어오는 그분이 얼마나 촌스럽고 우스웠겠어요?

그래서 예수님께 누가 무슨 권능을 줘서 이러고 다니느냐고 말하잖아요. 같이 데려온 사람들이라는 게 전부 고기 잡던 사람들이나 무식한 사람들, 소외된 계급의 사람들이었으니까요. 그런 분을 사람들은 2천 년 동안 믿었다고. 셰익스피어보다도 뉴턴보다도 아인슈타인보다도 더 뛰어난 분이 되신 거요.

우리가 아는 그 유명하고 뛰어난 사람들도 다 죽고 잊혀졌는데 2천 년이 지난 오늘날에도 예수님의 이름을 알고, 무릎을 꿇지. 성경이 왜 셰익스피어의 4대 비극보다 더 많이 읽혔겠어요? 세계 구석구

석까지 말이지. 나는 천지창조이든 동정녀 이야기이든 그 사실을 믿는 것이 아니라 예수님의 행적으로 보아 '거짓말' 하실 분이 아니라는 것을 믿는 거야. 예수님을 아는 제자들은 다 참혹한 형을 받고 순교했지. 당신 과학자의 말 믿지, 과학이니까? 그런데 그들을 위해서 목숨 내놓을 수 있어?"

예수를 믿는다는 것이 무엇입니까? 크리스천은 모든 사물을 창세기, 출애굽기의 내용이나 과학적인 디테일이 아니라 영성의 이미지로 봐야 합니다.

비둘기 한 마리에도 수많은 의미가 깃들어 있습니다. 노아의 방주에서 소명을 완수한 비둘기를 올림픽이라는 세계인의 축제에서 날리고, 그것을 보고 사람들이 감동합니다.

기독교를 믿지 않을 때지만 올리브 잎을 물어 오는 비둘기를 올림픽의 신성한 제전에서 잘 날리기 위해 노심초사하며 대회의 성공을 바라고 있었던 저는 이미 기독교인이 될 준비를 하고 있었는지도 모릅니다. 나같이 안 믿는 사람들도 비둘기를 평화의 상징이라 믿고 있었다면 전 이미 과학적이고 합리적인 세상의 눈이 아니라 천상의 눈으로 비둘기를 보고 있었던 거 아닐까 생각하게 됩니다.

심장은 하나지만 사람들은 어느 날 갑자기 다른 한쪽에 묻어두었던 또 하나의 심장이 뛰는 순간을 느끼는 때가 옵니다. 그런 계기는 누구에게나 갑작스레 예고 없이 찾아옵니다. 영성은 흰 비둘기처럼 우리에게도 날아옵니다. 그때가 왔을 때 그 기회를 놓쳐서는 안 됩니다.

비둘기는 그가 가진 이미지가 어떠한 것이든 그런 것을 생각해볼 기회를 만들어주는 새라는 점에서 희망의 메시지라는 분명한 상징입니다.

## 비둘기

비둘기의 아름다움은 눈에 있는 것이 아니다.
비둘기의 순결은 흰 날개에 있는 것이 아니다.
비둘기의 평화는 서로 싸우지 않고
먹이를 나누어 먹는 부리에 있는 것이 아니다.

아름답고 순결하고 평화로운 비둘기보다
우리가 사랑하는 비둘기는
언제나 먼 곳에서 날아와
기쁜 소식을 전해주는 전령 비둘기.

사랑과 희망을 올리브 잎처럼 입에 물고
표류하는 우리에게 돌아오는 비둘기이다.
천상의 정보를 전해주는 비둘기이다.

# 15

## 까마귀의 소망

우리는 까마귀를 불길하게 여기는 경향이 있습니다. 까마귀 울음소리를 들으면 기분이 나쁘고, 까마귀를 보면 왠지 불길한 일이 생길 것 같습니다. 그냥 싫어만 하면 괜찮은데 '까마귀가 정력에 좋다'는 이상한 소문이 나도는 바람에 갈수록 까마귀를 보기조차 어려워집니다. 사실 우리나라 사람들은 보양식이라고 하면 개미고 뱀이고 간에 다 먹어치우는 경향이 있습니다. 그래서 이런 우스갯소리도 있죠. 아담과 하와 이야기는 그게 서양이니까 통하지, 한국에서는 안 통하는 이야기라고요. 우리나라 사람들은 뱀이 입을 벌려 유혹하기도 전에 바로 잡아 술을 담그거나 영양탕을 만들어 먹어버렸을 테니까요.

그런데 성경에서는 까마귀를 혐오스러운 새, 부정한 새들 중에 하나로 정해 먹지 말라고 이야기하고 있습니다.

새 중에 너희가 가증히 여길 것은 이것이라 이것들이 가증한즉 먹지 말지니 곧 독수리와 솔개와 물수리와 말똥가리와 말똥가리 종류와 까마귀 종류와 타조와 타흐마스와 갈매기와 새매 종류와 올빼미와 가마우지와 부엉이와 흰 올빼미와 사다새와 너새와 황새와 백로 종류와 오디새와 박쥐니라 (레위기 11:13-19)

똑같은 내용이 신명기 14장에도 나옵니다. 하나님도 까마귀를 싫어하셨던 모양입니다. 하지만 성경을 더 자세히 살펴보면 하나님은 이런 까마귀조차도 사랑하시고 귀하게 쓰신 것을 알 수 있습니다. 열왕기에 나온 까마귀는 굶주린 엘리야에게 음식과 물을 가져다줍니다.

## 배고픈 자를 먹이는 까마귀

여호와의 말씀이 엘리야에게 임하여 이르시되 너는 여기서 떠나 동쪽으로 가서 요단 앞 그릿 시냇가에 숨고 그 시냇물을 마시라 내가 까마귀들에게 명령하여 거기서 너를 먹이게 하리라 그가 여호와의 말씀과 같이 하여 곧 가서 요단 앞 그릿 시냇가에 머물매 까마귀들이 아침에도 떡과 고기를, 저녁에도 떡과 고기를 가져왔고 그가 시냇물을 마셨으나 (열왕기상 17:2-6)

마태복음에는 "공중에 나는 새를 보라"고만 되어 있어서 아름다운 백합화와 짝을 이루는 그 새는 대체 무슨 새인지 궁금해하는 사람이 많습니다. 그러나 그 해답은 바로 까마귀입니다. 그게 의외로 "까마귀를 생각하라 심지도 아니하고 거두지도 아니하며 골방도 없고 창고도 없으되 하나님이 기르시나니 너희는 새보다 얼마나 더 귀하냐"(누가복음 12:24)에서 보듯이 '까마귀'로 되어 있는 것이지요.

우리나라에서도 까마귀는 불길한 징조를 알려주는 새라고 꺼리는 반면, 민담 같은 데서는 까마귀를 좋은 새로 묘사하기도 합니다. 중국 진晉나라 때의 이밀李密(224~287)이 쓴 『진정표陳情表』에는 효성이 지극한 까마귀를 가리키는 고사성어 '반포지효反哺之孝'가 전합니다. 이밀은 진나라 무제武帝가 높은 관직을 내리는데도 늙은 할머니를 봉양하기 위해 관직을 사양합니다. 무제가 화를 내자 이밀은 자신을 까마귀에 비유하면서 "까마귀가 어미 새의 은혜에 보답하려는 마음으로 조모가 돌아가시는 날까지만 봉양하게 해주십시오烏鳥私情, 願乞終養"라고 한 데서 비롯된 것이지요.

까마귀는 부화한 지 60일 동안은 어미가 먹이를 물어다주지만 새끼가 다 자라면 사냥에 힘이 부친 어미를 먹여 살린다고 합니다. 이런 까마귀를 가리켜 '자애로운 새'라는 뜻의 '자오慈烏' 또는 어미를 되먹이는 새라는 뜻의 '반포조反哺鳥'라고 부릅니다. 어떤 게 진짜 까마귀의 모습인지 헷갈리지 않습니까?

원래 까마귀는 전 세계 어디를 가든지 제공권을 장악하고 있지요. 두뇌가 얼마나 좋은지 조류 중의 영장류라고 부르기도 합니다. 어느 정도냐면, 새들이 아무리 힘이 있어도 호두를 까먹을 수는 없거든요. 딱딱한데다 동그랗게 생겨서 굴러가버리니까 손이 없는 새들이 먹기가 힘들죠. 그런데 까마귀는 이걸 까먹습니다. 주로 도시의 까마귀들이 그러는데, 호두를 따다가 신호등에 차들이 설 때 바퀴 앞에 놔둡니다. 빨간불이 들어오면 휙 날아와서 호두를 놓는 거죠. 그러면 호두가 출발하는 자동차 바퀴에 깨지겠죠? 그러면 까마귀가 다시 날아와서 호두를 먹는 거예요. 거짓말 같은 이야기죠? 실제로 일본의 자동차 교습소 옆에 사는 까마귀들에게서 발견한 습성이랍니다. 사람들은 집게처럼 생긴 호두 까는 도구를 이용하는데, 까마귀는 도구도 안 만들고 도리어 인간을 이용해서 자동차를 호두까기 인형으로 사용하고 있으니 검은 색깔만 보고 무시할 수 없어요.

'현대의 시튼' 이라 불리는 폴란드 태생의 미국 생물학자 하인리히Heinlich(1940~)가 까마귀의 습성을 연구해 쓴 책 『까마귀의 마음Mind of the Raven』을 보면 이런 이야기가 나옵니다. 자기가 숲에 들어가서 까마귀의 생태를 살펴보고 연구실에 와서 보고서를 쓰려는데 뭔가 이상한 느낌이 들더라는 것입니다. 왜 누가 지켜보는 느낌 같은 것 있지 않습니까? 이상해서 돌아보니까 아까 자기가 쫓아다니며 관찰한 그 까마귀가 거꾸로 자신을 따라와 그가 리포트 쓰는 것을 들여다보고 있더라는 것입니다. 까마귀는 그렇게 영특한 새입니다.

일본에 가면 정말 까마귀가 많은데, 애들이 돌을 던지며 내쫓으면 애들 얼굴을 꼭 기억해두었다가 딱딱한 열매를 따서 복수한다는 이야기도 있습니다. 열매를 떨어뜨리는 것뿐 아니라 어떤 때는 주먹을 쥐는 것처럼 발을 오므려서 그걸로 머리를 탁 때리기도 한답니다.

왜 까마귀들은 그렇게 머리가 좋을까요? 다 이유가 있습니다. 대개 새들은 일생의 80, 90퍼센트를 먹잇감을 구하기 위한 활동으로 소비합니다. 새들에게는 산다는 게 결국 먹잇감을 구하는 거지요. 그런데 까마귀는 잡식성이라 다양하게 먹기 때문에 한 시간만 일해도 충분히 배가 부르답니다. 다른 새들보다 시간이 많이 남으니까 높은 곳에 올라가 이것저것 구경하고 이런저런 궁리를 하니까 똑똑해질 수밖에요.

이건 일본에서 실제로 제가 경험한 것입니다. 일본에는 참 까마귀가 많은데, 얘들이 먹을 걸 구하기 쉬우니까 식당가나 사람 사는 동네에 살면서 밖에 내놓은 음식물 쓰레기봉투를 갈기갈기 찢어놓는 거예요. 제가 지냈던 곳에서도 그랬죠. 그러면 그걸 다 치우고 다시 봉투에 담아야 하니까 여간 성가신 일이 아니죠. 내가 있었던 맨션에서도 까마귀들이 오지 못하게 음식물 쓰레기장에 아예 망을 쳐놓았습니다. 그런데도 쓰레기봉투가 계속 찢어져 있는 겁니다. 가만히 살펴보니까 까마귀가 짝지어 와서는 한 마리는 망을 들어 올리고 다른 한 마리가 그 사이로 쑥 들어가서 음식물 쓰레기를 꺼내 가는 것이었습니다.

## 흰 깃털을 가졌던 상서로운 새

미국도 까마귀들이 극성이라 총을 사용하곤 하는데 사람들이 총을 가지고 오면 벌써 없어져버리더랍니다. 그렇게 눈치가 빠르고 행동이 재빠릅니다. 그런데 미국 까마귀들의 습성을 가만히 살펴보니까 제일 싫어하는 게 부엉이더래요. 까마귀들이 제아무리 영리하고 똑똑해도 밤이 되면 꼼짝을 못하는데, 부엉이는 밤에 활동하니까 까마귀 떼를 막 습격하거든요. 그러면 까마귀는 부엉이가 힘 못 쓰는 낮 동안 복수하는 거죠. 그래서 미국 사람들이 부엉이 모형을 만들어 낮에 까마귀 떼들이 모여들면 그때 한꺼번에 잡아들였답니다.

기억력 없는 사람을 빗대어 까마귀 고기 먹었느냐고 놀리는 경우가 많은데, 알고 보니 전혀 근거가 없는 말이었네요. 영국에서는 정말 희한한 까마귀들이 발견됐는데 이 까마귀들은 눈이 쌓이거나 기온이 낮아져 빙판이 만들어지면 스키를 탄다고 합니다. 스키만 타는 것이 아니라 주변에 까마귀 관중들까지 있답니다. 그래서 한 까마귀가 미끄럼을 타고 내려오면 그것을 다른 까마귀들이 줄지어 구경한다는 겁니다. 여흥을 즐기고 관객까지 있다는 얘기가 믿어지지 않죠?

저는 까마귀한테 특히 관심이 많은데, 편견을 싫어하는 제 성격 때문입니다. 저는 평생 편견과 싸워왔습니다. 편견은 지식, 지성을 가로막는 가장 큰 장애물이니까요. 객관적으로 따져보면 금세 알 수 있는 것을 알아보지도 않고 편견만으로 대하는 경우가 많습니다. 까마귀도 그 희생물의 하나입니다.

사람들이 까마귀를 꺼림칙하게 여기는 대표적인 근거는 동물의 사체를 파먹는다는 것입니다. 하지만 이건 그저 까마귀의 생태적 습성일 뿐입니다. 까마귀는 잡식동물이니까 못 먹는 게 없을 뿐이고, 버려진 사체는 저항하거나 도망가지 않는 얻기 쉬운 먹이일 뿐입니다. 사람이 쌀로 밥을 지어 먹는다는 이유로 누군가에게 미움을 받는다면 부당하다는 생각이 들지 않겠습니까? 밥은 쌀의 시체가 아닌가요.

앞에서도 말한 것처럼 사람들이 까마귀들을 날아다니는 인삼, '비삼飛蔘' 이라고 하면서 보양식으로 먹어치웠는데, 좋은 인상을 갖고 있는 다른 새들이라도 그렇게까지 했을까 싶습니다. 단지 색깔이 검기 때문에 누구도 까마귀가 멸종되는 것에 대해서 항변하지 않는 거죠. 그러는 사이에 까마귀가 우리 주변에서 사라졌습니다. 모두 사람들의 편견 때문이지요. 까마귀가 흰색이었다면 그랬을까요. 서양에서는 상복이 검은색이니까 까마귀가 죽음을 상징하는 것으로 느껴져서 더 꺼림칙해한 거죠.

그런데 그리스 신화에 따르면 까마귀는 원래 흰 깃털을 가진 영리하고 아름다운 제우스의 애완조였다고 합니다. 까마귀가 검은 새가 된 데는 두 가지 버전의 이야기가 전하는데, 하나는 제우스가 물을 떠 오라고 심부름 시켰는데 사과 먹는 데 정신이 팔려서 심부름을 제대로 못해놓고 뱀 때문에 그랬노라 거짓말을 해서 번갯불에 태워졌다는 것입니다. 또 하나는 아폴로가 사랑한 연인 코로니스의 부정을 거짓으로 보고해서 그녀를 죽게 한 죄로 영원히 상복을 입고 다니도록 저주를 내렸다는 것입니다. 어느 것이나 까마귀는 교활하고 영악한 새로 그려집니다.

이렇게 뭔가 밉살스러운 이미지여서인지 무자비한 까마귀 포획으로 개체 수가 급격히 줄어도 까마귀를 아끼고 보호하자고 나서는 사람은 없습니다. 늑대도 마찬가지죠. 사람들의 편견에 의해 멸종 위기에 처해 있습니다. 가까운 나라인 일본에만 가도 도처에 널린 새인데, 우리나라는 까마귀가 살 수조차 없는 야박한 풍토라는 것이 좀 안타까웠습니다. 그래서 까마귀에 대한 책도 많이 읽고 꾸준히 지켜보니 까마귀의 문화적 상징에도 관심을 갖게 되었습니다. 제가 살펴본 결과, 까마귀는 영리하며 인간에 가까운 사고력을 가진 새였습니다.

천재 시인 이상도 「오감도」라는 시를 썼잖습니까? 까마귀가 우리를 내려다본다, 도시를 내려다보고 생각한다고 말입니다. 이상의 「오감도」에서처럼 까마귀는 조용히 인간들을 관찰하는 새인 것입니다. 또 북유럽의 제우스 격인 오딘을 수호하는 새는 까마귀이며, 우리나라 고구려를 비롯해서 중국, 일본에도 태양을 상징하는 상서로운 새로 다리 셋 달린 까마귀, 삼족오三足烏가 전해집니다.

## 참모습 가리키는 검은 전령

성경 이야기로 다시 돌아가볼까요? 성경에서 까마귀는 먹으면 안 되는 혐오 동물로 꼽히기도 했지만 행동 때문에 나쁜 이미지의 새가 되었습니다. 창세기 노아의 홍수에서 까마귀는 자신의 할 일을 다하지 못한 무책임한 동물로 그려집니다. 앞에서도 말한 것처럼 노아의 홍수 때 물이 빠졌나 알아보려고 새를 날려 보냈는데, 그때 비둘기보다 먼저 뽑힌 것이 바로 까마귀였습니다. 그런데 이 까마귀가 돌아오지 않았다고 합니다. 홍수 끝이니 얼마나 먹을 것이 많이 떠 있었겠습니까? 썩은 음식, 안 썩은 음식을 안 가리고 그냥 먹기에 정신이 없어 하나님이 주신 미션인 전령 역할을 제대로 못한 거죠. 그래서 '진심은 있어 하나님의 말씀은 전하고 싶으나 딴 데 정신이 팔려서 제대로 못하는 사람'을 '까마귀 전도사'라고 불렀습니다. 우리나라의 전도사님들은 어느 쪽이 많을까요? 일일이 세어보지는 않았지만 비둘기 쪽이 많을 것 같습니다. 그러니 저 같은 사람도 전도가 되었겠지요.

노아가 방주에서 물이 줄었는지 알아보라고 먼저 까마귀를 보냈습니다. 까마귀가 검다고 해서, 시체를 파먹는 새라고 해서 임무조차 주지 않았던 건 아닙니다. 저는 이 부분이 더 중요하다고 생각합니다. 저 사람은 한번 죄를 지었던 사람이니까, 저 사람은 날 한번 속였던 사람이니까 그들을 섣불리 단정 짓는 것은 옳지 않다는 것입니다. 하나님은 그런 분이 아닙니다. 부정한 새니까 먹지 말라고 해놓고도 하나님을 위해 일할 수 있는 기회를 주시는 게 하나님입니다. 죄를 지은 사람이라고 빼놓는 게 아니라 모든 사람에게 공평하게 구원을 약속하는 분이 예수님입니다.

영靈의 세계에서는 까마귀도 하얀 비둘기가 될 수 있습니다. 썩은 고기를 먹어도 영혼이 한없이 맑다면 그 세계의 지혜를 가질 수 있는 것 아닙니까? 까마귀에 대한 편견을 이제는 버려야 합니다. 우리 자신이 언제라도 그 까마귀가 될 수 있기 때문입니다. 왜 하나님이 인간에게 생태계 모두에게 이름을 짓고 그걸 다스릴 수 있는 권한을 주었을까요? 하나님이 만들어주신 하나하나를 소중히 여기고 다뤄야 하지 않겠습니까? 그렇게 본다면 사실 까마귀도 우리가 이끌어가야 할 자연의 하나입니다. 우리에게 보약이 된다고 씨를 말려서도 안 되고, 근거도 없는 편견으로 미워해서도 안 됩니다.

겉모습이 까맣거나 하얀 것이 중요한 게 아니라 그 속에 있는 마음이 더 중요하니까요. 실수를 한 적이 있는 까마귀 전도사라도 진짜 하나님을 알고, 진심으로 믿고, 주어진 사명을 감당하려고 한다면 기다려주고 기회도 주어야 합니다. 소위 범법자, 부랑아, 악인이라고 하는 사람들을 보면서도 예수님은 그들을 끌어안으셨지요. 바리새인들은 그것을 보고 비난하고 책망했습니다. 그래서 예수님이 비유로 답하신 것이 바로 탕자 이야기였던 게죠. 겉만 보고 판단해서는 안 됩니다. 비둘기가 온순하고 순결하다고 하지만 잔인한 구석도 있지 않습니까? 그런데도 사람들은 비둘기의 겉모습만을 보고 판단해버립니다. 우리가 하나님이나 예수님에게 다가갈 때도 마찬가지입니다. 표면적인 뜻만 이해하고 넘어가서는 안 됩니다. 어쩌면 까마귀는 겉모습에 감춰진 참모습, 편견에 눈이 가려진 우리들을 일깨우기 위해 하나님이 보내주신 검은 전령일지 모릅니다.

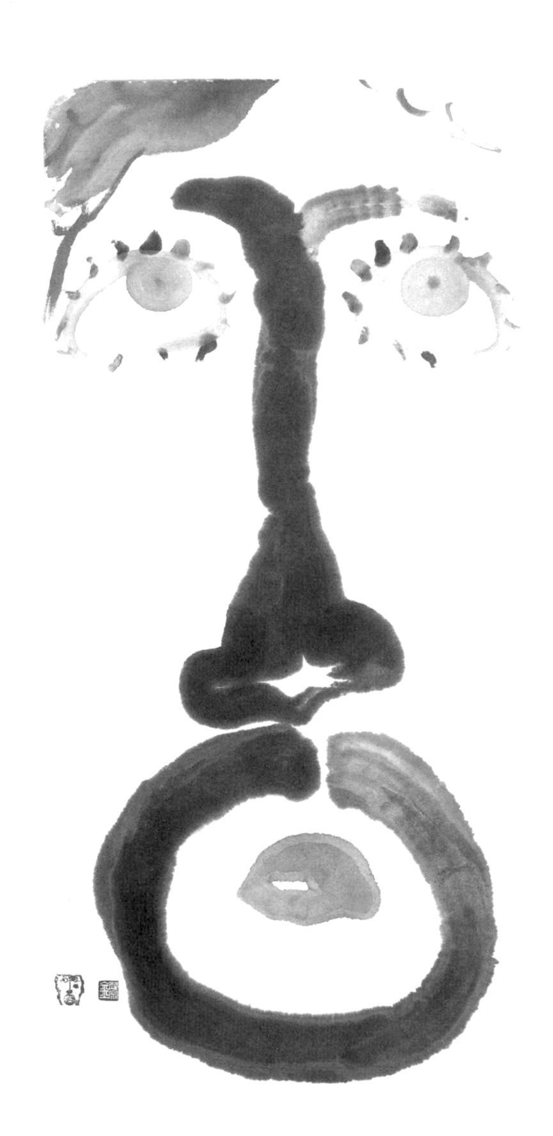

## 까마귀의 노래

내 검은 날개를
첫눈이 내린 아침만큼
희게 하소서
그리고
노아의 방주에서
다시 한 번 날아가게 하소서

풀이 있고 꽃이 피는 땅
흙탕물 속에 젖어 있던
것들이 솟아나 몸을 말리는
새로운 땅을 보게 하소서

나의 부리를 고드름처럼
투명하게 하소서
올리브 잎을 물고 돌아와
고하게 하소서

빗살 속에서 마른땅을 보고 온
기쁜 소식을
카나리아처럼 꾀꼬리처럼
아름다운 소리로 고할 수 있는
피리처럼 잘 울리는
목청을 주소서

# 16

# 독수리의 거듭나기

독수리를 생각하면 조류의 왕, 뾰족한 부리와 날카로운 발톱 같은 강한 이미지가 떠오릅니다. 성경에도 독수리에 대한 많은 기록이 담겨 있습니다. 성경을 가만히 보면, 등장하는 모든 것이 이중적인 의미를 가지고 있습니다. 그래서 어떤 때는 긍정적으로 나오고, 어떤 때는 부정적으로 나옵니다. 사람들도 그렇잖습니까? 아무리 착한 사람에게도 어느 한구석 얄미운 데가 있고, 아무리 나쁜 사람이라도 어느 한구석은 여리지요. 그것을 가장 잘 알고 있는 분은 바로 예수님이십니다.

예수님은 간음한 여인에게 돌팔매질하려는 사람들을 보시고 "너희 중에 죄 없는 자가 먼저 돌로 치라"(요한복음 8:7)고 말씀하십니다. 사실 예수님의 이 말씀은 위험한 발언일 수도 있습니다. 사람들은 보통 자기기만과 합리화에 능하기 때문에 "내가 지은 죄는 저 사람에 비하면 죄도 아니지. 그런 면에서 난 죄 없다", "저 사람을 먼저 공격해야 내가 죄 없는 사람이 되겠지" 하고 한두 사람이 돌을 던졌으면 다른 사람들도 우르르 나서서 돌을 던졌겠죠. 그런데, 사람들은 예수님의 말씀을 듣고 양심에 가책을 느껴서 하나둘 자리를 뜨잖아요. 그때만 해도 사람들이 순수해서 다들 스스로 죄를 뉘우치는 겁니다. 그런데 예수님은 그걸 어떻게 알았겠습니까?

## 새로움을 보게 하는 눈

예수님께서는 사람이라는 게 어떤 존재인지 알고 계셨던 거지요. 순수하고 밝은 사람도 누구나 마음 한쪽에 그늘이 있고 악이 있다는 것을 알고 계셨던 것입니다. 반대의 경우도 마찬가지겠죠. 예수님의 이런 인간관은 흑과 백만으로는 나눌 수 없는 '그레이존gray zone'으로써의 인간관입니다. 선과 악, 빛과 어둠, 회개와 오만. 이런 양면성이 한 덩어리로 뭉쳐져서 어느 한쪽이라고 판단하기 어려운 것이 인간입니다. 예수님은 그레이존 속에서 사느라 늘 갈등을 겪는 인간들을 측은히 여기셔서 암탉이 알을 품듯 인간들을 품으려고 하신 겁니다.

그리스의 대표적인 작가 니코스 카잔차키스Nikos Kazantzakis (1885~1957)가 쓴 『그리스인 조르바』라는 작품을 보면 사람이 하나님께 도와달라고 청원하는 게 아니라 거꾸로 하나님이 인간들에게,

"나 좀 도와줘라, 나 좀 도와줘" 하십니다. "내가 이렇게 너희들을 위해 주는데 대체 왜 이러느냐. 나, 좀 제발 좀 도와달라"는 뜻입니다. 이것은 부모님으로 바꾸어 생각하면 이해가 쉬울 겁니다. 못된 아이들, 부모 말 안 듣고 멋대로 하는 애들을 보고 어머니가 뭐라고 그래요? "얘, 엄마 한 번만 봐줘라. 한 번만 도와줘라." 그러지 않습니까? 그게 부모의 마음이고, 하나님의 마음입니다.

그런데 앞에서 이야기했지만 하나님이 쓰시는 천상의 언어와 사람이 쓰는 지상의 언어는 많은 차이가 있습니다. 그래서 잘 헤아려야 합니다. 겉만 보고 판단하면 우리는 하나님의 뜻을 제대로 알 수 없습니다. 성경에는 종류별로 새에 대한 비유가 참 많이 나옵니다. 일반적으로 사람들은 새가 하늘을 날아다니기 때문에 하나님과 가깝고 영혼과도 제일 가깝다고 여겼습니다. 그래서 새들은 하늘과 사람을 연결해주는 역할을 한다고 믿어왔지요. 사람이 죽으면 새가 된다는 이야기도 바로 여기서 나온 것입니다.

우리에게 친근한 새 중에 종달새가 있습니다. 아침을 알려주는 밝은 이미지의 새인데, 옛사람들은 이 새를 '고천자告天子'라고 불렀습니다. 인간의 이야기를 하늘에 알리는 새라는 뜻이죠. 우리와 친근한 새이기 때문에 종달새와 관련된 재미있는 일화들이 있는데, 그 가운데 이탈리아 출신 탐험가 크리스토퍼 콜럼버스Christopher Columbus(1451~1506)에 얽힌 이야기가 있습니다. 아메리카 대륙에 상륙했을 때, 제일 처음 도착한 곳이 산토도밍고Santo Domingo입니다. 콜럼버스는 신기한 나무와 꽃들을 살피다가 지지배배 지저귀면서 휙 날아가는 새를 보았답니다. 그것을 본 그는 이렇게 글을 썼습니다. "새로운 땅에 발 딛다. 여기 종달새들은 스페인의 어떤 종달새보다 아름답게 지저귄다." 그런데 사실 산토도밍고에는 종달새나 그 비슷한 종류의 새도 없다고 합니다. 콜럼버스가 아는 새는 종달새가 전부니 새는 다 종달새일 거라고 생각한 거죠. 구대륙(스페인)의 의식으로 신대륙(산토도밍고)을 바라보니 새로운 새가 날아다녀도 그걸 알아볼 눈이 없었던 것입니다. 새로운 것을 알아볼 눈이 없으면 새로운 것도 새롭게 보이지 않는 거죠.

그렇습니다. 새로움을 보려면 우리가 먼저 새로워져야 합니다. 새로운 것을 보고, 새로운 체험을 하고 새로운 기독교 세계에 가도 그 마음과 눈이 바뀌지 않으면 새로움을 볼 수 없습니다. 여전히 그들은 새로운 새를 종달새라고 보는 겁니다. 안다고 생각하니까 당연히 더 알려고도 하지 않고요. 자, 이제 새로운 눈을 볼 준비가 되었다면 독수리를 다시 한 번 봅시다. 처음에 독수리, 했을 때, 우리는 새들 중의 왕, 날카로운 부리, 강한 날개, 늠름한 모습을 떠올렸습니다. 그러나 성경에서 우리는 독수리의 뜻밖에 모습을 보게 됩니다.

## 올리브와 화살을 움켜쥔 독수리

하나님이 부정한 동물이라고 사람들로 하여금 먹지 못하도록 정한 것들 중에 독수리도 들어 있습니다. "이런 것은 먹지 못할지니 곧 독수리와 솔개와 물수리와"(신명기 14:12) 물론 독수리가 더러운 동물이라고 생각하지 않더라도 사람들이 독수리를 잡아먹었다는 얘기는 못 들어봤을 겁니다.

그런데 한편으로 성경은 독수리를 젊음에 비유하기도 했습니다. "좋은 것으로 네 소원을 만족하게 하사 네 청춘을 독수리같이 새롭게 하시는 도다"(시편 103:5). 공동번역으로 보면 "네 인생에 복을 가득 채워주시어 독수리 같은 젊음을 되찾아주신다"고 되어 있습니다.

독수리와 젊음의 관계는 민담이나 신화에 나오는 독수리 이야기와 연관됩니다. 독수리는 스무 살쯤 나이를 먹으면 동굴 속에 들어가서 오래된 털을 다 뽑고 부리를 간다는 전설이 있습니다. 늙은 독수리는 부리를 바위에 갈고 비틀어진 것은 깨트려 새로운 모습으로 탈바꿈하여 동굴 밖으로 나온다는 것입니다. 동굴 밖으로 나왔을 때는 이전의 독수리 모습이 아니지요. 전보다도 더 힘세고 씩씩한 새 모습으로 바뀌어 나옵니다. '본 어게인born again', 새로운 모습으로 거듭나는 거죠. 그래서 젊음을 준다는 비유를 한 겁니다. 아무도 이르지 못하는 높은 바위산 동굴 속에 들어가서 온몸의 털갈이를 하고 젊어져서 노인 독수리가 청년 독수리가 되어 다시 태어나 나온다는 거죠. 이것이 말 그대로 거듭나는 것입니다.

독수리의 또 하나의 습성은 태양을 향해 곧바로 날아오르는 것입니다. 사람은 태양을 똑바로 볼 수가 없습니다. 햇볕이 강하게 내리쬐는 날에는 선글라스를 써야 합니다. 그냥 봤다가는 눈이 타버려서 큰일 나지요. 흰 눈밭에서도 태양의 반사광 때문에 고글을 쓰지 않으면 망막이 전부 타버린다고 합니다. 그런데 독수리는 안 그렇습니다. 독수리는 카메라 필터 같은 얇은 막이 눈을 덮고 있어서 선글라스의 기능을 한다고 합니다. 그래서 해를 똑바로 바라보면서 곧장 날아오를 수 있는 유일한 새라고 합니다.

문화적으로 독수리는 백성을 보호하는 왕을 상징해왔습니다. 왕가의 문장紋章 같은 걸 보면 머리가 둘 달린 독수리를 쉽게 찾아볼 수 있습니다. 왜 쌍두雙頭의 독수리일까요? 이 디자인과 관련된 재미있는 이야기가 있습니다. 새는 눈이 옆에 붙어 있기 때문에 정면에서 그리기 어렵습니다. 정면의 모습을 본대로 그린다면 눈이 없는 새가 되겠죠. 그래서 옆모습으로 그리는 건데, 그러면 이 모습은 불완전한 반쪽이 됩니다. 그래서 양옆에서 본 새의 모습을 분리해서 그린 것이죠. 각각의 얼굴이 성聖과 속俗을 의미한다고 하기도 합니다. 과거 세상을 지배했던 두 권력인 교황(성聖)과 왕(속俗)을 상징하는 것이죠. 세상이 조용하려면 이 둘이 어느 한쪽으로 치우치지 않고 대칭이 되어야 합니다. 그래서 쌍두 독수리가 탄생했다는 겁니다.

지금 미국의 대통령이나 연방 정부의 문장으로 사용하는 국장國章에도 독수리가 등장합니다. 1782년 6월 20일에 미국 의회의 승인을 받은 이 국장은 앞뒤 두 면으로 나뉘어 앞면에는 흰머리독수리가, 뒷면에는 커다란 눈이 피라미드 형태의 건축물 꼭대기에 그려져 있습니다. 앞면의 독수리 역시 옆모습으로 그려져 있는데, 두 발은 정면에서 본 것처럼 대칭으로 그려져 있습니다. 그 왼발은 올리브 나뭇가지를, 오른발은 화살을 움켜쥐고 있으며 머리 위에는 미국 독립선언에 참가한 13개 주를 상징하는 별 13개가 그려져 있습니다.

독수리의 발이 움켜쥐고 있는 두 사물 올리브와 화살은 각각 평화와 전쟁을 상징합니다. 그런데 독수리는 올리브 쪽을 보고 있습니다. 그래서 영국의 수상 윈스턴 처칠Winston Churchill (1874~1965)이 "2차 대전 때는 화살 쪽을 보고 있더니, 전쟁이 끝나니까 미국 국장의 독수리가 올리브를 보고 있다"고 농담했다고 합니다. 하도 유명한 이야기라 다들 진짜인 줄 아는데, 사실 옛날부터 올리브 쪽을 바라보고 있었습니다.

## 무기력을 벗고 용맹하게, 흔들림 없이

> 오직 여호와를 앙망하는 자는 새 힘을 얻으리니 독수리가 날개치며 올라감 같을 것이요 달음박질하여도 곤비하지 아니하겠고 걸어가도 피곤하지 아니하리로다 (이사야 40:31)

젊음, 용맹한 지배자, 곧은 비상, 독수리가 상징하는 이 모든 것들은 독수리 속에 통합되어 들어 있습니다. 그래서 독수리를 어떤 마음으로 보느냐에 따라 독수리는 각자에게 다른 의미가 됩니다. 젊음을 갈망하는 사람에게 독수리는 젊음이겠지요. 요즘 사람들은 육체적인 젊음을 유지하는 데 관심이 많습니다. 그렇지만 독수리의 젊음이 과연 육체적인 젊음을 의미하는 것일까요? 20년을 산 어떤 생명체가 털 다 뽑고 부리 간다고 해서 새로운 생명을 얻을 수 있을까요? 그러니까 이건 영적인, 정신적인 젊음을 상징하는 거겠죠. 이미 무기력해진 것, 타성에 젖은 것, 이런 것들을 깨끗이 씻어내는 것을 의미하겠죠. 새로움을 발견할 수 있는 새로운 눈을 가지라는 의미겠죠. 마치 옛날 유태인들이 죄를 씻기 위해서 재 뿌리고 베옷을 입고 차가운 바닥에서 다시금 재생하는 힘을 얻는 것처럼 말이죠.

똑바로 날아오르는 건 어떨까요? "독수리처럼 날아올라라!" 듣기만 해도 독수리의 날카로운 눈빛과 기운찬 날갯짓이 연상되지 않습니까? 사람으로 비교하면 하나님의 눈부신 영성, 인간은 도저히 볼 수 없는 신성을 똑바로 바라보면서 비상하라는 것이죠. 실제로 성경에서 새는 영성, 성령의 이미지로 등장하지 않습니까? 세상 모든 것이 살아 숨 쉴 수 있도록 에너지원이 되어주는 태양은 하나님의 권능과 힘을 상징하는 동시에 모든 생명을 보듬어주는 보호자이기도 합니다. 그것을 향해, 두리번거리지 않고 직접, 누구보다 날쌔게 날아가는 것이 독수리입니다.

용맹한 세속의 지배자로서의 독수리는 신앙의 주체를 상징할 것입니다. 신앙의 주체는 어떻게 움직여야 할까요? 새가 아닌 다른 동물들 중 특히 강한 종은 눈이 다 앞에 달려 있습니다. 공격을 해야 하니까요. 사자나 늑대가 그렇죠. 그런데 이런 포식자로부터 도망쳐야 하는 약한 동물들은 모두 눈이 옆에 달려 있어요. 토끼, 사슴 같은 동물이 그렇습니다. 자동차에 비유하자면 강한 동물은 헤드라이트가, 약한 동물은 사이드미러가 있는 것이지요. 공격하는 동물은 목표물을 향해서 곧바로 달리면 되지만 도망가는 동물은 사통팔달四通八達, 급하면 아무 데로나 도망쳐야 하니까 전후좌우가 다 보여야겠지요.

이것을 '스키조프레니아Schizophrenia'라고 부릅니다. 스키조프레니아는 정신분석 용어로는 정신 분열을 뜻하는데 이것은 사방으로 마구 흩어져가는 이동 분산형을 의미합니다. 이와 반대되는 개념이 공격하는 쪽이 움직이는 방향을 나타내는 '파라노이아Paranoia'입니다. 이것은 편집증을 의미하는데, 한군데 집중하는 것을 말합니다. 신앙 주체로서의 인간도 이렇게 크게 두 종류로 나눌 수 있습니다. 파라노이아는 집중적으로 하나를 공격하는 형이고, 스키조프레니아는 사방으로 분산되는 형입니다. 정치 주체로 비유하자면 다양한 의견을 청취하고 반영하는 민주주의 지도자는 스키조프레니아형이고, 히틀러나 스탈린 같은 독재자들은 파라노이아형이라고 할 수 있겠습니다.

21세기는 어떤 시대일까요? 파라노이아 시대라기보다 스키조프레니아의 시대에 가깝습니다. 분산과 이동이 대세를 이룹니다. 그래서 '멀티'라는 말, 다양성, 다방면의 '올라운드 플레이어all-round player', 서로 다른 것을 섞어 새로운 것을 만들어내는 '크로스오버crossover' 등의 말이 일상적으로 자주 쓰입니다. 외골수의 시대가 아니라 각기 다른 개성을 가지고 흩어져 있는 것들이 개성을 지키면서 융합되고 어울리는 시대이지요. 신앙이나 종교도 마찬가지일 것입니다.

기독교에도 파라노이아의 시대가 있었습니다. 광신적으로, 외골수로만 파고들고, 편협한 잣대로 모든 것을 판단해 거기에 맞지 않는 사람이나 단체를 마녀나 사탄으로 몰아 죽이고 탄압하던 시기가 있었습니다. 이런 상태가 지속되니까 기독교는 부패하고 고립되어 버렸습니다. 개혁이 필요해지는 거죠. 그래서 쌍두로 표현되는 독수리의 모습은 요즘 시대의 바람직한 신앙의 주체란 무엇일까에 한 시사점을 던져준다고 생각합니다. 세속만 바라보는 것도 아니고, 그렇다고 성스러움만을 바라보며 세속과는 따로 노는 것도 아니어야 한다는 것이죠.

독수리는 맹금류이기 때문에 한곳만 바라보겠죠. 독수리가 태양을 똑바로 바라보고 날아오르는 것처럼 신앙인도 태양을 볼 때는 눈부신 빛을 정면으로 보면서 구름을 뚫고 올라가는 독수리여야 합니다. 태양으로 상징된 눈부신 하나님을 향할 때는 맹금류 독수리가 되어 한 치에 흔들림 없이 곧게 나가야 하는 것입니다. 하지만 세상과 사람들을 이해하고 사랑해야 할 지상에서는 마치 토끼처럼 주변을 다 둘러볼 수 있어야겠죠. 그래서 독수리의 머리가 성과 속의 두 개여야 하는 겁니다. 머리가 두 개가 된 맹금류는 더 이상 하나만 보지 않습니다. 토끼나 사슴들처럼 사방으로 열려져 있는 생명의 공간을 마음대로 뛰어다닐 수 있습니다.

우리나라 말에 '새'라는 말에는 새롭다는 뜻도 있는 것처럼 까마귀든 비둘기든 독수리든 이 책을 통해 하나님과 신앙 주체로서의 자신에 대해 새롭게 생각해보았으면 좋겠습니다. 그런 점에서 독수리 이야기는 우리들에게 많은 것을 생각하게 해줍니다.

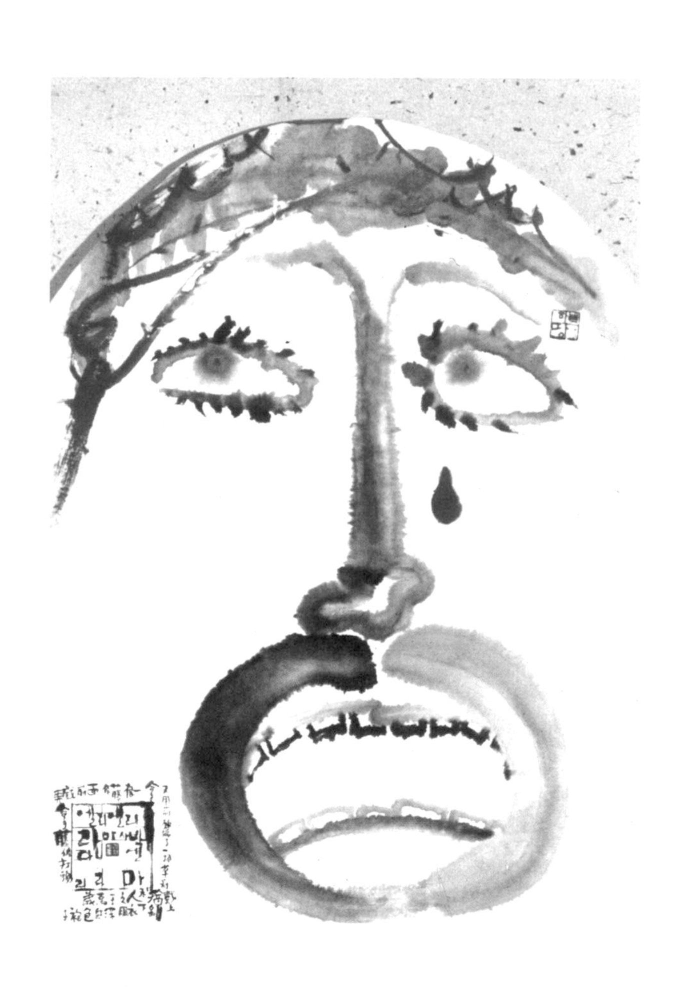

## 독수리의 눈

높은 곳에서도 아주 작은 짐승이 움직이는 것을
알아차리고 나래를 편다. 독수리는
하늘을 날지만 눈은 언제나 이 지상을 향한다.

하나님은 지극히 높은 구름 위에 계시지만
나를 지켜보신다. 하나님은
먹잇감이 아니라 나의
작은 상처 피멍이 든 곳을 알아채시고
빛으로 바람으로 어루만져주기 위해서

나도 언젠가 바위 동굴 속으로 들어가
털을 뽑고 다시 젊어지리라.
밝은 눈으로 작은 생명들의 상처를 보기 위해서
먹잇감이 아니라
보듬어 안을 작은 생명들을 찾기 위해서
비상한다.

# 제4부

서로 다른 방향을 향해
끝없이 뻗어나가는 수직선과 수평선은
오로지 딱 한 번 만날 뿐입니다.
그것처럼 지구상에서 딱 한 번만 일어나는 일,
그것이 바로 예수님의 부활이었던 것입니다.
이게 정말 십자가의 의미이지요.

# 17

## '그래도'라는 한마디 말

어렵고 힘든 일이 있을 때마다 우리는 하나님께 의지합니다. 하나님은 전지전능하신 분이니 하나님만 믿으면 하나님께서 나를 위해 뭐든 다 해주실 거라고 기대하는 사람이 많지요. 그런데 그렇지 않을 때가 훨씬 많습니다. 그럴 때는 많이 낙심하고 원망하기도 하지요. 때로는 원망하는 데서 그치지 않고 아예 하나님을 부정하는 데까지 이르기도 하지요. 내가 그렇게 간절히 기도하고 바랐는데 안 되니까 말입니다. 낳은 지 얼마 되지도 않은 자식을 잃은 사람을 생각해보세요. 도대체 내가 무슨 큰 죄를 지었다고 하나님께서 이렇게까지 하시는지, 갓 태어난 아이에게 무슨 큰 죄가 있다고 그렇게 데려가시는지, 이해할 수 없겠죠. 그런 상태에서 하나님을 계속 믿을 수 있을까요?

"하나님은 없어. 하나님이 정말 계시다면, 전능하신 분이라면 이릴 수는 없는 것 아냐?" 이런 반응을 보이게 됩니다. 어떤 면에서는 의사보다도 힘이 없으신 거 아니냐고 불평을 하기도 합니다. "내가 병들었을 때 병원에 가면 낫는데 하나님은 진통제만큼도 못하잖아. 내가 아파서 이렇게 가슴이 찢어지면서 매일 기도를 드리는데 하나님은 도대체 어디 계시느냐"는 것입니다. 안 믿는 사람들은 "하나님이 있는 것 같아? 하나님이 신이라면 그 증거를 보여봐"라고 말합니다.

구하라, 그러면 주실 것이라고 성경에 쓰여 있습니다. 두드리라, 그러면 열릴 것이라고 성경에 말씀이 있지요. 그런데 부는 아무리 구해도 대답이 없고 아무리 두드려도 문은 닫혀 있습니다. 니체의 말처럼 신은 죽었는가? 구하지 않아서 저 수백 만의 사람이 전쟁터에서 죽었는가? 두드리지 않아서 휴전선의 철조망은 끊어지지 않는가, 하고 사람들은 생각합니다.

## 비록 ……할지라도

많은 사람들이 이처럼 하나님의 권능이 권력이나 돈과 같은 세속적인 힘인 줄 압니다. 그래서 하나님이 일상적인 개인사부터 한 나라의 정치까지 좌지우지할 수 있어야 한다고 생각하지요. 그러나 이것은 하나님의 힘을 잘못 안 것입니다. 쉬운 예를 들어볼까요? 우리가 원하는 거라면 뭐든지 들어주는 것이 뭐가 있을까요? 『아라비안

나이트』에 나오는 마법의 램프가 있죠? 램프를 문지르면 거인이 나와 "네, 주인님" 하며 나오잖아요. 이 거인은 못하는 게 없죠. "나 배고프다" 하면 먹을 것을 가져오고, "나 어디 좀 가야겠다" 하면 날아다니는 융단으로 휙 실어 나르죠. 이것이 하나님입니까? 하나님이 우리의 '머슴servant' 인가요? 만약 이런 하나님을 원하는 거라면 알라딘의 마술 램프를 구하세요.

우리가 주일마다 교회 가서 예배드리고 십일조 내면서 "하나님! 우리 애가 아파요" 하면 탁 고쳐주는 게 하나님의 힘인 줄 알았다면 하나님을 마법의 램프의 연기 속에서 나오는 거인으로 잘못 안 것입니다.

그런데 많은 사람이 이렇게 기독교를 잘못 알고 있어요. 또 그렇게 알았기 때문에 믿음을 지속하지 못하고 결국 교회를 떠나게 됩니다. 이런 믿음은 소위 말하는 기복종교祈福宗敎일 뿐입니다.

우리가 하나님을 섬기는 이유는 그분이 나에게 꼭 어떤 보상을 해주기 때문이 아닙니다. 나한테 도움을 주든 안 주든 그분이 옳기 때문입니다. 또, 내가 어깃장을 놓으려고 해도 내 입이 저절로 권능의 하나님을 시인하기 때문입니다. 우리는 하나님과 상거래를 하고 있는 게 아닙니다. 하나님의 권능이 무엇인가? 왜 하나님은 침묵하는가? 이런 문제들을 다른 각도에서 살펴볼 필요가 있습니다. 하나님은 하루 이틀 침묵한 게 아니라 예수님 후에도 2천 년 동안, 그 이전에는 몇 천 년을 침묵해오셨다는 사실을 생각해보십시오.

예수님이 살아 계시던 이스라엘은 로마의 식민지였잖아요. 성경 어디에 보아도 예수님이 로마 군사를 몰아내 핍박받는 이스라엘 백성을 구해주었다는 기록은 없습니다. 아닙니다. 이는 그때 그의 제자들은 그런 힘을 예수님께서 보여주리라고 믿었습니다. 그런데 예수님이 제일 두려운 유혹, 그리고 그 시련이 무엇이었나요? 광야에서 처음 마귀의 시험에서 지상의 왕국을 주겠다는 것이었지요. 그것을 거부한 예수님인데 사람들은 오병이어의 기적을 보고 몰려왔지요. 그때 예수님이 저희들이 날짐승의 왕으로 만들려고 한다고 도망치십니다. 인류의 불행과 비극을 보면서도 아무 답변을 하지 않으신 하나님을 어떻게 해석해야 할까요?

그래서 한편에서는 인간의 일은 인간이 알아서 해야 한다는 신학적 흐름도 있습니다. 독일의 목회자이자 신학자였던 디트리히 본회퍼Dietrich Bonhoeffer(1906~1945)는 히틀러 정권에 침묵하던 당시 독일 목회자들과는 달리 반反나치 저항운동에 가담하여 히틀러 정권과의 싸움에 직접 나섰습니다. 이런 흐름은 나중에 가난하고 억압받는 자들의 해방을 위하여 교회가 혁명에 적극 나서야 한다는 해방신학으로까지 이어집니다. 하지만 이것 역시 하나님이 우리 혹은 세상에 어떻게 작용하는지 설명해주지는 못합니다.

저는 믿음이나 종교, 신앙이라고 하는 것에 대해 아직 잘 모르지만 딱 한 가지 눈여겨보는 말이 있습니다. 이건 보통 누구나 쓰는 말이죠. 바로 '올도우although' 입니다. '비록 ……할지라도' 란 단어지요. '비록 ……할지라도' 야말로 하나님 나라로 가는 천국의 열쇠입니다. 누구를 사랑합니다, 그런데 상대는 자신을 무시해버리는 거예요. 너무 사랑해서 무엇이든 해주고 싶어서 선물을 가지고 갔는데, 오히려 모욕하고 학대합니다. 다른 사람들은 말하겠지요. "얘, 저런 사람이 뭐가 좋다고 사랑하니?" 그러면 이렇게 말합니다. "그 사람이 나를 학대하고 내 사랑을 받아주지 않을지라도 나는 그 사람을 사랑해." 이것이 '비록 ……할지라도'의 진짜 사랑입니다.

이 말 때문에 인간은 몇 천 년 동안 하나님을 믿어온 것입니다. 만약에 이 말이 없었으면 어떻게 용서하고, 어떻게 따르고, 어떻게 권능을 인정할 수 있었을까요? 내게는 무력한 하나님임에도 불구하고, 나를 일상의 어려움에서 구해주지 않음에도 불구하고 하나님을 믿고 사랑하고 섬겨온 것입니다. 성경에서 제가 제일 좋아하는 것이 이 내용이고 이 내용 때문에 때로 아프고 가슴이 저려오면서도 하나님을 놓지 못하게 됩니다. 그런 경지가 진짜 신앙입니다.

이렇게 말을 하고는 있지만 저는 아직 거기까지 이르지 못한 것 같습니다. 그런 면에선 '아직 나는 문지기도 못 되는구나'라고 생각하곤 합니다. 전 아직도 입에서 '비록 ……할지라도'가 잘 안 나와요. '할렐루야, 아멘.' 이런 소리도 아직 낯설어요. 세례 받고 나서도 어색해서 잘 못합니다. 그것은 제 안에서 북받치는 뭔가가 아직 나오지 않아서 그렇습니다. 예레미야애가에서 예레미야 선지자가 얼마나 가슴 아픈 얘기를 합니까? 그러나 하나님에 대해 답답하고 속상하고 원망하는 마음을 느끼면서도 그는 하루도 못 참고 골수 저 밑바닥에서부터 북받쳐 오르는 감정을 고백하고 찬미합니다. 이것이 진짜 신앙입니다.

## '기브 앤 테이크'의 거래 관계

젊은 시절에 문학 이야기를 나눌 때 제자들과 친구들 여럿이 쭉 앉아 있으면 '오늘은 혼자 떠들지 말고 가만히 있어야지' 하고 마음을 다잡곤 했습니다. 나 혼자 막 떠들면 저 사람들 말할 기회가 없어지니까 참자고 다짐합니다. 그런데도 일단 입을 열면 시가 어떻고, 문학이 어떻고 나도 모르게 온갖 말들이 쏟아져 나옵니다. 왜냐하면 그때는 문학이나 시가 제 종교였기 때문에, 아무리 참으려고 해도 문학에 대한 열정을 참을 수가 없었던 것입니다. 신앙도 마찬가지입니다. '비록 ……일지라도'가 그것입니다. 그와 관련한 성경 구절을 한번 보겠습니다. 제가 제일 좋아하는 구절입니다.

> 비록 무화과나무가 무성하지 못하며 포도나무에 열매가 없으며 감람나무에 소출이 없으며 밭에 먹을 것이 없으며 우리에 양이 없으며 외양간에 소가 없을지라도 나는 여호와로 말미암아 즐거워하며 나의 구원의 하나님으로 말미암아 기뻐하리로다 (하박국 3:17-18)

성경을 영문판으로 읽다보면 제일 먼저 앞에 나오는 게 'though' 혹은 'although'란 말입니다. 무화과나무가 무성했을 때 찾는 사람, 포도나무에 열매가 많아야 감사를 드리는 사람, 외양간에 소가 많으니 하나님을 따르는 사람, 이러한 사람들은 누구나 할 수 있는 거래를 하는 것입니다. '기브 앤 테이크'죠. 준 만큼 받겠다는 거 아닙니까? 우리에게 절대적 사랑을 베푼다는 어머니조차도 이런 이야기를 하곤 합니다. "얘, 너한테 못해준 게 뭐가 있어? 너 슬퍼할 때 내가 뭐했지? 너 아플 때 뭐했어? 이런 거 저런 거 다해주었잖아. 그런데도 부모님한테 대들어?" 이게 인간의 사랑입니다. 부모라 할지라도 내가 준 만큼 안 해주면 섭섭합니다. 하지만 신앙은 하나님이 아무것도 안 준다 할지라도, 하나님을 기쁘게 섬기는 것입니다.

전능한 하나님이시라고 모든 걸 다해주시지는 않습니다. 하나님은 그런 곳에 힘을 발휘하시는 분이 아닙니다. 그런 것은 다른 데서 충분히 구할 수 있습니다. 자기의 노력으로 이루고자 하는 것을 이루고, 의사 선생님이 아픈 것을 낫게 해주고, 뭘 몰라 답답할 때는 학교 선생님이나 책을 통해 지식을 얻을 수도 있습니다. 그런 것을 하나님께 달라고 하는 게 아닙니다. 하나님은 하나님만이 할 수 있는 일이 있습니다. 인간이 힘으로 절대로 못하는 것, 그때 하나님의 권능이 시작되는 거죠.

죽음을 무찌르고 내가 죽고 난 후에도 다시 살게 하는 것이 바로 부활이지요. 하나님이 해주시는 것은 그런 겁니다. 또 우리의 원죄를 넘어서게 하는 것이지요.

많은 사람들이 '비록 ……일지라도'라는 말을 모르기 때문에 갚고 갚으면 주는 '기브 앤 테이크'를 신과의 관계로 생각합니다. 다시 한 번 말하지만 그건 거래 관계일 뿐 신앙이 아닙니다. 가게에서 지폐와 물건을 주고받듯이 신과 인간의 관계를 눈에 보이는 것으로 계산하려 드는 것이지요. 하지만 하나님의 사랑은 이 세상 어떤 지폐로도, 황금으로도 계산이 되지 않는다는 사실을 알아야만 합니다.

하나님과의 관계를 떠나 인간 사회에서도 부모님이 자식에게 집도 사주고 공부도 시켜주고 온갖 것을 해줬다고 효도 잘합니까? 오히려 부모가 나한테 별로 해준 것이 없는데도, 효도 잘하는 자식들이 많습니다.

성경의 이야기들도 모두 그렇습니다. 하나님의 백성이라고 하는 이스라엘 백성들이 나라도 없이 떠돌고, 가까스로 세운 남유다국도 멸망해버립니다. 그것을 안 예레미야 선지자가 애통해하면서 하나님께 읍소합니다. 그때 하나님이 뭐라고 하신 줄 압니까? 노예 될 자는 노예가 되라고 냉정하게 말씀하십니다.

예레미야애가를 읽어보십시오. 가슴이 찢어집니다. 6·25 전쟁 때도 그랬습니다. 끌려가서 고문당하고 죽고…… 그때 기독교인들이 제일 많이 당했습니다. 저는 그때 기독교인이 아니었지만 정말 가슴이 아팠습니다. 재미 소설가 김은국의 『순교자』를 읽어보면 알 것입니다. 목사님의 어디에 숨었느냐고 말하라고 해도 정말 믿는 사람은 그 고문에도 불구하고 말하지 않고 버텼어요. 그 힘이 무엇이냐는 것입니다. 그게 바로 하나님의 올마이티, 전능한 힘입니다. 그분의 힘을 믿고 고난을 견디는 것, 그것이 곧 하나님이 계시다는 사실을 알려주고 있습니다.

## 언제나 지는 하나님

하나님하고 인간하고 싸우면 누가 이길 것 같습니까? 당연히 하나님이 이긴다고요? 아닙니다. 하나님이 집니다. 성경을 읽어보세요. 모두 그런 이야기입니다. 야곱과 천사가 씨름해서 누가 이겨요? 놀랍게도 인간한테 하나님의 군사인 천사가 지고 맙니다. 그런데 어떻게 됐습니까? 이긴 사람이 거꾸로 진 사람에게 막 도와달라고 살려달라고 매달리잖아요. 힘의 차원이 다르기 때문입니다.

예수님은 어땠습니까? 로마 병정한테, 유대인 바리새인들한테 졌잖아요. 그래서 십자가에 못 박혔잖아요? 로마 병정들에게 끌려가 비참한 매질을 당하고 창에 찔려 피를 흘립니다. 철의 십자가를 걸고 히틀러가 사람들을 죽일 때 자기가 이긴 거라고 생각했겠지요. 그러나 그건 이긴 게 아닙니다.

하나님하고 인간하고 싸워서 인간이 이긴다는 것은 표면적인 것입니다. 늘 마지막에는 인간의 힘의 한계를 알고 하나님의 힘을 구합니다. 이때 문이 열리고 진정으로 구하는 것이 주어지는 거예요. 하지만 결국은 누가 이겨요? 히틀러는 죽었지만 그때 핍박받은 유태인들은 오히려 처음으로 이스라엘 땅을 찾아 나라를 세우잖아요. 지배국인 로마가 기독교의 나라가 되는 것처럼 말입니다.

하나님의 권능이라 함은 자잘한 물리적 힘이 아니라 인간이 절대 이길 수 없는 죽음을 정복하는 것입니다. 모든 인간은 죽음 앞에서 패자입니다. 인간은 아무리 이겨봤자 결국 죽음 앞에 무릎을 꿇게 됩니다. 그런데 이 죽음을 정복하는 자는 하나님 딱 한 분뿐이십니다. 하나님이 지는 것 같아도 결국 이기십니다. 이런 얘기를 하면 "어휴, 저 사람 세례도 엊그제 받고 성경도 몇 번 안 읽었으면서 말이야. 무식해서 저래"라고 하는 분이 계실지도 모르겠습니다.

저는 아직 어림도 없지만, 우리는 이런 것을 알고 고난과 관계없이 하나님을 찾고 섬기는 수준이 되어야 합니다. 이 하박국 3장 17절이 없었다면 제 신앙은 자라지 못했을 것입니다. 내 과수원에 포도나무 열매가 없을지라도, 내 외양간에 송아지가 없을지라도 나는 하나님으로 인해 기쁘다는 고백이 나올 정도는 되어야 진정한 크리스천이라고 할 수 있습니다. 외양간 이야기를 하는 것은 유목민의 경우이고, 포도를 심어놓고 열매를 기다리는 것은 농경민입니다. 그러니 모든 사람들을 의미하는 것이지요. 어느 민족이든 부자이든 가난한 사람이든 무화과나무가 무성치 못하고 포도나무가 아무 열매를 맺지 못해도 하나님을 찬송하고 섬기려는 마음을 영어로 말하자면 필요한 것을 구하는 'need'가 아니라 내게 없는 것을 찾는 'want'지요.

우리는 어땠습니까? 우리 민족은 가난도 겪어보고, 전쟁도 겪어보았습니다. 6·25 전쟁이 끝났을 때는 더 이상 희망이 없어 보였습니다. 해방 직후, 내가 겪었던 것을 생각해보면 그런 시절을 어떻게 살았을까 싶기도 합니다. 당시에는 정부가 있는지도 모를 정도의 상태였고 법도 제대로 있는 것 같지 않고 서로 밀치고 헐뜯으며 살았습니다. 겨우 나라 꼴을 갖춘 후에도 수많은 정치적인 혼란을 겪으며 살았습니다.

내 조국이 다른 나라에 비하면 형편없고, 내게 아무것도 해준 것이 없는 것 같을 때라도 나는 조국을 사랑했고, 그게 당연하다고 생각했습니다. 나만 하더라도 일본 애들이 컴퍼스로 손을 막 찍어도 대항하지 못했던 시절을 살았습니다. 일본 애들과 감히 싸우지 못했던 때였지요. 선생님이 일본인 편인데 어딜 가서 하소연하겠습니까? 우리 동요도 못 불렀지요. 군가가 아닌 동요를 부르면 미국인이라고 했지요. 오로지 군가만 불렀습니다. "하나또 지레(벚꽃처럼 죽어라)." 열 살 먹은 애들이 빨리 죽자는 이런 노래를 배우며 학교를 다녔습니다. 그래서 나는 일본이 내 나라인 줄 알았습니다. 그런 조국에서 우리가 살아남아서 여기까지 왔습니다. 어떻게 그럴 수 있었을까요? 딱 한마디로 말해볼까요? 바로 'although' 라는 말이 있었기 때문입니다.

하루아침에 일장기가 태극기로 바뀌었을 때, 그 조국의 남루함은 말로 표현하기가 힘들었습니다. 마치 남의 남편에게 폭력을 당한 내 어머니의 처지 같았습니다. 그런 상황에서 그 어머니가 어떻게 자식을 잘 돌볼 수 있었겠습니까? 게다가 세계 전쟁사에서 가장 잔인한 전쟁이라는 한국전쟁까지 일어났습니다. 조국은 저에게 아무것도 해주지 않았습니다. 그런데도 제가 이 땅에 남아서 그래도 이게 내 조국이고, 조상들이고, 우리 아버지, 할아버지라며 "그래, 한국은 자랑스러운 거야"라고 말할 수 있는 것은 바로 'although' 때문입니다.

조국이 나를 위해서 아무것도 안 해줬는데, 조국이 지켜주지 못했는데, 병자호란 · 임진왜란 때 코까지 베어 갈 때도 무력했는데, 그런데도 조국이고 우리나라라고 우리 동족이라고 한국인이라며 살아오지 않았습니까? '비록 ……일지라도' 때문이죠. 비록 조국이 나에게 아무것도 안 해줬을지라도 나는 내 조국을 버리지 않았지요. 왜, 사랑했으니까. 믿었으니까. 내 이웃을 사랑하고 나를 사랑한다는 것입니다.

'비록 ……일지라도'는 고백하자면, 사실 나 자신을 위한 것입니다. "내가 무능할지라도, 내가 죄를 지었을지라도, 내가 남보다 체력이 뒤쳐질지라도, 내가 나를 어떻게 미워하랴. 나의 존귀함을 지켜야지. 내 마지막 프라이드를 지켜야지. 하나밖에 없는 내 생명인데, 이걸 헛되게 쓰지 말아야지"라고 생각하고 사는 겁니다. 이제까지 내가 타락하지 않고, 많은 사람들이 자포자기할 때도, 며칠을 굶어서 하늘이 노랗게 보여도 절망하지 않았던 이유는 자살하지 않았던 바로 우리말이, 문학이 있었기 때문이었습니다. "분해서라도 이것을 글로 남기리라. 이 원통함을 글로 남기리라." 내가 절망 속에서 글 쓰는 사람이 되고 저항의 문학을 쓰던 때가 그때였습니다. 그때 이미 하나님이 곁에 계셨던 겁니다.

힘

무엇이든 힘든 일이 생기면
사람들은 당신 앞에
기도합니다.

돌같이 무거운 짐을
대신 져달라고 하고
쇠처럼 단단한 성벽을
부숴달라 합니다.

그러나 우리는 압니다.
작은 가시에도 피 흘리시는 이마
창끝에 찔리신 옆구리의 아픔

타는 목마름을 견디시다 못해
신 포도주를 마셨던 것을.

순수한 것은 흰 눈처럼 무력하고
참된 것은 어린양처럼 늘 굴종합니다.

그러나 압니다.
우리가 사랑할 때 하나님의 힘이
얼마나 강한가를 알고
죽음 앞의 순간에 하나님의 힘이
얼마나 무한한가를 압니다.

바다를 가르고 산을 쪼갭니다.
그것은 쓰나미의 힘이 아니라
화산이 폭발하는 힘이 아니라
가장 부드럽고 섬세한 봄바람 같은 힘
생명을 일으키는 숨결의 힘이라는 것을

우리는 압니다.

# 18
## 양을 모는 지팡이

성경 가운데 고통을 호소하면서 하나님께 거세게 저항하는 내용으로는 예레미야애가가 가장 걸작입니다. 예레미야는 예레미아애가 3장에서, "나의 살과 가죽을 쇠하게 하시며 나의 뼈들을 꺾으셨고 고통과 수고를 쌓아 나를 에우셨으며 나를 어둠 속에 살게 하시기를 죽은 지 오랜 자 같게 하셨도다"(예레미야애가 3:4-6)라고 자신이 겪고 있는 고통을 묘사합니다. 그리고 하나님을 원망하는 듯한 노래를 계속합니다. "내가 부르짖어 도움을 구하나 내 기도를 물리치시며 다듬은 돌을 쌓아 내 길을 막으사 내 첩경을 굽게 하셨도다"(예레미야애가 3:8-9).

예레미야는 어찌할 수 없는 고통에 몸부림치며 하나님께 이렇게 울부짖습니다. "활을 당겨 나를 화살의 과녁으로 삼으심이여 화살통의 화살들로 내 허리를 맞추셨도다"(예레미야애가 3:12-13). 얼마나 깊은 고통인지 생생하게 가슴에 와 맺힙니다.

문학을 공부한 사람으로서 성경 가운데 최고의 수사학을 발휘하여 읽는 이의 가슴을 가장 아프게 파고드는 것은 바로 '예레미야애가' 편이라고 생각합니다.

보통 사람이라면 "하나님이 나를 버리셨도다" 하고 말았을 텐데, 예레미야는 고통을 집중적으로 겪는 자신을 활의 과녁에 비유합니다. 과녁은 우리가 활쏘기를 연습할 때 막 쏘는 데잖아요. '나를 과녁으로 삼으셨다' 는 것은 하나님이 고통을 주는 대상으로 자신을 선택했다는 의미인 거죠. "왜 나를 이렇게까지 하십니까?" 하며 "나는 소망까지 끊어졌습니다" 하는 겁니다. 얼마나 고통스러웠으면 이렇게 썼을까요?

## 개별적 주체로 하나님 만나기

구약에는 '나' 라는 게 없다고 말하는 사람들이 있습니다. 왕이거나 그냥 민족 집단으로, 이스라엘 백성으로 묘사되었다고요. 그러니까 구약에는 '나' 라는 개체가 없다는 말이지요. '나' 라는 개념은 신약에서 비로소 나오기 시작했다고 합니다. 하지만 예레미야애가를 보면 그렇지 않습니다.

유대인들은 기원전 6, 7세기 남유다국이 멸망하면서 바빌로니아의 포로가 되거나 이집트로 잡혀가면서 뿔뿔이 흩어집니다. 하나님이 아닌 우상을 숭배하다가 저주를 받아 호된 형벌을 겪으며 유랑하기 시작한 거죠. 이 기간이 신약이 펼쳐지는 시간입니다. 성경의 예레미야서, 이사야서가 뒤에 오는 신약의 배경이 되는 것입니다.

그런데 이렇게 하나님과의 단절을 겪고 절망을 느끼면서 거기에서 극적인 변화가 이루어집니다. 즉 그전에는 개인이라 할지라도 한 나라를 대표하는 왕들 정도였다면 이때부터 선지자 개인의 이야기가 나오기 시작합니다. 소위 '나'라는 개체가 하나님과 직접 만나기 시작하는 겁니다.

예수님이 "주여, 나를 버리시나이까" 하고 외치는 그 순간에 모든 것이 하나님과 나의 문제가 됩니다. 조국이나 이스라엘 백성, 모세가 이끌고 나갔던 민족이라는 집단과의 관계가 아니라 바로 '나'와의 관계입니다. 이스라엘 사람이든 한국 사람이든 신과 맞대결하고 있는 존재는 언젠가 죽을 수밖에 없는 한시적 존재로서의 '나'라는 거지요. 예레미야애가뿐만 아니라 이사야서에서도 '나'가 등장합니다.

여기서 얘기하고 싶은 것은 이렇게 '나'를 기준으로 하면 종교를 보는 눈이 달라진다는 겁니다. 보통 작은 개체와 큰 단위, 이를테면 개인이나 국가, 민족 같은 관계에 대해서는 의義를 위해 목숨을 바친다는 살신성인殺身成仁이나 사사로운 것을 버리고 공公을 위해 봉사한다는 멸사봉공滅私奉公의 관계가 성립되곤 합니다. 신앙으로 말하자면, 나를 헌신하고 희생하여 하나님께 공을 돌리는 것과 같이 말입니다. 하지만 기독교로 보면 이것은 사실이 아닙니다.

개인을 버리고 상대적으로 큰 존재를 높이려는 다른 종교와 달리 기독교는 혼자서도 하나님의 목소리를 듣고 거기서 '나' 만의 왕국을 만들 수 있다고 합니다. 이것이 기독교의 힘이기도 합니다. 이게 무슨 말일까요? 서양 문명, 그 가운데서도 특히 기독교 문명을 알려면 개인과 집단, '나' 와 '우리' 를 알아야 합니다. 동양 문화권에서는 '나' 보다 '공동체' 가 우선이었습니다. 함께 일해야 수확할 수 있는 농경문화권이었기 때문이지요. 반면에 서양에서는 혼자 수렵을 하거나 가족 단위로 유랑하며 목축을 했습니다. 동양에 근대화가 이루어질 때, 서구 문물뿐만 아니라 집단으로서의 나, '우리' 로서의 '나' 가 아닌 '개인' 으로서의 '나' 라는 관념까지 함께 들어왔습니다.

그런데 이렇게 개별적 주체로서의 근대인을 만드는 데 결정적인 역할을 한 것이 기독교입니다. 그리고 그것은 개인이 개인으로 존재할 수 있게 하는 기본적 토대인 육체로서의 생명 · 목숨을 깨닫게 해주었습니다.

앞에서도 한 번 이야기한 것처럼 우리나라 사람들은 하나 됨에 대한 갈망이 큽니다. 그래서 때로 어머니들은 "네가 아프면 내 살이라도 베어주고 싶다"는 극단적인 말을 할 때도 있고, 옛날 이야기에 부모님의 병을 낫게 하기 위해 자기 살을 베어 먹인 효자 이야기도 많이 전합니다. 남의 살과 자기 살까지도 합치려고 할 정도인 거예요. 이건 생명을 나누는 것과 다름없습니다. 하지만 실제로 어디 그렇습니까? 바늘에 찔린 작은 아픔조차도 다른 사람이, 설령 그게 부모라도 혹은 연인이라도 대신할 수는 없습니다.

아무리 가까운 사이라고 할지라도 생명의 차원에서는 남이 될 수밖에 없습니다. 어쩔 수가 없어요. 아무리 사랑하는 사람이라도 숨이 넘어갈 때 내가 옆에서 무엇을 할 수 있습니까? 우두커니 바라볼 수밖에 없습니다. 그렇게 사랑하는데 저 사람이 숨 쉬는 게 내가 숨 쉬는 것 같고 저 사람이 웃는 것도 내가 웃는 것 같은데, 감기만 걸려도 내가 대신 아파해줄 수 없다는 것을 알게 됩니다. 그의 기침을 대신해줄 수가 없거든요. 민족이든 국가든 가족이든 마지막에 남는 것은 그저 외톨이인 '나', '싱글single', '단수單數'란 말입니다.

## 외롭고 고통스러운 삶

인간으로 태어난 예수님도 마찬가지였지요. "누구든지 나를 따라오려거든 자기를 부인하고 자기 십자가를 지고 나를 따를 것이니라"(마태복음 16:24)라고 말씀하십니다. 인류의 죄를 대속하기 위해 십자가를 지셨음에도 예수님은 십자가를 지고 혼자 골고다를 걸어가실 수밖에 없었습니다. 철저하게 '나' 혼자입니다.

그런 면에서는 불교도 같습니다. 한 나라를 다스려야 하는 왕자이고 아버지가 그렇게 애원하는데도 석가모니는 그 손을 뿌리치고 카피라 성을 떠납니다. 세속에서의 부자 관계는 무상 속에서 사라지고 마는 것일 뿐 진정한 인연이 아니라는 걸 석가모니는 안 것입니다. 진정한 관계는 오직 깨달음 속에서만 가능함을 알았던 것이지요.

우리나라 사람들은 기질이 물러서 절대 그렇게 못합니다. 아버지가 잡은 손을 절대 그렇게 뿌리치지 못하지요. 『삼국유사』를 보면 우리 식의 부모와 자식 간의 감정을 헤아릴 수 있는 대목이 나옵니다.

신라의 진정법사는 의상대사의 10대 제자 중 한 사람인데 불심과 효심이 깊었던 그는 의상스님이 설법하신다는 얘길 듣고 홀어머니에게 이렇게 말합니다. "설법을 들으러 가고 싶지만 어머님 돌아가실 때까지 효를 다하고 그 후에 출가하겠습니다." 그러자 홀어머니가 만류를 합니다. 불법은 만나기 어렵고 인생은 빠르니 효를 다한 다음에는 이미 늦는다는 것이지요. 그러나 아들은 다시 자신의 뜻을 굽히지 않습니다. 홀어머니를 놔두고 출가를 할 수는 없다고요.

그러자 홀어머니는 더욱 강한 어조로 아들을 채근합니다. 급기야는 7홉밖에 남아 있지 않은 쌀로 밥을 지어서는 "길을 가는 중간중간 밥을 지어 먹으면 늦을 것이니 여기서 한 홉만 먹고 나머지는 길 떠나 있는 동안 먹으라"고 싸줍니다. 진정은 어머님을 버리고 출가하는 것도 자식으로서 도리가 아닌데 어찌 며칠의 양식이 될 이 밥을 갖고 가겠느냐면서 한사코 거절하지만 어머니는 막무가내였습니다. 더 이상 거절할 수 없게 된 진정은 어머니를 남겨두고 밤낮으로 걸음을 재촉하여 3일 만에 의상에게 입문하여 머리를 깎고 진정이라는 이름으로 법계를 받은 후 용맹정진 해 큰 승려가 되었습니다. 이렇게 우리나라는 부모 자식 간 정서가 유별납니다.

우리나라 사람에게는 유럽이나 인도 같은 나라에 비해서 '나' 라고 하는 개체를 기초로 한 종교의식은 희박했습니다. 그래서 오늘날에도 개인을 바탕으로 한 기독교를 믿으면서도 공동체를 이루어 움직입니다. 교회에 나와서도 대부분이 무작위의 타인이 아닌 자기 가족, 혈연을 위해 기도합니다.

그런데 예레미야애가에서 '나를 활의 과녁으로 삼았도다' 하는 것은 죄를 지은 이스라엘 민족 전체가 아니라 선택된 사람으로서의 자기를 왜 고통스럽게 하고 기도를 들어주지 않는가 묻는 것입니다. 예레미야는 하나님의 말씀을 전하고 그분 말대로 살았음에도 불구하고 사람들에게 조롱감이 되고 바보가 됩니다. 그는 유대 나라가 멸망당하고 예루살렘이 파괴되며 그 백성들이 포로로 잡혀갈 것을 예언했습니다. 그러나 이 때문에 수많은 고초를 겪고 평범한 결혼 생활도 포기해야 했습니다. 그래서 하나님께 나를 왜 속였느냐며 따지고 덤벼드는 것입니다. 욥도 이렇게까지 노골적으로 하나님을 향해서 대들지는 않았습니다.

그럼에도 불구하고 "내가 말할 때마다 외치며 파멸과 멸망을 선포하므로 여호와의 말씀으로 말미암아 내가 종일토록 치욕과 모욕거리가 됨이니이다. 내가 다시는 여호와를 선포하지 아니하며 그의 이름으로 말하지 아니하리라 하면 나의 마음이 불붙는 것 같아서 골수에 사무치니 답답하여 견딜 수 없나이다"(예레미야 20:8-9)라고 고백하죠.

흔들리지 않는 '나' 라는 개체가 여기서 나오는 것입니다. 선지자라는 것은 한 개인의 삶으로 본다면 너무 외롭고 고통스러운 것입니다. 그 고통 속에서야 비로소 하나님과 맞닥뜨려 하나님과의 대화가 시작됩니다. 그 사이에는 교회도, 민족도, 국가도, 인류도 없습니다. 왜? 내 삶은 누구도 대신할 수 없기 때문입니다. 부모라 할지라도 국가라 할지라도 나의 죽음, 하나의 생명 앞에서는 어떤 의미도 없습니다.

이러한 개인의 발견을 담은 소설이 있습니다. 그것이 바로 아이들도 알고 있는 『로빈슨 크루소』입니다.

로빈슨 크루소는 혼자 무인도에 있으니 자기 학식이나 친척, 부모, 교회, 아무것도 소용이 없습니다. 홀로 떨어져서 천지창조 다음날 같은 곳에 남겨졌는데, 그 사람이 목매달아 죽었나요? 아닙니다. 남의 힘 빌리지 않고, 국가의 힘 빌리지 않고, 사회의 힘 빌리지 않고 심지어 언어의 힘도 필요 없이 혼자서 살아갑니다. 우물 파고 집 짓고 하면서 누구와 맞섰습니까? 자연과 맞섭니다.

그때 로빈슨 크루소는 하나님의 천지창조 일곱째 날에 있는 것과 같습니다. 그가 살았던 곳은 '나' 스스로 만든 한 왕국이고, 한 사회였어요. 우리는 스스럼없이 '우리' 라는 말을 많이 쓰는데, 사실 정확하게는 '나' 라고 써야 합니다.

과거 선교사들이 '우리' 라는 말을 잘못 써서 전도에 실패한 얘기를 많이 합니다. 아프리카에 가서 원주민들에게 하나님 믿으라고 이야기하며, "주여 우리는 죄인입니다. 하나님 앞에 회개해야 합니다. 우리는 모두 하나님 앞에 죄인입니다" 하니까 원주민이 하나둘 다 가버렸다는 겁니다. 그래서 후에 선교사가 원주민에게 물어봤대요. "왜 기도드리는데 다 도망가죠?" 그랬더니 "아, 당신들이 자기네가 모두 죄인이라고 하잖았습니까?" 하더랍니다. '우리는'을 선교사는 아프리카 원주민들을 포함한 우리 인간 전부를 가리키는 말로 쓴 것인데 아프리카에는 '우리'라는 말에는 두 가지가 있었다는 것이지요. 말하는 사람과 듣는 사람을 다 포함한 '우리,' 또 하나는 말을 듣는 상대방과 구분되는 나를 가리키는 '우리'. 원주민들은 후자의 의미로 알아들은 거지요.

이런 예가 성경에도 있습니다. 창세기에 보면 하나님이 인간을 만들 때, "우리의 형상을 따라 우리의 모양대로 우리가 사람을 만들고"(창세기 1:26)라고 이야기하십니다. 하나님은 유일신이니까, 한 분밖에 안 계시니까 우리가 아니라 '나'여야 하는데 '우리'라고 하셨습니다.

성경을 잘 모르는 사람들은 "봐라, 옛날에 신이 많았는데 여호와가 다른 신들을 다 물리치고 나서 '다른 신을 섬기지 마라'라고 했다는 증거가 아니겠냐"고 할 겁니다. 더 나아가 "옛날에는 다신多神이었는데 점점 종교적으로 체계화되면서 유일신이 된 것뿐"이라고 유일신을 부정하기도 합니다. 사실 난 이 문제로 목사님들과 토론도 많이 했습니다.

그런데 뒤에 알고 보니 동방의 언어는 왕이나 절대 권력자 등 위대한 사람을 일컬을 때는 '나' 라고 하지 않고 '우리' 라고 복수형으로 썼다는 겁니다. 모든 백성, 사람들을 아우르는 존재이기 때문에 '우리' 인 것이지요. 그래서 기독교에서 말하는 '우리' 는 '나' 라는 뜻인 겁니다. 신만이 하나가 아니라 인간도 유일자로서의 외로운 개체, 그 자아, 이 드라마틱한 치열성이 기독교의 한 모습입니다. 누구나 예레미야 선지자와 같습니다.

사람들은 예수를 믿는다면서 개인의 복을 구하러 오는 경우가 많습니다. 그러나 우리가 신을 믿는 그 순간부터 고난의 가시밭길이 시작됩니다. 그러기에 성경에는 축복받는 장면보다 고통을 받는 장면이 훨씬 더 많이, 그리고 생생하게 그려져 있습니다. 그 절정인 예레미야애가의 구절들은 문학적으로 얼마나 세련되고 그 수사가 절실한지, 다른 종교의 경전經典에서는 거의 찾아보기 어렵습니다. 외로움, 그것이 집단에 묻힌 나를 찾게 해줍니다. 예수님이 소외층, 고통 받는 사람, 병든 사람을 찾아다닌 것은 그들이 외톨이이기 때문에 고립되어 있기에 '나' 를 그 생명을 알고 있는 개체였기 때문이지요.

## 고독은 홀로 있다라는 것

아마 이 이야기를 듣는 사람들 가운데도 자신이 예레미야 같다고 느끼시는 분들이 많을 것입니다. 어제까지 평화로웠는데, 어느 날 갑작스럽게 전화 한 통을 받아요. 청천벽력 같은 불행의 말이 전해지는 것이지요. 평화로워 보이는 숲 속에 숨어 있다가 갑자기 덤벼드는 음흉한 곰이나 호랑이처럼 말이지요. 그래서 예레미야 선지자도 이렇게 말합니다.

"그는 내게 대하여 엎드려 기다리는 곰과 은밀한 곳에 있는 사자 같으사"(예레미야애가 3:10). 여러분이라면 그때 심경이 어떻겠습니까? 예레미야 선지자가 말한 대로 "나의 길들로 치우치게 하시며 내 몸을 찢으시며 나를 적막하게 하셨도다"(예레미야애가 3:11), 이런 심정이지 않을까요?

살아 있는 자기를 죽은 자 다루듯이 쓴 이 구절을 읽으면 너무 가슴이 아프고 불쌍하게 느껴집니다. 그러면서도 하나님을 믿으니 말입니다. 예레미야는 욥하고 똑같습니다. 이사야, 예레미야 등 선지자의 모습은 하나님과 집단의 관계가 아니라 나와의 문제, 내 삶, 생의 문제로 이어지고 있음을 깨닫게 합니다. 이 성경들이 점점 발전되어 각각 제자들의 입장과 고민이 반영된 신약이 나오고 그 절정에 사람의 아들로 태어난 하나님의 아들, 이 세상에서 가장 외로웠던 예수님의 죽음과 부활이 일어납니다.

그래서 성경에서 개체인 내가 근대적 자아로 진화되어가는 과정을 통해 하나님을 만나는 개인으로서의 자신을 만나지 못한다면 성경을 제대로 읽지 못한 것입니다. 로빈슨 크루소처럼 무인도에 내가 고립되고, 사막 광야에 내던져졌을 때에야 비로소 하나님과 만날 수 있습니다. 이 만남은 '나' 라는 개인 자격으로 이루어지는 거지요. 그런데 과연 몇 사람이나 그런 만남을 경험하겠습니까? 우리는 무인도나 사막에 떨어져보기는커녕 전통적으로 자연과 친하고 교섭하면서 공동체 안에서 살아왔기 때문에 그 치열함을 실감하지 못하는 경우가 많습니다. 우리에게는 그 텅 빈 사막, 광야에 홀로 서본 적이 없었어요.

예수님께서 A+ 학점을 준 베드로도 예수님을 부정하고 도망가잖아요. 하물며 예수님을 뵙지도 못한 우리가 베드로보다 나을 수 있겠습니까? 그만큼 혼자 있을 때 신앙을 지키기가 어렵습니다. 그러니까 좀 약해도 된다, 신앙심이 철저하지 않아도 된다, 그런 얘기가 아닙니다. 예레미야애가 같은 성경을 통해 선지자의 삶이 얼마나 치열한지를 간접 체험하고 과연 내가 이런 상황이라면 예레미야처럼 끝까지 하나님을 믿고 따르며 기도드릴 수 있을까 끊임없이 생각하라는 것입니다.

예레미야는 자신에게 고통 주는 하나님께 원통함을 호소합니다. 그래도 하나님은 이미 결정된 일이니 하는 수 없다고 끝까지 무심합니다. 그래도 선지자는 포기하지 않습니다. 끝까지 하나님을 좇아다니면서 자기 백성을 위해 기도하다가 마지막에는 이집트로 끌려갔습니다. 예레미야의 최후가 어땠는지는 정확하게 전해지지 않지만 가혹한 노예 생활 끝에 거기서 비참하게 죽었을 것이라고 합니다.

저는 예레미야의 애가를 읽을 때마다 고통 받는 예레미야도 안됐고, 아무리 죄를 지었다지만 유대 민족에게 무심한 하나님도 너무하다고 생각합니다. 사람이라 큰 하나님의 뜻을 헤아리려 하기보다 사람들 편이 되는가 봅니다. 이게 어쩔 수 없는 인간의 마음이라는 거겠죠. 휴머니즘이고요. 진짜 기독교인이 되려면 이 휴머니즘까지도 넘어서야 합니다. 앞으로 우리에게 예레미야 같은 불행이 없으라는 법이 없고, 또 거짓 선지자들에게 속아서 진짜 선지자를 핍박하는 현실이 없으리라고 말할 수 없습니다.

## 혹독한 슬픔과 절망 속의 희망

하나님이 진짜 있다면 어떻게 이럴 수 있을까 싶은 마음이 든다면, 예레미야애가를 읽어보세요. 앞에서도 말했듯이 이렇게 혹독한 슬픔과 절망을 노래한 문학은 어디에도 없을 것입니다. 그런데 애가를 읽다보면 그 혹독한 운명 속에서도 예레미야가 보고 있는 희망이 느껴집니다. 그의 진실한 고백, "아, 소망이 끊어졌다"는 절실한 말 속에서 오히려 우리는 희망을 찾을 수 있습니다. 저런 절망 속에서도 믿는구나, 그분을 따르는구나, 어떻게 저런 고통을 당하고서도 하나님을 찬양할 수 있을까. 대체 하나님의 무엇이기에. 그 힘은 도대체 어디에서 오는 것인가.

'그럼에도 불구하고' 라는 엄청난 힘이 그의 절망보다 크다는 것을 선명하게 느낄 수 있습니다. 절망이 크면 클수록, 사위가 어두우면 어두울수록 작은 희망, 작은 빛이 더 크게 느껴지는 법이니까요. 우리가 아무리 절망적인 상황에 처한다 해도 예레미야만 하겠습니까? 그러니 우리 정도의 절망은 언제든 이겨낼 수 있다는 역설적인 희망의 노래를 예레미야의 슬픈 노래 속에서 들을 수 있는 것입니다.

## 지팡이를 드신 분

—예레미야애가

양羊은
앞에서 이끌어갈 수도 있고
뒤에서 몰아갈 수도 있다.

늑대를 만나면 지팡이로 쫓고
무리를 떠난 양이 있으면
지팡이로 길을 인도한다.

사람은
앞에서 이끌어도 따라오지 않고
뒤에서 몰아도 멈춰 서지 않는다.
지팡이를 세우고 휘두르면
덤벼들거나 풀이 죽어 주저앉는다.

양을 이끌어가듯이 몰아가듯이
늑대를 쫓고 길을 찾아주시는 분
여기 계시다. 아론의 지팡이처럼
죽은 막대에서 생명의 잎을 피우는
사람의 가슴에 양의 순종을 심는
지팡이를 드신 분이 여기 계시다.

# 19
## 잃고 또 잃어버려도

종교나 신화는 문학의 수원지입니다. 서구의 문학, 그 언어의 강을 지배해온 두 개의 큰 수원지를 흔히 사람들은 그리스 와 유대 기독교 정신에 두고 있습니다. 헬레니즘과 헤브라이즘이지요. 고대 그리스인들이 생각한 신과 헤브라이인의 신은 여러 가지 면에서 대조적이었고, 이렇게 서로 다른 신들의 모습은 신전의 제단에서만이 아니라 문학작품 도처에 그 옷자락을 드리우고 있습니다.

그렇다면 헬레니즘의 근원이자 대표작인 호메로스의 서사시에 맞설 만한 헤브라이즘의 작품으로 과연 어떤 것을 꼽을 수 있을까요? 보는 사람 관점에 따라 다르겠지만, 저는 기원전 500년경에 쓰여진 구약의 '욥기'를 꼽고 싶습니다. 성경 가운데서도 독립된 하나의 문학작품으로 완벽한 형식을 갖추고 한 개인의 성격을 뚜렷하게 부각시킨 것으로 '욥기'만 한 것이 없기 때문입니다. '영웅서사시'

라는 측면에서 호메로스의 『일리아드』와 비교해도 뒤지지 않습니다. 두 작품은 너무나 대조적이어서 우열을 따질 수가 없습니다.

호메로스의 아킬레우스는 육신의 영웅이지만 욥은 고난을 이기는 정신(영혼)의 영웅이기 때문입니다. 그리스인은 이상적 인간을 영웅상 속에서 구했지만, 헤브라이 사람들은 성자상에서 그것을 구했습니다.

## 아킬레우스와 욥

『일리아드』의 아킬레우스는 그리스에서 으뜸가는 인간 '아가토스' 라고 되어 있습니다. 이때의 아가토스는 무사武士와 전사戰士로서 최고의 소질을 뜻하는 것이며 육체적으로 강한 것을 의미할 뿐 도덕적인 면은 전혀 포함되어 있지 않습니다. 욥기의 첫머리에도 욥은 "동방 사람 중에 가장 훌륭한 자라"(욥기 1:3)라고 표현되어 있습니다. 다 같이 으뜸가는 사람으로 그려져 있지만, 욥은 육체적인 강자로서 '훌륭한 자' 가 아니라 "온전하고 정직하여 하나님을 경외하며 악에서 떠난 자"(욥기 1:1)라는 면에서 가장 훌륭한 사람이라는 뜻입니다. 그러니, '아가토스' 와는 반대로 육체적인 힘은 전연 포함되어 있지 않습니다.

아킬레우스나 다른 영웅들이 신에게서 사랑을 받는 것은 과거에 서로 돕고 도와준 의리 때문입니다. 테티스가 제우스에게 청탁을 할 때에도 옛날 제우스를 도와주었던 자신의 공적을 강조합니다. 엄격하게 말해서 신과 인간, 그리고 인간과 인간의 관계가 현세적인 이해관계로 맺어져 있는 거죠. 그러나 여호와가 욥을 사랑하는 것은 이해관계를 떠난 절대적인 '믿음'이었습니다. 그 증거로써, 욥을 사랑하는 여호와에게 사탄은 이렇게 말합니다.

> 욥이 어찌 까닭 없이 하나님을 경외하리까 주께서 그와 그의 집과 그의 모든 소유물을 울타리로 두르심 때문이 아니니이까……(욥기 1:9-10)

신을 받드는 욥을 사탄은 '기브 앤 테이크'의 현세적인 이해관계로 본 것입니다. 그리스 신들의 경우라면 이런 말을 듣고 조금도 화내지 않을 것입니다. 그리스 신화의 세계에서 신과 인간은 '까닭 있는' 경외로 그 관계가 유지되기 때문입니다. 이해관계를 초월한 가치, 행·불행의 개인적인 이해득실의 공리성을 떠난 것, 주고받는 상행위로서의 거래가 아닌 '까닭 없는' 헌신, 그런 세계가 여호와가 내세우는 것이기에 사탄은 신에 대한 욥의 경외가 '까닭 있는' 경외일 거라고 음해합니다.

트로이 전쟁의 배경을 살펴보면 더 확실해집니다. '미美의 사과'를 놓고 세 여신이 다툴 때, 파리스 왕자가 그 심판을 맡습니다. 여신들은 파리스를 자기편으로 만들기 위해 각자 '명예', '부귀', 그리고 '미녀'를 주겠다고 뇌물 공세를 폅니다. 파리스는 파리스대로 계산을 합니다. 계산 결과, 그리스 최고의 미녀 헬레네를 주겠다는 아프로디테의 제안이 가장 끌렸기 때문에 약속을 받고 심판을 합니다. 신도 인간도 모두가 부정不正입니다. 신들이 양 파로 갈라져 그리스군과 트로이군을 응원하는 것도 자신의 이해관계에 따른 것입니다.

하지만 여호와는 정반대입니다. 욥을 놓고 여호와와 사탄이 대립하게 되었을 때 여호와는 욥이 동방에서 가장 훌륭한 자라는 것을 증명하기 위해서 도리어 욥의 소유물을 빼앗습니다. 자기와 욥(인간)과의 관계가 현실적 이해를 초월했을 때만이 값어치 있기 때문이지요. 여호와가 사랑하는 욥에게 영광이 아니라 도리어 수난을 주는 것은 바로 이런 의미입니다.

## 분노와 수난의 플롯

『일리아드』는 아킬레우스의 분노에서 시작합니다. 그리고 그 서사시의 전체 구조를 엮어가는 날줄과 씨줄 역시 이러한 분노의 실입니다. 그러나 욥기는 수난의 고통이 이야기를 만들어갑니다. 욥기는 하루아침에 그의 소와 양, 그리고 종을 비롯한 모든 재산을 잃는 수난으로부터 시작됩니다. 집과 자식까지 모두 잃고 그를 둘러싸고 있던 생활의 모든 평화가 점차 깨어집니다. 욥기의 전체 이야기는 그 수난의 범위와 정도가 점차 확대되는 방향으로 진행됩니다. 그에 따라 욥의 내면적 변화 역시 이루어집니다. 그런 시련 속에서도 욥은 신을 원망하지 않습니다. 욥이 재산(물자)을 위해서 신을 경외했더라면 그는 양 한 마리가 죽는 수난을 겪더라도 곧 신에게 등을 돌렸을 것입니다.

이것은 헤브라이 사람들의 신앙이 현세의 욕망 충족을 위한 기복적인 종교가 아니라는 것을 의미합니다. 그보다는 인간 생명의 존재 의의를 신의 모습을 통해 규명하려 했습니다. 삶의 궁극적인 가치, 인간은 왜 태어났으며 그 생명은 무엇을 위해 존재하며, 죽음은 또한 어떤 의미를 갖는가 하는 인간 본질의 의미 속에 그들이 믿는 신의 손길이 있다고 생각한 것입니다.

그렇기 때문에 욥은 물질적인 수난을 이겨낼 수 있었습니다. 또 발바닥에서 정수리까지 악창이 나게 했을 때도 신을 원망하지 않았습니다. 재 가운데 앉아서 기와 조각으로 몸을 긁고 있는 비참한 욥의 모습을 보고 그의 아내가 "하나님을 욕하고 죽으라"고 했을 때에도, 욥은 "하나님께 복을 받았은즉 화도 받지 아니하겠느냐"며 끝내 신을 원망하지 않았습니다. 그랬던 욥이 무엇 때문에 분노했는지, 그 분노는 아킬레우스의 분노와 어떤 점이 달랐는지를 살펴본다면 욥기의 종교적인 의미만이 아니라 그리스적인 서사시와 대조적인 문학적 의미를 찾을 수 있을 것입니다.

욥기는 문학의 모든 양식을 내포하고 있습니다. "우스 땅에 욥이라 불리는 사람이……"로 시작하는 1장은 소설의 양식입니다. 그리고 종들이 차례차례 나타나 "소와 나귀를 빼앗겼습니다", "양과 종이 불타 죽었습니다", "낙타가 죽었습니다", "자녀들이 죽었습니다" 하고 고하는 장면은 연극적인 양식입니다. 그리고 3장부터는 극시적인 양식이 나타납니다. 1장과 2장까지는 내레이션으로 사건의 진전을 서술하여 완벽한 상황 설명이 되어 있고, 점차 그러한 상황에 처한 욥의 내면으로 극이 파고드는데, 그 톤은 서정적 고백성과 토의적 적극성 두 가지로 나타납니다. 사건으로 보나 주제로 보나 그 형식으로 보나 3장부터가 욥기의 '노른자위'에 해당합니다.

3장은 수난을 겪는 욥의 소식을 듣고 친구 세 사람이 찾아오는 데서 시작합니다. 그들은 욥을 보고 눈물을 흘리며 위로를 하고 일곱 밤 일곱 날을 함께 지냅니다. 여기서 욥이 처음으로 신을 원망합니다. 사람들은 병고 때문에 욥이 신을 원망한 것이라고 생각하지만 그것은 글을 제대로 읽지 못한 것입니다. 욥은 병든 후에도 신을 원망하지 않았습니다. 앞에서 나오지 않습니까? 아내가 신을 욕하고 죽으라고 할 때 결코 그 입술을 범죄치 않았다고 분명히 기록하고 있습니다. 사건의 흐름을 볼 때, 욥의 변화는 친구들과 함께 일곱 밤 일곱 날을 지난 후에 생깁니다.

그때까지 욥은 신과 자신, 즉 수직적인 면으로만 인생과 우주를 바라보았습니다. 그러나 그의 친구들과 함께 있으면서 욥은 처음으로 수평적인 것, 즉 인간과 인간의 관계로 사고하기 시작한 것입니다. 쉽게 말하면 하늘로 향한 수직의 시선이 친구들의 방문으로 지상의 수평적 시선으로 변한 것입니다. 그러므로 신을 수평의 차원, 즉 지상에서의 관계의 눈으로 바라보게 된 것이지요. 욥은 순간적으로 그리스와 유사한 차원으로 신을 보게 됩니다. 인간의 육체와 현세적인 논리로 신의 행위를 해석하는 것이죠. 그래서 수평적인 사고의 특성인 분노, 불합리를 거부하는 분노를 느끼게 됩니다.

아킬레우스의 분노처럼 욥의 분노 역시 천지를 뒤흔들 만큼 강합니다. 참고 견뎌오던 욥이 분노는 자기의 탄생을 저주하는 것에서 시작됩니다. 신에 대한 부정이 이와 같은 생명(탄생)의 부정으로 시작하는 이유는 무엇일까요? '생명은 신이 창조한 것' 이라는 게 헤브라이즘의 본질이기 때문입니다. 그러므로 인간의 삶이 고난이라는 생각이 들면 신의 존재 자체에 회의를 느끼게 되는 거죠.

> 내가 난 날이 멸망하였더라면, 사내아이를 배었다 하던 그 밤도 그러하였더라면, 그날이 캄캄하였더라면, 하나님이 위에서 돌아보지 않으셨더라면, 빛도 그날을 비추지 않았더라면, 어둠과 죽음의 그늘이 그 날을 자기의 것이라 주장하였더라면, 구름이 그 위에 덮였더라면, 흑암이 그날을 덮었더라면, 그 밤이 캄캄한 어둠에 잡혔더라면, 해의 날 수와 달의 수에 들지 않았더라면 그 밤에 자식을 배지 못하였더라면, 그 밤에 즐거운 소리가 나지 않았더라면…… 그 밤에 새벽 별들이 어두웠더라면, 그 밤이 광명을 바랄지라도 얻지 못하며 동틈을 보지 못하였더라면 좋았을 것을 (욥기 3:3-9)

이 격렬한 저주는 일종의 반어법입니다. 왜 나에게 생을 주었는가, 왜 내 탄생을 축복해주었는가, "광명보다 어둠이, 삶보다는 죽음이 고통을 겪고 있는 인간에게는 도리어 자비가 아니겠는가" 라는 겁니다. 결국 욥의 회의는 '생명을 창조한 힘' 의 비윤리성에 대한 것이며, 이러한 부조리를 발견함으로써 욥은 그리스인들처럼 인간주의적 입장에서 삶의 현실을 바라보게 된 것입니다. 시점이 변화한 것이지 악해진 것이 아닙니다. 세 친구와 있으면서 자신의 고난을 이제까지의 수직적인 시선이 아니라 수평적 시선으로 보게 된 것뿐이죠. 개인의 불행에 대한 저주라기보다 인간의 입장에서 마땅히 생겨나는 의문인 셈입니다.

## 회의의 어둠은 어떻게 태어나는가

"어찌하여 고난 당하는 자에게 빛을 주셨으며 마음이 아픈 자에게 생명을 주셨는고"(욥기 3:20)라는 욥의 외침은 '인생에서 가장 행복한 것은 태어나지 않는 것'이라던 그리스 철인들의 생각과 비슷합니다. 또한 그런 생각을 이어받은 로마의 루크레티우스가 "어찌하여 사계四季를 통하여 고뇌는 끝나지 않는가? 계절은 죽음으로 가득 차 있는가? 보라. 자연이 견딜 수 없는 진통을 겪으며 태내에서 세상의 밝은 곳으로 내놓은 갓난아이는 마치 미친 파도에 희롱당하는 어부와도 같이…… 이토록 불행한 인생을 견디지 않으면 안 되는 것처럼 슬픈 울음으로 허공을 채우나니……"라고 노래한 것과 다를 바 없습니다. 만신창이가 된 욥은 갓난아이가 태어나면서 우는 탄생의 울음소리를 장례식의 종소리로 들었던 그리스인과 똑같은 청각을 갖게 된 것이지요.

"나는 음식 앞에서도 탄식이 나며, 내가 앓는 소리는 물이 쏟아지는 소리 같구나"(욥기 3:24)는 욥의 고통은 육체로부터 오는 것이 아니라 인간의 탄생을 합리화할 수 없는 부조리, 그 실존의 깨달음에서 오는 것입니다.

탄생을 저주하는 욥의 소리를 듣자, 그를 위로하던 친구들이 태도를 바꿔 욥을 격렬하게 비난합니다. 여기에서 욥과 친구들 사이에 토론이 벌어지지요. 욥기의 특징은 이 극적인 대화이고, 구성 역시 친구들 하나하나와 벌이는 토론으로 이루어져 있습니다. 만약 친구들의 비난이 없었다면 신을 불신하는 욥의 회의는 더 이상 심화되지 않았을 겁니다. 신을 회의하게 된 것도, 그 생각이 심화하고 발전하는 것도, 모두 그를 둘러싼 친구(인간)들과의 관계 속에서 이루어졌습니다. 이 점을 주목해야 합니다. 그것은 욥이 세상을 '신과 인간의 관계'로 보다가 '인간과 인간의 관계'로 보기 시작했다는 증거이며, 그러한 관점이 그의 회의주의를 발전시킨 요인이 되었다는 사실을 뜻합니다.

탄생을 저주하는 욥을 친구 엘리바스가 불경하다고 비난합니다. 그러자 욥은 또 한 번 분노하죠. 이때의 분노는 자신을 버린 신을 향한 게 아니라 자신의 분함과 고통을 이해해주지 않는 친구를 향한 것입니다. 인간으로부터 이해받지 못한다는 단절감 때문에 욥은 자신의 재앙이 얼마나 크고 자신이 얼마나 원통한지 설명한 다음, 우정의 덧없음을 한탄합니다.

"낙심한 자가 비록 전능자를 경외하기를 저버릴지라도 그의 친구로부터 동정을 받느니라"(욥기 6:14-15). 그러고는 욥은 친구(인간)들을 "너희는 고아를 제비 뽑으며 너희 친구를 팔아넘기는구나"(욥기 6:27)라고 욕합니다. 이 말을 뒤집으면, 그가 절망과 고뇌를 함께 나눌 수 있는 인간을 기대했음을 뜻합니다. 그런 기대는 생의 고난을 통해서 인간이 서로를 이해하게 되기를 바랐음을 암시합니다. 바로 휴머니즘이죠. 신을 떠난 욥의 인간에 대한 지향은 "사람이 무엇이기에 주께서 그를 크게 만드사 그에게 마음을 두시고 아침마다 권징하시며 순간마다 단련하시나이까…… 사람을 감찰하시는 이여 내가 범죄하였던들 주께 무슨 해가 되오리이까…"(욥기 7:17-20)라는 욥의 절규 속에 잘 나타나 있습니다.

신은 신, 인간은 인간입니다. 잠시도 그 감시 속에서 벗어날 수 없는 신과의 관계를 끊고 파멸이든 행복이든 인간 스스로 생존해가기를 원하는 '자유'의 선언이지요. '탄생의 저주'는 신과 인간의 관계를 스스로 끊는 '단절'의 선언으로 발전합니다. 욥은 "주께서 나를 부지런히 찾으실지라도 내가 울지 아니하리라"라고 말합니다. "들나귀가 풀이 있으면 어찌 울겠으며, 소가 꼴이 있으면 어찌 울겠는가"(욥기 6:5). 욥은 울고 있는 자신에게 죄가 있는 것이 아니라 풀(신)이 없는 벌판이라는 인간의 현실이 문제라고 생각하는 겁니다.

또 다른 친구 빌닷은 욥의 말을 듣고 신을 옹호합니다. "너에게 죄가 있기 때문에 고난을 당하는 것"이라고 반박하지요. 빌닷은 악한 자는 벌받고 선한 자는 흥한다는 신의 권선징악을 믿고 있으며, 그래서 인생이 합리적이라고 생각합니다. 욥도 이전에는 그렇게 생각했습니다. 그러나 직접 고통을 겪으면서 인생의 합리성을 믿지 못하게 된 것입니다. 하나님의 행위를 인간의 논리로 따지는 셈입니다. 그는 하나님의 권능을 믿으며 그것이 얼마나 크고 무서운지 압니다. 그러나 하나님의 '권위'가 합리적이지 않다고 여기게 된 것입니다. 그렇기 때문에 "주께서 그의 막대기를 내게서 떠나게 하시고 그의 위엄이 나를 두렵게 하지 아니하시기를…… 내가 두려움 없이 말하리라……"(욥기 9:34-35)고 합니다. 그리고 그 괴로움은 자기가 겪는 육체적 고통이 아니라 아무 죄 없는 사람이 수난을 당하고 악한 자가 행복을 누리는 세계의 부조리에 대한 절망에서 비롯된 것입니다.

부조리한 세계는 어둠이고 혼란입니다. 그래서 욥은 "땅(세계)은 어두워서 흑암 같고, 죽음의 그늘이 져서 아무 구별이 없고, 광명도 흑암 같으니이다"(욥기 10:22)라고 합니다. '창세기'에서 혼돈을 질서로 바꾸어놓은 것은 하나님입니다. 광명과 어둠을, 육지와 하늘을 구분하여 갈라놓은 것이 하나님이십니다. 욥은 세상이 의義와 불의, 악과 선이 뒤범벅된 무질서한 '혼돈'으로 봅니다. 그렇기에 신을 부정할 수밖에 없는 것입니다.

## 휴머니스트로서의 욥

욥의 절망적인 부르짖음 속에서 우리는 피가 뚝뚝 흐르는 인간

세계의 생생한 현실을 봅니다. "나를 정죄하지 마시옵고 무슨 까닭으로 나와 더불어 변론하시는지 내게 알게 하옵소서"(욥기 10:2) 하고 욥은 자신이 당하는 고통보다도 고통을 당하는 이유를 알 수 없다는 데 절망을 느낍니다. 그러므로 욥의 절망은 단순한 개인의 신세타령이 아닙니다.

우리는 아가멤논에게 부당한 대우를 받고 그와 언쟁을 벌인 후 자신의 억울함을 어머니에게 하소연한 아킬레우스를 기억하고 있습니다. 그것은 순전한 개인의 명예와 운명에 대한 분노요 슬픔이요 절망이었습니다. 그랬기 때문에 아킬레우스의 분노는 집단에서 자기 자신을 떼어놓지요. 그는 그리스의 연합군을 떠나 전쟁을 거부합니다. 동족이 쓰러져가고 있는데도 아킬레우스는 자기편이 지기를 바랍니다. 그래야 자신을 무시한 아가멤논이 잘못을 후회하고, 모욕당한 자기의 명예가 회복될 수 있기 때문입니다.

욥은 어떻습니까? 욥의 절망은 아킬레우스의 그것과 어떻게 다른가요? 우리는 여기서 헬레니즘과 헤브라이즘의 차이를 분명히 알 수 있습니다. 욥의 절망은 자신의 탄생을 저주하는 데서 시작하지만 그의 친구들과 토론하는 과정에서 인간의 본질에 대한 고민으로 깊어집니다.

"나무는 희망이 있나니 찍힐지라도 다시 움이 나서 연한 가지가 끊이지 아니하며 그 뿌리가 땅에서 늙고 줄기가 흙에서 죽을지라도"(욥기 14:7-8).

욥은 나무보다도 못한 인간의 생명, 덧없이 사라지는 죽음에 절망합니다. 자기가 겪는 수난과 고통이 개인의 영역에서 머무르지 않고 인간이라면 누구나 갖고 있는 본질적인 생의 문제로 발전한 거죠. 여기서 좀 더 나아가면 인간 대 신의 문제로 발전해갑니다.

그렇기 때문에 욥기의 문학적인 갈등은 개인의 불행과 그 비참한 운명 사이에서 오는 게 아닙니다. 신을 거부하는 욥의 모습에서 우리는 눈물겨운 한 휴머니스트의 모습을 볼 수 있습니다. 인간의 대변자요, 인간의 옹호자를 자처하고 있기 때문에 욥의 절망은 이중적입니다. 인간을 옹호하기 위해 신에게 대드는데, 같은 인간인 친구들은 도리어 욥을 신의 이름으로 비난합니다.

욥의 소외감은 신보다 인간과의 거리에서 더욱 커집니다. 그가 하나님을 원망하는 것은 하나님이 재산을 잃게 하고 육신을 병들게 했기 때문만은 아닙니다. 악과 가난을 방치한 신, 그 때문에 생겨난 인간 현실의 모순에 대한 저항입니다.

"밭에서 남의 꼴을 베며, 악인이 남겨둔 포도를 따며, 의복이 없어 벗은 몸으로 밤을 지새며, 추위에 덮을 것이 없으며, 산중에서 만난 소나기에 젖으며, 가리울 것이 없어 바위를 안고 있느니라. 어떤 사람은 고아를 어머니 품에서 빼앗으며, 가난한 자의 옷을 볼모 잡으므로 그들이 옷이 없어 벌거벗고 다니며, 곡식 이삭을 나르나 굶주리고, 그 사람들의 담 사이에서 기름을 짜며, 목말라하면서 술틀을 밟느니라 성중에서 죽어가는 사람들이 신음하며 상한 자가 부르짖으나 하나님이 그들의 참상을 보지 아니하시느니라"(욥기 24:6-12).

목말라하면서 술틀을 밟고 있는 불쌍한 노동자들, 이 가난한 이들이 악인들에게 짓밟히고 있고 불의가 저질러지고 있는데도 신은 어째서 외면하는가? 욥의 이 항변 속에서 우리는 신을 부인하는 순교자의 모습을 볼 수 있습니다. 그러나 인간의 편에 서도 욥은 여전히 외롭기만 합니다. 이웃을 위해 그는 사랑을 바치고 있지만, 그의 벗과 이웃은 그를 멀리합니다.

나의 형제들이 나를 멀리 떠나게 하시니 나를 아는 모든 사람이 내게 낯선 사람이 되었구나 내 친척은 나를 버렸으며 가까운 친지들은 나를 잊었구나…… 내 아내도 내 숨결을 싫어하며 내 허리의 자식들도 나를 가련히 여기는구나 어린아이들까지도 나를 업신여기고 내가 일어나면 나를 조롱하는구나 …… 나의 친구야 너희는 나를 불쌍히 여겨다오 나를 불쌍히 여겨다오 하나님의 손이 나를 치셨구나 너희가 어찌하여 하나님처럼 나를 박해하느냐 내 살로도 부족하냐 (욥기 19:13-22)

## 하나님을 부정하는 욥

하나님을 사랑할 수 없는 욥, 하나님을 부정하는 욥, 이제 그에게 남은 것은 인간에 대한 믿음과 사랑이지요. 그런데 그의 친구들과 아내와 이웃은 병든 자기를 불쌍히 여기기는커녕 도리어 핍박합니다. 인간을 위한 대변자가 되려고 하는데도 인간들은 그를 비웃고 조롱합니다. 욥의 두 번째 절망이 시작됩니다.

"나의 원망이 사람을 향하여 하는 것이냐 내 마음이 어찌 조급하지 아니하겠느냐 너희가 나를 보면 놀라리라 손으로 입을 가리리라" (욥기 21:4-5). 하나님을 원망하는 자기를 이해해주지 않고 비난하는 친구들에게 욥은 이렇게 말합니다. 자기처럼 아무 죄도 없는 자가 불행을 당하고 있으며, 악한 자들이 권세와 평안을 누리는 현실, 그것을 보고 왜 놀라지 않느냐는 것입니다. 욥은 스스로 증인이 되어 자신의 불행과 수난의 고발자가 되려는 거지요. 신의 모순과 비정을 인간 앞에 고발하는 산 증거물로 만신창이가 된 자신을 가리킵니다. 그는 외칩니다. "너희가 나를 보면 놀라리라."

무죄한 자가 겪고 있는 처절한 아픔을 드러냄으로써 비극과 절망을 증명하는 것, 욥은 그것을 자신의 마지막 존재 이유로 삼았습니다. 욥은 그런 점에서 시인인 셈입니다. "나의 말이 곧 기록되었으면, 책에 씌어졌으면, 철필과 납으로 영원히 돌에 새겨졌으면 좋겠노라" (욥기 19:23-24).

욥의 이런 의지가 바로 시인의 의지가 아니고 무엇이겠습니까? 허무를 기록한다는 것, 절망을, 고통을, 외로움을 영원히 마모되지 않는 돌 위에 문자로 남겨놓고 싶다는 것, 그것이 욥의 마지막 희망이고, 이웃에 대한 마지막 의무입니다.

여기에서 우리는 철저하게 하나님으로부터 벗어나 한 명의 휴머니스트로서 고발자요 시인으로 변신해가는 욥의 정신적 편력 과정을 엿볼 수 있습니다. 겉으로 보면 욥은 재산도 친구도 자기의 육신마저도 상실해버린 인간, 가장 어두운 인생의 밑바닥으로 추락한 절망의 인간입니다. 이러한 욥의 절망적 언어는 그와 논쟁을 하던 친구들을 압도해버리고 욥은 논쟁에서 이깁니다. 슬픈 승리지요. 그는 하나님의 부조리를 증명했고, 인간의 허무와 절망을 자신을 증거 삼아 입증했습니다. '욥기'를 하나의 문학작품으로 볼 때 그 대단원은 바로 욥 앞에서 그의 친구들이 침묵하는 순간입니다. 이 또한 특이한 구성입니다.

주인공인 욥이 재난을 당하는 '사건'이 클라이맥스가 되는 게 아니라 그것을 받아들이는 '내면의 변화'에 드라마의 초점이 맞춰져 있기 때문입니다. 인간은 누구도 욥의 항변에 답을 할 수 없습니다. 그의 말은 다 옳습니다. 논리적으로 보나 현실적 상황으로 보나 물증으로 보나 하나님을 고발하는 욥의 기소를 누구도 기각할 수 없습니다. 만약 욥기가 여기에서 끝났다면 헬레니즘 문학과 같은 차원에 머물렀겠죠.

## 회의를 통해 만난 참하나님

이때 하나님이 나타납니다. 신이 직접 변론에 나선 겁니다. 욥의 끝없는 질문, 그 격렬한 비판에 대해 대답할 수 있는 자는 오직 하나님밖에 없기 때문입니다. 현세에서 일어나는 모든 삶의 문제를 인간 중심으로 풀이하면 어떤 해답도 얻을 수 없습니다. 그야말로 욥의 탄식밖에 없지요. 인간의 머리나 생활 체험만으로는 하나님의 의사를 판단할 수 없다는 거죠. 여기에서 그리스 문학과 근본적으로 다른 세계가 전개됩니다.

욥 앞에 나타난 하나님은 뭐라고 말합니까? 불의가 이기고, 의가 핍박받으며, 죄 없는 자가 해를 입고, 악한 자가 세력을 얻는 모순의 인간세계를 하나님은 무엇이라고 설명합니까? 욥의 언어는 인간의 언어입니다. 우리의 가슴을 두드리고 피를 끓게 하는 절절한 리얼리즘의 언어지요. 하지만 하나님의 언어는 차원이 다릅니다. 인간주의적인 입장에서 본다면 하나님은 아무것도 설명해준 것이 없습니다. 욥의 의문을 풀어줄 만한 어떠한 논리적 해답도 없습니다. 마치 아이들이 부모에게 따지고 들었을 때 말문이 막힌 부모가 권위로 누르려는 태도 이상은 아닌 것 같습니다.

"나는 너를 낳아준 부모다." 이 한마디 말로 아이들의 입을 틀어막으려는 것과 마찬가지로, 여호와는 이 천지를 누가 만들었으며 그 때 네가 곁에 있었느냐고 합니다. 뿐만 아니라 하마나 악어를 본 적이 있느냐고 묻기도 합니다. 그 교묘한 생물들을 열심히 자랑하지요. 그것을 다 자기가 만들었다는 것입니다. 인간의 능력으로는 감히 상상할 수 없는 우주의 신비, 그 모든 창조물을 만든 창조자의 생각을 네가 판단할 수 있겠느냐는 것이 하나님의 대답일 뿐입니다.

그러나 이것이 하나님의 권위주의일 뿐일까요? 사실 욥의 심각한 고뇌와 모순의 세계를 파고드는 어투는 웅변 이상의 것입니다. 앞뒤가 딱 맞고 태도도 진지하고 성실합니다. 그의 말투는 장엄하기까지 합니다. 이에 비해서 자기가 만든 창조물을 일일이 열거하여

자랑하는 하나님은 어린애처럼 유치하고 생색을 내는 허영기까지 느껴집니다. 아무 말도 못하고 머리를 숙인 욥은 단지 그의 전능한 힘 앞에 무릎을 꿇은 힘없는 포로처럼 보이지요. 적어도 그리스적인 관점에서 본다면 말입니다. 악마와 내기를 하느라 아무 죄도 없는 욥을 괴롭힌 하나님, 더구나 그 내기에서 이긴 것은 악마가 아닌가요? 왜냐하면 욥은 악마의 말대로 '까닭 없이' 하나님을 경배한 것이 아니었잖습니까? 하나님의 경배할 '까닭'을 빼앗긴 욥이 분노하고 하나님을 원망하고 있으니까요.

그러나 이것이 바로 헤브라이즘의 독특한 사상이며 인생을 바라보는 관점입니다. 욥은 그 회의를 통해 비로소 참된 하나님의 모습을 보게 되었기 때문입니다. 하나님으로부터 벗어났을 때, 이미 그는 하나님에게로 돌아가고 있었던 겁니다. 헤브라이즘 문학은 이러한 역설의 땅 위에서만 이해될 수 있습니다.

형식논리를 초월한 세계, 거기에 하나님이 있거든요. 인간의 한계를 벗어났을 때 비로소 이해되는 지복至福의 경지가 있지요. 신학이라기보다 문학적인 그 플롯의 전개 과정을 통해 볼 때 그 세계는 더욱 명확하게 드러나게 되는 것입니다. 욥이 만약 수난을 겪지 않았더라면 공리적인 것, '기브 앤 테이크'의 현세적인 신밖에 갖지 못했을 것입니다. 논리로만 증명되는 하나님은 인간화된 그리스 신들과 다를 것이 없습니다. 그러한 신 이상의 것을 알기 위해서는 일단 인간의 논리로, 이해관계로 철저하게 하나님을 파괴해야 합니다. 그 속에서도 파괴되지 않는 하나님, 그것이 진짜 하나님입니다. 인간

이상의 하나님인 것입니다.

욥이 고난을 당했을 때 아내까지도 그를 배신했습니다. 이해관계로 맺어진 인간들은 모두 그렇습니다. 자기에게 돈이 있어서 남들을 도와줄 때에는 모두 그를 경애하지만 그 거래 관계가 끊어지자 아내조차 그의 숨길을 피했고 종과 아이들까지 달아났습니다. 욥은 소외감 속에서 "너희는 왜 날 불쌍히 여기지 않는가?"라고 말합니다. 이 말을 하는 순간 욥은 벌써 새로운 하나님 앞으로 한 걸음 다가선 것입니다.

하나님에게서 가장 멀리 달아났을 때 욥은 하나님에게 가장 가까이 다가서고 있었던 것입니다. 욥의 생각에 인간과 인간의 사랑은 공리적인 관계가 끊어져도 남는 것이어야만 했습니다. 욥이 "날 불쌍하게 여기지 않고 어째서 핍박하는가?"라고 말했을 때 그는 인간에게서 무엇을 기대했을까요? 현실적인 이해관계가 없어도 남의 불행을 외면하지 않는 인간이었을 것입니다. 그런 사랑이며 정의였을 것입니다. 하나님을 향한 인간의 사랑과 의도 그런 것이어야만 합니다. 재산은 불타고 육신은 결국 썩습니다. 주고받는 현세적 관계는 다 허물어져버리고 맙니다. 그런 관계 이상의 것, 그 이상의 힘만이 영원한 생의 가치가 될 수 있습니다. 보상을 받지 않아도 옳기 때문에 해야 되는 것, 자신에게 이롭든 이롭지 않든 지켜야 되기 때문에 지키는 것, 그것이 절대 윤리입니다. 상대적인 변화에 좌우되지 않는 그 힘이 있는 이상, 세상은 물거품이 아닙니다.

착한 자가 남이 겪지 않을 불행과 수난을 겪었기 때문에 욥은 남들이 미처 알지 못한 절대적 가치의 세계를 발견할 수 있었습니다. 이것이 하나님의 소명召命이지요. 그렇기 때문에 우리는 욥을 보면서 뒤에 올 예수님을 생각하게 됩니다. 예수님의 고난과 사랑은 필연적인 것입니다. 남들이 그에게 무엇을 주었기 때문에 예수님이 사랑을 준 것이 아닙니다. 공리적이 아닌 순수한 사랑을 증명할 수 있는 것은 오직 그의 고난밖에 없습니다. 가장 무죄한 자가 십자가에 못 박혀야 한다는 것, 그 수난의 극치, 그것이 부활을 가능케 합니다.

## 욥의 노래

당신께서
하늘과 땅을 만드실 때
나는 보지 못했습니다.
당신께서
꽃과 나무의 생명으로
땅을 덮고

고기 떼와
해초들이 헤엄치는

바다를 생명의 파도로
움직이게 하실 때
나는 그때 없었습니다.

악어를 만드실 때
나는 그 자리에서 보지 못해 알지 못합니다.
무슨 마음으로 무슨 잣대로
흉하거나 곱거나
그것들을 만드셨는지 나는 모릅니다.

내가 아는 것은 내가 흘리는 눈물
내가 외치는 아픈 기억들입니다.
그러다 당신 곁을 떠날 뻔했습니다.
당신이 없는 어느 음달에서
영원히 묻혀 있을 뻔했습니다.

한 발짝만 더 나가면 햇볕이 있는데
굴속 음달에서 슬픈 날을 보냈습니다.
이제 다시 햇볕 아래로 나가
내 마음만큼 열린 하늘을 더 넓게 보고
내 생각만큼 깊은 바다를 더 깊이 느끼는
아침을 맞이하겠습니다.

이제 압니다. 당신께서 처음 하늘과
땅을 만드시던 마음 한구석에
내가 있었음을
이제야 눈물 끝자리에서 알았습니다.

# 20

## 누가 정말 우리의 이웃인가

착한 사마리아인 이야기는 성경의 영역을 넘어 시와 소설, 그리고 착한 사마리아인 법에 이르는 다양한 분야에 모티브를 제공한 유명한 이야기입니다. 그런데도 기초적인 텍스트 읽기에 실패한 대표적인 이야기이기도 하지요.

예수님의 독특한 스토리텔링 방식 때문입니다. 이 이야기는 기본적으로 질문에 대한 답변 형식으로 되어 있는데, 이런 경우 질문 속에 내재되어 있는 상대방의 의도, 즉 상대방이 무엇을 왜 물었는지 등을 질문자와의 상대적 관계 속에서 파악해야만 정확하게 이해할 수 있습니다.

이 이야기의 배경부터 살펴볼까요? 예수님은 나사렛에서 예루살렘까지 오는 지름길이 있음에도 언제나 사마리아인들이 사는 지역이나 유다 쪽으로 돌아가셨다고 합니다. 그래서 항상 이방인이나 이

교도처럼 유대인들이 천시하는 사람들을 만나셨습니다. 아는 사람이라면 누구나 아는 사실이지만 예수님은 유대교회 지도자들이 모인 공회당보다는 저잣거리에 모인 민중들과 함께 어울리며 메시지나 하늘의 복음을 전하기를 즐기셨지요. 물론 나중에는 공회당을 예수님께 빌려주지 않았던 탓도 있었지요.

## 내 이웃이 누구오니이까?

그러던 어느 날, 길을 가던 예수님께 어떤 율법사가 질문을 합니다. "내가 무엇을 하여야 영생을 얻으리이까?" 예수님은 "법에 무엇이라 기록되었으며 네가 어떻게 읽었느냐"고 다시 물으십니다. 율법사는 "네 마음을 다하며 목숨을 다하며 힘을 다하며 뜻을 다하며 너의 주 하나님을 사랑하고 또한 네 이웃을 네 몸과 같이 사랑하라"라고 대답합니다. 그러고서는 "내 이웃이 누구오니이까?" 하고 되묻습니다(누가복음 10:25-37). 예수님의 의중을 떠보려는 것이지요. 그러자 예수님은 다음과 같이 말씀하십니다.

> 예수께서 대답하여 이르시되 어떤 사람이 예루살렘에서 여리고로 내려가다가 강도를 만나매 강도들이 그 옷을 벗기고 때려 거의 죽은 것을 버리고 갔더라 마침 한 제사장이 그 길로 내려가다가 그를 보고 피하여 지나가고 또 이와 같이 한 레위인도 그곳에 이르러 그를 보고 피

> 하여 지나가되 어떤 사마리아 사람은 여행하는 중 거기 이르러 그를 보고 불쌍히 여겨 가까이 가서 기름과 포도주를 그 상처에 붓고 싸매고 자기 짐승에 태워 주막으로 데리고 가서 돌보아주니라 그 이튿날에 데나리온 둘을 내어 주막 주인에게 주며 가로되 이 사람을 돌보아주라 비용이 더 들면 내가 돌아올 때에 갚으리라 하였으니 네 생각에는 이 세 사람 중에 누가 강도 만난 자의 이웃이 되겠느냐 이르되 자비를 베푼 자니이다 예수께서 이르시되 가서 너도 이와 같이 하라 하시니라
> (누가복음 10:30-37)

거의 죽을 지경이 된 사람을 구한 사마리아인을 이야기하며 너도 이런 이웃이 되라고 하신 겁니다. 같은 편이 아닌 사람, 천대했던 사람들에게도 이웃으로서 사랑을 베풀 수 있겠는지 물으신 거죠.

지금도 별반 다를 게 없는 것 같긴 합니다만, 당시도 갈등의 시대였습니다. 내 편과 네 편을 갈라놓고 죽을 듯이 싸웠습니다. 로마의 지배를 받던 유대인들은 예수님이 태어나시기도 전에 이미 두 파로 갈라져 있었습니다.

하나는 헤롯파, 다른 하나는 제롯파로 헤롯파는 로마에 타협하거나 협조하는 로마 추종 세력이었고, 제롯파는 끝까지 로마에 저항했습니다.

제롯파의 마지막 저항지였던 마사다(히브리어로 '요새'라는 뜻으로 사해에서 4킬로미터쯤 떨어진 작은 바위산의 요새를 가리킨다)의 비극적 이야기는 지금까지도 전해지고 있습니다. 마사다는 원래 헤롯왕이 무기와

식량을 저장하고 유사시에 대피하기 위해 만든 요새인데, 로마 군대에게 쫓긴 제롯파들이 여기에 모여 최후의 결전을 벌였습니다.

제롯파의 반란을 잔인하게 진압하는 과정에서 겨우 살아남은 천여 명이 이 요새에 모였는데, 로마 군사에게 남은 가족을 유린당하게 할 수 없다며 전사들이 모두 가족을 죽이고 스스로 목숨을 끊은 곳입니다. 이들을 당시에는 강도당이라고도 했습니다.

사마리아인 이야기에 나오는 강도가 바로 이들일지도 모르지요. 예수님께서 십자가에 못 박히실 때 옆에 있었다던 강도도 로마 군대에 저항한 게릴라였는지도 모릅니다. 이들은 언젠가 메시아가 나타나 로마 군대를 내치고 자신들을 구해줄 거라고 굳게 믿었습니다. 갑옷 입은 영웅이 짠 하고 나타나서 그들을 구해줄 거라고 생각하며 '구세주가 온다, 메시아가 온다' 했던 것이지요. 하지만 시간이 지나고 번번이 이 희망이 좌절되면서 점차 현실적인 타협안을 찾으려는 사람들도 나타났습니다.

갈등 상황에서 강한 저항은 강한 탄압을 불러오게 마련입니다. 그래서 일부 역사학자들은 메시아를 믿으며 끝까지 저항했던 이들 때문에 오히려 더 많은 사람이 죽고 갈등도 더 깊어졌다고 보기도 합니다.

미국의 문화인류학자 헨리 모건Henry Morgan(1818~1881)을 비롯한 몇몇 학자들이 이런 얘기를 하고 있지만 유대 민족이 어떤 일을 겪었는지 당시 상황을 담은 사료가 많지 않기 때문에 어느 한쪽이 옳다, 그르다 판단할 수는 없겠지요. 그런데 예수님과 율법사의 문답이 바로 이런 당시의 상황을 깔고 있습니다. 앞에서도 말한 것처럼 예수님은 이방인이나 이교도, 힘없고 가난한 민중들과 어울리기를 좋아하셨습니다. 당시 주류였던 유대교 지도자들은 그런 예수님을 위험하게 여겼죠. 하지만 눈에 보이는 잘못을 한 것도 아닌데 예수님을 대놓고 타박하거나 핍박할 근거가 없었습니다. 그래서 이들이 걸고넘어진 것이 '교리'였습니다. 예수님이 유대의 법과 계명 등을 소홀히 한다고 꼬투리를 잡으려 했던 것이지요.

### 세상 모든 이가 우리의 이웃

그런데 예수님이 오히려 이 상황을 역이용합니다. 영생을 얻으려면 어떻게 해야 하느냐고 물으니까 도리어 너는 어떻게 생각하느냐고 물어서 율법사 스스로 계명을 말하도록 한 것입니다. 예수님이 맞다, 그것이 옳다 하니까 율법사는 "그럼 내 이웃이 누구입니까?" 하고 묻습니다. 율법사는 머릿속으로 제사장이라든지 레위족의 귀족들, 유대교의 지도자를 자처하는 사람들을 떠올렸겠지요. 그런데, 예수님은 착한 사마리아인으로 답변합니다. 도리어 자신들의 계략에 걸려든 겁니다.

그들의 의도를 알아차렸기 때문에 일부러 예루살렘에서 여리고로 가는 길이라고 합니다. 그냥 일반적인 비유 같으면 그냥 길거리에서 강도 맞았다, 해도 되는 것을 일부러 지명을 분명히 이야기합니다. 길이니까 아무라도 지나갈 수 있겠지만 예루살렘에서 여리고로 가는 길은 종교적인 지도자들, 귀족들이 지나가는 길목입니다. 그들이 예루살렘에서 신에게 제사를 지내고 그 몸과 마음을 깨끗이 하고 그들이 살고 있는 여리고로 돌아가는 길이지요. 그러고는 죽을 지경으로 버려진 사람을 그냥 스쳐 지나간 사람으로 제사장과 레위인을 꼭 집어 거론합니다.

제사장이 모른 체하고 그냥 지나쳤습니다. 왜냐하면 당시의 율법이 예루살렘에서 제사를 지내고 온 사람은 불결한 것, 즉 시체에 손대면 안 된다는 것이었기 때문입니다. 그러니까 제사장이나 레위인이 비정해서만이 아니라 율법을 지켜야 했기 때문에 그냥 지나갔다는 것입니다. 이 이야기는 교묘한 역설을 품고 있습니다. 제사장이나 레위인은 계명을 지키는 사람들입니다. 그들은 제사 지내고 온 몸으로 불결한 것을 만지면 안 된다는 계율을 지켰습니다. 하지만 동시에 이웃을 사랑하라는 계율을 어겼습니다. 그들이 계율을 입으로만 외우며 형식적으로 지키고 있었음을 역설적으로 드러낸 것이지요. 그들의 사랑은 마음속에서 우러난 것이 아니었음을 깨닫게 한 것입니다.

그런데 이들이 천대하던 사마리아의 상인은 인간의 생명, 그 자체를 소중히 여겨 돌보아줍니다. 윤리나 종교적인 규율이 아니라 그저 고통 받는 사람을 연민하고 걱정해서 자기 돈을 들여 포도주로 소독하고 회복할 때까지 머무를 수 있도록 주막에 숙박비를 대신 지불해줍니다. 상인들은 장사를 하기 위해 이곳저곳을 떠도는 사람들이었으니 그가 지나가는 길에 누군가를 구제하였다는 것은 그에게 이웃이 좁은 의미의 이웃이 아니었다는 것을 알 수 있습니다. 모르긴 해도 그는 모든 곳의 사람들을 이웃으로 대했을 것입니다. 요즘 말로 하자면 세계시민 정도로 일컬을 수 있을까요?

당시 주류 유대인들은 사마리아인들을 천대했습니다. 사마리아인들을 이교도이자 세속적인 일에 종사하는 노예나 다를 바 없이 취급하며 다른 종족들보다 더 싫어했습니다. 그래서 사마리아인들은 예루살렘에도 드나들지 못했습니다. 그런 사마리아인이 길가에 버려진 사람을 도왔습니다. 어째서일까요? 같은 민족이기 때문에? 같은 종교를 믿는 사람이기 때문에? 장사하기 위한 이해관계가 있었기 때문에?

모두 아닙니다. 하다못해 내가 이 사람을 도와주면 이 사람도 나를 도와주겠지 하는 생각조차 하지 않았습니다. 그는 사마리아인이다, 유대인이다 하는 국가나 민족의 차이를 초월한 '생명과 사랑' 으로 이웃을 안아준 것입니다.

이웃은 옆집에 사는 사람, 같은 고향 사람, 어린 시절을 함께 보낸 친구, 같은 민족, 같은 종교를 믿는 사람들만 가리키는 것이 아닙니다. 생명 앞에서 한 생명을 사랑하고 긍휼히 여기는 사람에게는 모두가 이웃이지요. 민족이라든가 혈통이라든가 이런 것을 넘어서는 생명에 대한 보편적 인식이 중요한 것입니다. 생명을 이렇게 인식하면 신을 믿든 안 믿든 생명의 근원에 있는 거대한 질서, 종교인이라면 신, 생물학자가 보면 생명을 사랑하는 본능, 바이오필리아Biophilia인 그것을 인정하게 되고 그런 관점에서 모든 생명을 바라보게 될 것입니다. 이것이 더 확대되면 늑대의 젖을 먹고 자랐다는 로마의 시조 로물루스 형제 이야기처럼 종種마저도 넘어서게 될 것입니다.

그 시대에 일상적으로 통용되던 온갖 차별을 거두면 세상은 전부 이웃이 됩니다. 이것이 오늘날 말하는 글로벌리즘의 원조인 겁니다. 이렇게 본다면 이웃을 사랑하라, 그리고 오른뺨을 때리면 왼뺨도 내놓으라는 말 등은 예수님께서 새로 하신 말씀이 아니라 전부 구약에 나왔던 걸 인용하신 것입니다. 그런데 사람들은 이것을 잊어버리고 근원을 덮어버리고 하나님의 말씀을 집단을 통제하기 위한 세속적 의미의 법규로 만들어버린 것입니다.

이런 것에 얽매여 주객이 전도되었을 때, 예수님께서 근원으로 돌아가 하나님의 원래 뜻을 다시 세워 일으킵니다. 독창적이라는 것은 과거를 깨는 게 아니라, 율법을 깨는 게 아니라 예수님처럼 이렇듯 율법을 완전하게 하는(마태복음 5:17) 것입니다. 이미 옛날에 있었던 말을 새롭게 인용하는 것, 다시 상기시키고 근원으로 돌아가는 것입니다. 본래 뜻에서 회복입니다. 묵은 때를 벗겨내는 것입니다.

이런 점에서 사마리아인의 이야기는 오늘날과 같은 글로벌한 시대에 우리의 살길을 제시하고 있는 셈입니다. 외국인들이 우리나라에 와서 다문화 가정을 이루고, 우리가 남의 나라에서 시민권을 획득하거나 귀화하는 글로벌한 시대에 어떻게 살아가야 하는지에 대한 답을 이야기하는 거라고 생각합니다. 하나님의 말씀으로 새로 세운 개개인의 법, 자기에게 주워진 계율, 이런 것들을 통해 인간이 멋대로 만든 법률의 세계, 노모스nomos를 뛰어넘을 수 있습니다. 이것이 생명을 기본으로 하는 세상의 새로운 질서가 될 수 있을 것입니다.

이런 메시지를 전하기 위해 예수님께서 사마리아인을 내세운 이유는 뭘까요? 예수님 시대에 천대받던 그들을 통해 지금 우리가 편견에 사로잡혀 천대하고 경멸하는 사람들의 생명을 더 순수하게 사랑할 수 있음을 알려주는 것이죠. 왜냐하면 그들은 누구보다 고통을 잘 알기 때문입니다. 이 대목은 성경에서 가장 중요한 대목이고 시대와 공간을 초월해 감동을 주는 부분입니다. 최근 생물학자들이 말하는 것처럼 생명을 향한 본능적 사랑 바이오필리아는 모든 생명 안에 내재되어 있는 것이니까요. 이런 사랑은 대상을 가리지 않습니다. 제가 요즘 말하는 생명자본주의가 그것이지요. '생명 공동체'를 이루는 바이오필리아(생명애)의 가치를 자본으로 한 새로운 자본주의 경쟁이 아니라 협력의 자본주의인 것이지요.

예수님은 또한 이러한 가르침을 유명한 '야곱의 우물 이야기' 통해서 몸소 보여주십니다.

> 거기 또 야곱의 우물이 있더라 예수께서 길 가시다가 피곤하여 우물 곁에 그대로 앉으시니 때가 여섯 시쯤 되었더라 사마리아 여자 한 사람이 물을 길으러 왔으매 예수께서 물을 좀 달라 하시니 이는 제자들이 먹을 것을 사러 그 동네에 들어갔음이러라 사마리아 여자가 이르되 당신은 유대인으로서 어찌하여 사마리아 여자인 나에게 물을 달라 하나이까 하니 이는 유대인이 사마리아인과 상종하지 아니함이러라 예수께서 대답하여 이르시되 네가 만일 하나님의 선물과 또 네게 물 좀 달라 하는 이가 누구인 줄 알았더라면 네가 그에게 구하였을 것이요 그가 생수를 네게 주었으리라 (요한복음 4:6-10)

남편을 다섯이나 두었던 사마리아인 과부가 사람들 눈을 피해 야곱의 우물에 물을 길러 왔습니다. 마침 그곳을 지나던 예수님이 목이 말라 그 여인에게 물을 달라고 하시죠. 여인은 깜짝 놀랍니다. 당시 유대인들은 사마리아인들이 부도덕하다며 상종하지 않았으니까요. 사마리아 여인은 묻습니다. "당신이 이 우물을 준 우리 조상 야곱보다 큽니까?"라고요. 그러자 예수님은 "이 물을 마시는 자마다 다시 목마르려니와 내가 주는 물을 먹는 자는 영원히 목마르지 아니하리니 내가 주는 물은 그 속에서 영생하도록 솟아나는 샘물이 되리라"(요한복음 4:13-14)고 하십니다.

세상의 물은 지상의 빵과 마찬가지로 육체를 구제할 뿐이라는 것입니다. 영혼을 구제하는 물은 당신만이 줄 수 있다고 하십니다. 생명의 빵, 생명의 물, 포도주, 생명수, 그것을 이 우물의 비유로 보여주는 것입니다. 가장 천대받는 사람이었던 사마리아 여인은 이 메시지를 몸으로 알아듣고 '이분이 메시아구나, 이분이 나를 구원하시는 분이구나'를 깨닫게 됩니다.

예수님은 큰 우물이 아니라 물 한 모금을 말하십니다. 집단적인 구제보다 애통해하고 병들고 배고파 하는 개개인을 구제하는 것이 더 급하고 본질적이라는 것입니다. 그래서 이 이야기는 한 국가나 민족을 구하려 하기보다 한 사람 한 사람을 구제하라는 메시지를 개인들에게 전하고 있는 셈입니다. 또한 국가나 민족, 종교의 편견과 벽을 넘어서 생명 자체를 귀히 여기는 마음을 비유로 이야기하신 겁니다.

이러한 이야기는 오늘날 한국에서도 통합니다. 우리나라는 외국에서 들어온 결혼 이민 여성들이나 외국인 노동자들과 더불어 다문화를 이루게 되었습니다. 그런데 상대적으로 빈곤한 나라에서 온 이들을 바라보는 우리들의 시선과 태도는 예수님 시대의 유대인들과 다르지 않은 것 같습니다. 누가 과연 이웃이냐, 누가 사랑하고 사랑을 받는 대상이냐, 착한 사마리아인 비유에 담긴 이런 질문을 우리는 마음속 깊이 새겨야 합니다. 착한 사마리아인 비유에서 고통을 겪고 있는 사람을 구한 사람은 누구였던가요? 계율만을 입에 올리는 제사장들, 귀족이었나요? 아니면 그동안 자신이 천대했던 사람인가요? 과연 내가 고통을 겪을 때, 누가 이웃으로 내 곁에 남아 있을까요? 다른 사람이 고통을 겪을 때, 우리는 그들에게 어떤 이웃이어야 할까요? 한번쯤 생각해보시기 바랍니다.

생물

살아서 움직이는 것을 본다는 것은
얼마나 행복한 일인가
천의 물결로 빛나는 강물이거나
천의 이파리가 흔들리는 수풀이거나

움직이고 있는 것은 모두 다 아름답다

살아서 소리 나는 것을 듣는다는 것은
얼마나 기쁜 일인가
천의 지저귀는 새소리거나
천의 갈래로 쏟아지는 빗소리거나

소리 나는 것은 모두 다 즐겁다

손으로 만지고 코로 냄새 맡고
그리고 이슬에 젖은 포도 알을 터뜨리는
여름 아침

살아서 어금니로 씹을 수 있는 것은
모두 다 행복하고 즐거운 일이다

# 21

## 예수님과 십자가

세계에서 가장 널리 알려지고 존경받는 인물을 꼽으라면 누굴 꼽겠습니까? 제아무리 노벨상을 받은 시인, 철학자, 과학자라고 해도 민족이나 국가, 성별, 나이를 초월해 남을 사랑하며 목숨을 바친 사람은 없습니다. 흔히 사대성인이라 하지만 그 가운데 자신의 목숨을 바치신 분은 오직 한 분입니다. 제가 미국의 조그만 교회에 갔을 때 일입니다. 그때는 기독교에 관심이 없을 때 남을 따라 건성으로 간 것입니다. 그 교회에서 한 영상을 보여주는데, 그 흔한 해설 하나 없이 투구를 쓴 로마 군사들이 망치를 들고 예수님을 십자가에 못 박고 있는 장면이었습니다.

아무리 기독교에 관심이 없는 사람이라도 예수님이 십자가에 못 박혀 돌아가셨다는 걸 모르는 사람이 어디 있어요? 그런데도 예수님의 몸에 못이 박히며 뼈가 부서지는 생생한 장면을 보자 그 충격은 말로 표현하기 어려울 정도였습니다. 그런데, 화면을 보던 앞자리 아이들이 갑자기 울기 시작하는 겁니다. 이 아이들은 제가 교회에 들어설 때부터 눈에 띄었어요. 요란하게 염색한 머리 모양이 하도 기기묘묘한 펑크족들이라 '어, 이런 애들도 교회에 나오나?', '누군가에게 억지로 끌려나온 거겠지' 하던 차였습니다.

머리엔 가시나무로 만든 관을 꾹 눌러 피가 흐르고, 엄청나게 무거운 나무 십자가를 매고 언덕을 걸어 올라가는데도 호된 채찍질이 계속되어 살점이 튑니다. 언덕 위에서 십자가 위에 양팔을 벌려놓고 못을 박는데, 못을 박히면서 뼈가 으스러지는 소리까지 생생하게 들립니다. 사람을 몇 십 명씩 잔인하게 살해한 범죄자도 실제 고통을 당하며 죽는 장면을 본다면 죄는 잊고 안된 마음이 드는 게 사람 마음인데, 아무 죄 없이 그런 끔찍한 고통을 겪다니, 그런 고통 속에서도 "저들을 용서하소서"라고 말하는 예수님을 보니 정말 참을 수 없는 눈물이 솟구쳤던 거죠.

## 무력하고 비참하게 죽은 한 청년

세상에 어떤 죄인이라도 이토록 처절하고 끔찍하게 죽은 사람은 아마 없을 겁니다. 그래서 예수님의 일생은 시인한테는 가장 시적이고, 재판관에게는 가장 정의롭고, 또 어머니한테는 가장 애통하며, 관객들엔 어느 드라마보다 더 드라마틱하지요. 그래서 예수님의 생애를 소재로 삼은 예술 작품들이 정말 많습니다. 아름다운 그림, 조각상, 뮤지컬, 소설이 많지만 가끔 그것들이 예수님을 우리에게 정말 제대로 알려주고 있을까 하는 생각이 들 때도 많습니다. 십자가에 못 박히실 때도 그랬지만 부활해 승천하시고 난 뒤에도 줄곧 오해와 왜곡 속에서 살아오신 분입니다. 예수님 이름으로 무엇을 할 때마다 '얘야, 그게 아니다. 진실로 진실로 너에게 이르노니 그 뜻이 아니란다' 라는 소리가 들려올 것 같습니다. 예수님을 안다고 하면서도 사실 제대로 알지 못하는 사람들이 많지 않을까 생각하기도 하고요.

이런 사람들은 성경 속에 나오는 마르다 같은 사람들이지요. 마르다는 예수님을 기쁘게 해주고, 예수님을 영접하는 것을 큰 기쁨으로 생각했습니다. 그래서 예수님이 올 때면 늘 맛있는 음식, 편한 자리를 준비하느라 분주하지요. 반면 마르다의 동생 마리아는 언니가 바쁘거나 말거나 예수님 곁에 달라붙어 자꾸 이야기만 조릅니다. 이 둘 중에 누가 정말 예수님을 기쁘게 해드렸을까요? 예수님의 말씀을 듣기 위해서 말이지요. 참 그렇군요. 여기에서도 빵과 하나님의 말씀이 둔주곡처럼 반복되고 있어요.

정답은 마리아입니다. 예수님을 기쁘게 해드리는 것은 빵이 아니라 오로지 예수님의 말씀을 잘 듣고 받아들이는 거니까요. 사실 저도 그랬거든요. 교단에 있을 때 수줍게 꽃을 갖다놓는 학생도 있었고, '선생님, 존경해요' 하면서 직접 만든 카드를 서랍에 넣어두는 학생도 있었습니다. 물론 고맙고 기특했지만 제일 고마운 학생은 내

강의를 열심히 들어주는 학생이었습니다. 가르칠 때는 딴전 피우다가 수업만 끝나면 "선생님" 하며 쫓아와 "선생님, 넥타이 참 멋있네요" 할 때는 맥이 탁 풀렸죠.

사실 객관적으로 예수님의 삶을 보면 뭐 대단한 게 있습니까? 큰 권력이나 재산이 있었나요? 훌륭한 자식을 두었나요? 아무 가진 것 없이 무력하고 비참하게 죽은 시골 청년일 뿐이잖아요? 그런데, 그런 사람을 이렇게 많은 사람들이 2천 년 넘게 기억하고 사랑한다는 게 말이 됩니까? 어릴 때 영웅이던 동네 씨름 잘하던 아저씨도, 천하제일 미모라는 미스 유니버스도 20년만 지나도 달라지고 잊혀지는데, 예수님은 2천 년이라는 긴 시간 동안 한결같습니다.

하지만 기독교가 전 세계에 퍼져 있는 지금도 계속 오해받고 박해받고 있는 것이 예수님이십니다. 사람이 어떻게 죽었다가 다시 살아날 수 있느냐는 거예요. 그러니 예수님은 얼마나 외로울까요? "내가 십자가에서 너희를 위해 피를 흘리며 모든 것을 다 바쳐 너희 죄를 대속해주었는데…… 내가 부활해서 다시 나타나서, 너희들에게 증거를 보이고 인간의 역사에 딱 한 번밖에 없는 일을 행했는데…… 그런데도 못 믿느냐? 그 후로 몇 천 년이 지났는데도 여전히 못 믿고 있구나." 그러시면서 얼마나 가슴이 아프실까 생각하곤 합니다.

## 죄 없는 순결한 죽음

저도 아무 잘못 없이 억울한 일을 당한 적이 많았습니다. 우리나라에 처음 문화부가 생겨 제가 장관이 되었을 때, 이것만은 나라를 위해서 하고 가야지 하면서 밤잠까지 설쳐가면서 열심히 일했습니다. 밤에 자다가도 뭔가 생각이 떠오르면 벌떡 일어나 써놓고 다음날 아침 실무자들을 불러놓고 "우리 이런 거 해보자"고 했지요. 저는 나라의 행정을 맡고 있는 공무원 사회가 경직되어 있는 것이 싫었어요. 그래서 명조체로 획일화된 글씨체도 안상수체로 바꾸고, 엄숙한 중앙청에 바람개비를 돌리고, 새천년준비위원회 시절에는 '천년의 문'을 기획했지요.

하지만 사람들은 제 뜻을 몰라줬습니다. 이벤트 장관이라는 둥 계획만 요란하다는 둥 난리를 쳤습니다. 뭘 잘못해서 이런 모진 말을 들어야 하나 화도 나고 당장 때려치우고 싶을 때가 한두 번이 아니었습니다. 그러다가도 '아니야, 이게 옳은 일이면 해야 돼' 하고 참은 게 한두 번이 아닌데 그럴 때마다 예수님을 생각했습니다. 나보다 백 배 천배나 억울하셨을 텐데도 아무 말 없이 참고 계셨거든요.

'천년의 문'은 쓰레기 매립지였던 상암동 난지도에 10년에 하나씩 문을 세운다는 계획이었습니다. 문의 양 기둥은, 한쪽은 산업박물관, 한쪽은 문화박물관으로 꾸며 그동안의 역사적 기념물들을 소장하도록 계획했죠. 10년에 하나씩이면 백 년 후에는 우리 자손들이 열 개의 박물관을 가질 수 있도록 하자는 것이 기본 발상이었어요.

박물관이란 과거의 것을 전시하고 보존하는 것이지만 저는 거꾸로 백 년 후 미래를 집어넣은 박물관을 만들려고 한 겁니다.

할아버지가 한 것을 아들이 이어받아 하고, 아들이 한 것을 다시 손자가 받아서 멋진 '천년의 문'을 완성하는 것이지요. 그러면 백 년 후면 한국은 어느 나라 어느 민족에게도 없는 미래박물관을 가진 나라가 될 거라고 생각했습니다. 당장은 돈이 없어 한꺼번에 지을 수 없지만 십 년마다 나눠 짓는 것이니 백 년 후에는 세계에 자랑하는 유산이 될 것이라고 생각했습니다. 우리 후손들이 열 개의 문을 지나는 것만으로 할아버지가 살던 시대, 아버지가 살던 시대, 그리고 자신들이 살고 있는 시대를 마치 시간 여행을 하듯 누릴 수 있도록 이요. 그러면 우리 후손들은 이렇게 이야기하겠지요? "천 년을 기준으로 세워졌으니까 시작은 할아버지가 했지만 우리도 백 년 후에 올 사람들을 위해 뭔가를 하자. 그것은 꼭 문이어야 하는 것이 아니고 어떤 형태로든 이어지게 하자. 오늘의 문 하나를 세워 천 년까지 이어지게 하자."

하지만 새 천 년이 시작되면서 천년의 문을 하자고 하니까 IMF 때문에 돈도 없는데 왜 밑 빠진 독이 될 계획에 예산을 낭비하느냐며 반대들을 했습니다. 결국 이 계획은 무산되고 말았는데, 우리가 소중히 기억할 수 있는 백 년을 잃어버렸다는 것 때문에 가슴이 얼마나 찢어지게 아팠는지 모릅니다. 그때 내가 십자가에 못 박힐 생각으로 몸을 던졌더라면 월드컵 4강 때의 함성과 기쁨이 고스란히 첫 번째 문에 담겼을 것이고, 지금쯤 두 번째 문이 세워졌을 겁니다.

거기엔 세상을 떠난 백남준, 우리가 만든 반도체, 한류 스타들의 이름이 들어가 있었겠지요.

그러나 난 그 작은 일에도 몸을 던지지 못했습니다. 반대해서 못한 게 아니라 제 뜻이 모자랐던 거죠. 예수님의 억만 분의 일만큼의 용기만 있었더라도 할 수 있었을 텐데, 저는 억울하다고 하면서 포기했습니다. 예수님께 감히 비길 수는 없지만, 전 이런 일들을 통해서 예수님의 마음을 조금이라도 짐작해보려고 했습니다. 바리새인들과 당당히 맞서 그들의 잘못을 설득하고 비어 있는 것을 채워주고 때로는 질풍노도와도 같은 힘으로 굴복시키기도 했습니다.

## 십자가와 합쳐진 예수님

예수님은 그냥 한 인간으로 봐도 멋있는 분이고, 우리들에게 용기를 주시는 분입니다. 러시아의 대문호 도스토옙스키Dostoevskii (1821~1881)가 예수님을 인간의 모습으로 그려낸 것이 『백치』라는 소설의 주인공 무이시킨 백작입니다. 그런데 이것 역시 예수님을 오해한 거라고 생각합니다. 작가가 작품의 주인공을 통해 그려낸 예수님은 바보, 백치인 것처럼 행동해요. 무이시킨은 그것이 사기인 줄 뻔히 알면서도 그 사람이 무안할까 봐, 실망할까 봐 가짜 위조품을 사주고, 사람들은 그런 그를 바보로 봅니다. 우리 화가 김병종 씨의 그림 가운데도 '바보 예수'라는 그림이 있습니다. 예수님을 세속적인 눈으로 보면 바보죠. 그런데 무이시킨 백작과 다른 점이 하나 있어요. 분노하는 예수님입니다. 율법학자, 바리새인 가운데 겉으로만 하나님을 따르는 자들을 가차 없이 꾸짖으셨거든요.

어느 영화감독은 예수님께서 십자가에 달려 "엘리 엘리 라마 사박다니(나의 하나님 나의 하나님 어찌하여 나를 버리셨나이까)" (마가복음 15:34)라고 외치는 장면을 어느 전위예술가는 말로 표현하지 않고 엄청나게 요란한 사이렌 소리로 표현했습니다. 어처구니없는 장면처럼 보이지만, 그런 면으로는 그것도 맞지 않을까 하는 생각이 듭니다. 예수님의 외침은 사람들을 위한 경고의 사이렌 소리이자 구급차의 소리, 혹은 소방차의 경적 소리로 들렸을 것입니다. 이 모든 것이 합쳐진 소리니 얼마나 크겠어요. 한번 울리고 사라지는 소리가 아닌 영원의 소리인 것이지요. 그것이 바로 예수님이 남기신 소리인 겁니다.

예수님이 신의 아들이라고 믿고 따랐던 사람 가운데는 이 장면에서 뭔가 이적이 일어나지 않을까 기대한 사람들이 많았을 것입니다. 아마도 예수님을 지상의 왕으로 세우려던 사람들은 예수님이 마지막으로 숨을 거두는 순간에조차 아무런 기적이 일어나지 않는 것을 보고 모두 뿔뿔이 흩어진 것을 보아도 알 수 있지요. 예수를 판 유다의 자살도 그런 사람들 가운데 하나일지 모릅니다. 심지어 무덤을 찾아간 마리아도 부활을 믿어서가 아니라, 돌아가신 예수님이 측은하였기 때문에 그리한 것입니다. 사랑이지 믿음이 아니었습니다.

사람들은 예수님이 전지전능한 하나님의 아들이라면 땅과 하늘이 갈라지고 불꽃이 지상을 덮는 엄청난, 이른바 쓰나미와 같은 천

재지변이 일어날 거라고 생각했겠죠. 하지만 숨을 거두는 순간까지 예수님은 완전한 인간의 모습이었습니다.

한마디로 십자가를 형틀로만 보았기 때문입니다. 지상의 법에 의하면 분명 십자가는 죄인의 형틀이지만 천상의 법에 의하면 부활의 상징물입니다. 예수님은 교회의 상징이고, 교회의 상징 하면 십자가를 빼놓을 수 없습니다. 인간 예수는 십자가와 합쳐지면서 비로소 신이 됩니다. 외국에 나갔다가 밤에 비행기를 타고 한국에 도착해서 내려다보면 어두운 공항 도시에 불을 켠 십자가들이 가득합니다. 그래서 안 믿는 사람들은 서울이 온통 공동묘지로 보인다고 비아냥을 하기도 합니다. 십자가를 객관적으로 정의하면 옛 로마 시대의 사형틀입니다. 예수님이 돌아가시기 전에도 십자가 형벌은 있었지요. 하지만 예수님이 인류의 죄를 속죄하기 위해 돌아가신 후부터 기독교의 상징이 되었습니다.

그러나 예수님이 돌아가시기 전부터 형틀이 있었던 것처럼 애초부터 십자가가 기독교의 상징이었던 것은 아닙니다. 교회가 있기 전부터 세계에는 어느 나라든 십자가 형태가 있었습니다. 동그란 원의 양 끝에 가로로 줄을 하나 그어봐요. 그리고 이 직선을 지나가는 수직선을 그어보세요. 십자가가 되지요? 기독교의 초기 십자가는 이렇게 둥근 모양이었습니다. 이른바 수레바퀴 십자가라고 하는데, 십자가 그려진 그 동그라미를 조금 돌려서 또 다른 십자를 그어나가면 수레바퀴의 살처럼 되기 때문입니다. 불교에서 쓰는 만卍 자도 십자가 끝을 구부린 모양이고요, 십자가를 동그랗게 말면 태극기가 됩니다.

## 세상에서 딱 한 번만 일어난 일

이렇게 세계에는 십자가를 변형한 형태가 아주 많습니다. 세어보지는 않았지만 아마 수백 개는 될 것입니다. 많은 분들이 십자가는 다 똑같은 줄 아는데, 같은 기독교라도 모양이 다른 종류가 엄청나게 많습니다. 희랍에서 쓰는 그리스 십자가하고 라틴 십자가가 어떻게 다른지 아세요? 기독교인들도 잘 모를 겁니다. 그리스 십자가는 축이 되는 가로선을 세로선이 정확하게 중간을 지나갑니다. 한자의 열 '십十' 자같이 생겼죠. 그런데 라틴 십자가는 위에 있는 가로선이 세로선의 위쪽을 지나갑니다. 사람이 양팔을 펼친 모양과 비슷해서 형틀은 이것과 더 비슷한 모양이지요. 이 외에도 러시아 십자가는 세로선은 하나인데, 가로선이 두 개입니다. 이 가로선들이 직선이 아니라 사선인 경우도 있지요. 또 다른 곳의 십자가는 위의 머리가 없는 T 자로 되어 있는 것도 있습니다.

라틴형의 십자가 모양이 크리스천들의 상징이 된 것은 훨씬 뒤의 이야기인데, 한때는 십자 모양 뒤에 둥글게 후광이 둘러쳐져 있는 모습이었던 때도 있습니다. 그리고 예수님이 십자가 위에 놓인 것이 아니라 그 아래에 있었습니다. 이것이 라틴이나 비잔틴 계통의 예술에 영향을 줘서 십자가를 그리더라도 그 위에 못 박히신 예수님을 직접 그리지 않는 경우가 참 많았습니다. 예수님의 죽음과는 상관없이 십자가형은 여러 가지 사형 방법 중에서도 잔인하고 끔찍해서 예술가들 스스로 십자가에 못 박힌 예수님을 표현하는 것을 주저했던 것도 한 이유겠죠.

그렇잖아요? 예수님은 죄인도 아니었는데요. 그런데도 죄인으로 몰려 불명예스럽게 돌아가신 겁니다. 옛날 우리나라 사형법 중에 죄인의 목을 베어 그 목을 장대에 매달아 저잣거리에 전시하는 효수형梟首刑이 있었습니다. 그런데 매달린 사람이 예수님 같은 성자聖者라고 해봅시다. 예수님을 상징하기 위해 그 장대를 쓴다고 생각하면 좀 그렇겠지요? 그런데, 어떻게 기독교에서는 십자가를 예수님의 상징으로 쓰게 되었을까? 이것을 알아보기 위해 원래 십자가의 의미를 생각해볼 필요가 있습니다.

원래 십자 모양을 생각해보십시오. 가로선과 세로선이 수직으로 만납니다. 수직으로 지나는 선과 수평으로 지나는 선, 그 둘이 만난다는 것이 의미심장합니다. 세상 모든 것은 대칭적 관계로 이루어져 있습니다. 이 두 가지가 함께 나타나는 경우는 없어요. 삶과 죽음이 그렇고, 낮과 밤이 그렇고, 해와 달이 그렇듯이요. 하지만 십자가가 하나로 만나는 점은 어떨까요? 그것은 비록 점이지만 그 부분은 수직선과 수평선을 동시에 포함하고 있습니다. 인간의 언어와 다른 신성한 하늘의 언어입니다. 바로 그 점에 신이 존재하는 겁니다.

다른 방향으로도 한번 생각해볼까요? 십자가에 달리신 예수님은 하늘, 즉 신의 아들일까요? 아니면 땅, 즉 인간의 아들일까요? 답을 말하자면 하늘의 아들이기도 하고, 땅의 아들이기도 합니다. 그래서 예수님을 신이 인간의 몸으로 나타난 것, 곧 성육, 인카네이션incarnation이라고 부릅니다. 신이면서 인간의 육신을 가졌다는 뜻이지요.

하나님은 육신이 없습니다. 영으로 존재하죠. 그런데 십자가에 달리시기 전의 예수님은 어떤 존재였을까요? 아까도 말한 것처럼 인간이었습니다. 인간이었던 예수님이 부활을 통해 신이 되었습니다.

그렇다면 인간과 부활의 접점에는 무엇이 있습니까? 바로 죽음, 십자가가 있는 겁니다. 그것이 바로 신과 인간의 접점인 것이죠. 예수님이 창에 찔리고 못 박히시면서 피를 흘리며 비통하게 외칩니다. "엘리 엘리 라마 사박다니." 그 순간까지 예수님은 인간의 육신을 가진 한 사람입니다. 하지만 십자가 위에서 신 포도주를 받으신 후 "모든 것을 다 이루었다" 하고 평온한 모습으로 죽으십니다. 바로 그 접점을 지나는 것입니다. 그것을 보고 구경꾼들은 물론이고 제자들까지도 예수님은 우리를 구원하러 온 신이 아니다, 그도 인간처럼 죽었다고 다 흩어져버립니다. 거기까지가 육신의 몸으로 태어나신 하나님입니다.

그런데 부활해서 다시 나타나시니 제자들이 놀랄 수밖에요. 죽었는데 다시 살아난 것, 이러한 모순은 도저히 인간의 지성으로 이해할 수 없는 사건입니다. 하지만 그런 사건이 이 지구상에서 딱 한 번 일어났던 겁니다. 이해할 수 있는 세계와 이해할 수 없는 세계의 마주침, 그게 십자가에서 이루어졌습니다. 이 접점에는 아무나 서는 게 아니지요. 수직이면서 수평, 인간이면서 신, 땅이면서 하늘인 이 지점은 갈등의 극단입니다. 서로 다른 방향을 향해 끝없이 뻗어나가는 수직선과 수평선은 오로지 딱 한 번 만날 뿐입니다. 그것처럼 지구상에서 딱 한 번만 일어나는 일, 그것이 바로 예수님의 부활이었던 것입니다. 이게 정말 십자가의 의미이지요.

## 기독교의 마지막 상징

부활은 인간의 능력으로는 이해할 수 없는 사건이라고 했습니다. 그런데도 사람들은 자꾸 증명하려고 합니다. 그래서 하나님은 십자가의 비극을 보인 겁니다. 인간은 인간의 힘으로 영생을 얻을 수 있고, 사랑을 할 수 있고, 행복할 수도 있다고 믿습니다. 권력 · 돈으로 못할 게 없다고 생각합니다. 이것이 인간의 오만입니다. 하나님은 십자가를 통해 그것을 일깨우려 한 것입니다. 십자가를 보고 자신의 한계, 인간의 한계를 깨닫게 되면 그 사람은 자기만의 십자가를 짊어지게 됩니다. 그게 사람에 따라 빠를 수도, 늦을 수도 있는 거지요. 저는 인생의 막판에 십자가의 의미를 알려고 하는 사람입니다.

십자가는 궁극적으로 기독교의 마지막 상징이며, 수직 · 수평이 모순으로 만나는 한 번밖에 일어나지 않는 그 접점, 시간과 공간의 만남을 의미합니다. 그걸 이해하지 못하면 우리가 찾으려는 십자가의 의미는 미로 속으로 숨어버립니다. 지금까지 제가 생각해온 십자가 이야기를 해봤습니다. 솔직히 고백하면, 전 아직 십자가를 짊어질 자격이 없는 것 같습니다. 예수님의 사랑과 용서를 아직도 이해하지 못하기 때문입니다. 물론 우리가 예수님처럼 하는 건 어렵겠지요.

예수님은 십자가에 못 박히는 순간까지 자신을 조롱하고 비꼬며 돌을 던지던 사람들, 마지막 길에 포도주를 달라고 하셨을 때 신 포도주를 준 사람들, 심지어 예수님의 옷을 제가 갖겠다고 싸우다가 엉망으로 찢는 사람들을 내려다보시면서도 "아버지 저들을 사하여 주옵소서 자기들이 하는 것을 알지 못함이니이다"(누가복음 23:34) 하십니다. 하나님을 믿고 예수님을 따르는 크리스천이라면 이 경지에 이르러야 되는데 우리는 분노만 하지, 용서는 어려워합니다. 그 죄인들을 모아서 한 대씩 때려줘도 시원찮을 텐데, 그걸 용서하라고요? 전 도저히 할 수 없을 것 같습니다. 그래서 아직 자격이 없다는 거지요. 주기도문을 욀 때마다 "우리가 우리에게 죄지은 자를 사하여준 것같이 우리 죄를 사하여주옵시고……" 하는 대목에서 매번 걸립니다. 우리 주변에는 도저히 용서 못할 사람들이 많잖아요. 저도 웬만한 건 잊고 살려고 하는데도 도저히 용서 못할 사람이 몇 명은 있거든요. 그런 사람을 아직 용서할 수 없으니 저는 아직 멀었습니다.

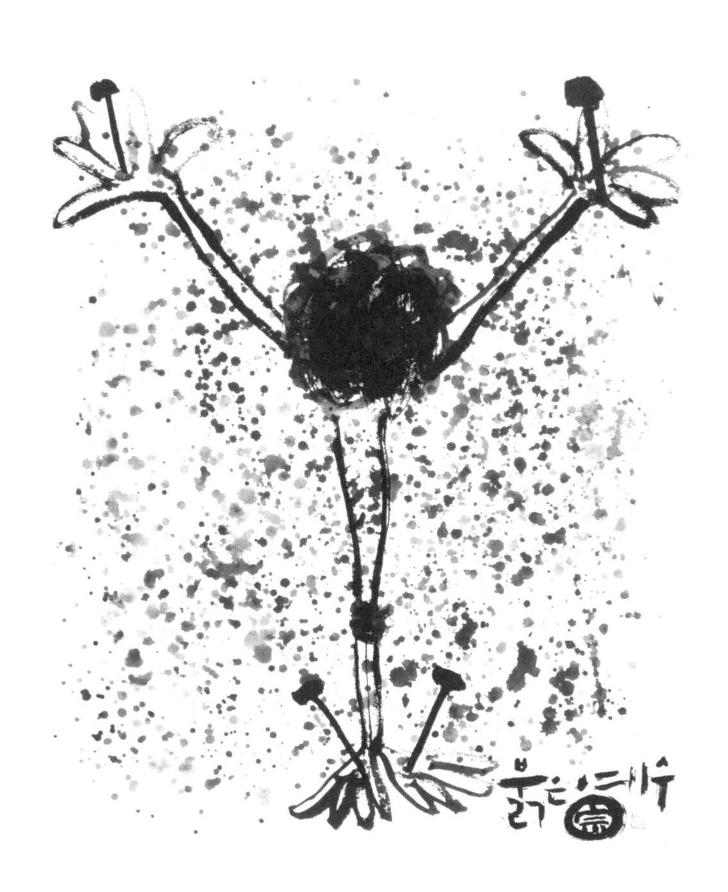
宗

## 십자가

세상에는 많은 십자가 모양이 있다.
창문 살에도 있고
거리마다 길이 교차되는
십자로에도 있다.
척추를 세우고 양팔을 벌려도
당장 십자가 모양을 만들 수 있다.

세상에는 많은 십자가가 있지만
우리가 찾는 것은 오직 하나만의 십자가
계절의 비바람으로도 어찌할 수 없는
도시의 먼지, 소음으로도 어찌할 수 없는
그러나 하나의 십자가가 있다.

피 묻은 형틀이, 태양이 다시 솟아오르듯
빛으로 살아나 어둠을 불사르는
오직 하나밖에 없는 십자가가 있다.
땅과 하늘이 만나는 자리
생명의 싹이 움트는 이 세상 십자가는
단 하나밖에 없다.

## 책 뒤에 붙이는 남은 말

밥이나 떡은 알아도 빵과 케이크가 무엇인지 몰랐던 사람, 학은 알아도 비둘기는 모르고 소리개는 봤어도 독수리는 말로만 들었던 사람, 염소와 소를 쳐본 적은 있으나 양을 몰고 낙타를 타본 적은 없는 사람, 진달래, 찔레꽃은 좋아해도 백합과 장미 향기는 맡아본 적이 없는 사람, 보리밭, 콩밭에서 일해본 적은 있어도 포도원, 올리브 동산에서 땀 흘린 적은 없는 사람, 험한 산에서 길을 잃었어도 광야를 헤매면서 목타본 적은 없는 사람, 정화수 떠놓고 빈 적은 있지만 피 흐르는 번제를 드린 일은 없는 사람.

이렇게 생활과 문화 코드가 다른 사람들이 성경을 읽는다면 어떻게 될까. 그 생각을 적은 것이 바로 이 작은 책입니다.

우리는 수많은 외국 작가, 시인들의 글을 번역본으로 읽었지만,

디테일은 몰라도 그 감동의 기저음은 똑같이 우리 가슴을 울렸습니다. 언어와 문화 코드는 달라도 시와 소설은 과학적 분석과는 다른 독특한 시학의 방법에 따라서 뜻도 이미지도 공유할 수 있었던 것이지요. 유감스럽게도 새롭게 개역을 하고 문어체를 구어체로 고쳐봐도 성경은 시와 소설처럼 그냥 읽기는 힘이 듭니다. 그냥 힘이 드는 것이 아니라 오해와 왜곡을 범하기 쉽습니다.

근대화와 함께 밥과 빵이, 떡과 케이크가 서로 뒤바뀌는 문명의 상황 속에서 살아온 우리지만 아직도 빵을 떡으로 생각하는 사람에게는 서양도 성경도 신기루처럼 환상이 되기 쉽습니다. 그래서 용기를 낸 것이지요. 빵은 떡이 아니다. 학은 비둘기가 아니고 들에 핀 백합은 산골짜기에 핀 진달래가 아니다. 디테일을 넘어서 눈에 보이는 대상물들을 뛰어넘어야 눈에 보이지 않는 하나님을 보고 그 말씀을 들을 수 있다. 그래서 시와 소설 작품을 평할 때처럼 성경을 문학평론 혹은 문화 비평의 텍스트로 읽으면서 예수님의 몸corpus을 언어학에서 말하는 코퍼스(자료체)로 분석해봤던 것입니다. 그것도 누구나 읽어도 쉽게 알 수 있도록 학문 용어나 그 시스템을 빌리지 않고 그냥 일상생활의 차원에서 말입니다. 레벨로 체재로 쉽게 말입니다. 몸을 뜻하는 신체身體란 말이 어떤 공동체共同體나 조직체組織體의 체體로 변하고 그것이 더 큰 사회나 국가의 체재體裁의 뜻으로 변하기도 합니다. 이미 수신제가치국평천하修身齊家治國平天下의 맹자에서 그 과정을 보아왔던 그대로입니다. 몸이 집이 되고 그것이 나라로 변해 우주 전체의 천하가 되었던 거죠. 그리고 격물치지格物致

知의 방법을 통해 구체적인 빵을 통해서(격물) 추상적인 예수님의 성체聖體로 이르고, 그것이 다시 지상에서 하늘로 향한 영체靈體가 되어 하나님의 '말씀logos'과 접속되는 과정을 읽을 수가 있습니다. 그러한 방법으로 성경을 읽는 것을 성경 시학bible poetics이라고 한 것이지요.

그래서 신학을 모르는 사람이 시학으로 성경을 읽으면 어떻게 되는지를 이야기하고 싶어서 세례를 받자마자 아직 교회의 문 안에 깊이 들어가기 전, 반은 무신론자의 문지방 밖으로 내놓은 상태로 CTS 방송을 통해 '빵만으로는 살 수 없다'를 방영하였던 것입니다.

그렇기 때문에 이 책은 정통적인 성경 풀이와 어긋나는 부분이 많을 것으로 압니다. 무엇보다도 한국 성경의 거의 모두가 빵을 떡으로 번역한 것이어서 걱정스럽기도 합니다. 하지만 새로운 질문과 그 해법을 또 다른 시점에서 풀 수 있을 것이라고 기대가 가기도 합니다. 이를테면 성경에서 빵이란 말은 가지나 이파리가 아니라 뿌리의 구실을 하고 있기 때문에 그것을 중심으로 모든 비유와 이미지를 조명해보았던 것입니다. 가령 빵의 성경 코드를 좇다가보면 의외의 모순과 해법을 동시에 발견할 수 있게 됩니다. 창세기에서는 인간이 에덴동산에서 추방되었을 때 여호와 하나님께서 아담이 지은 죄로 밭을 가는 노고의 땀을 흘리지 않고서는 '빵'을 구할 수 없다고 하십니다. 그러나 신약에서 예수님은 공중의 나는 새, 들의 백합에서 인간은 스스로 먹을 것을 구하려고 걱정 근심하지 않아도 하나님의 섭리로 살아갈 수 있다는 것을 말합니다. 창세기에서는 스스로 고생하지 않고, 자기가 먹을 것을 걱정하지 않고서는 살아갈 수 없습니다. 원죄에 대한 벌이었던 것이지요. 예수님의 말씀대로 한다면 이미 인간은 하나님에게 용서를 받은 것이 됩니다. 구약과 신약의 모순은 모순이 아니라 예수님이 우리에게 임하였기에 그 모순이 드러나면서 풀리는 이치를 설명하고 있습니다.

다음에는 방송 미디어로는 커버할 수 없었던 부분을 다시 본격적으로 다룬 나의 '성경 독서 고백' 을 여러분들과 나눌 기회를 가져보려고 합니다. 이 책을 끝까지 읽어주신 모든 분들에게 감사의 뜻을 전합니다.

이어령

빵만으로는 살 수 없다

초판 1쇄 인쇄 2011년 12월 12일
초판 1쇄 발행 2011년 12월 20일

지은이 이어령
펴낸이 정중모
펴낸곳 도서출판 열림원

진행 서승옥 | 편집장 김도언 | 책임편집 이성근 | 디자인 주수현 | 제작 윤준수
홍보 장혜원 | 마케팅 남기성 | 관리 박정성 김은성 조범수

등록 1980년 5월 19일(제406-2003-026호)
주소 서울시 마포구 잔다리로 2길 7-0
전화 02-3144-3700 | 팩스 02-3144-0775
홈페이지 www.yolimwon.com | 이메일 editor@yolimwon.com
트위터 twitter.com/Yolimwon



ISBN 978-89-7063-717-4 03230

* 책값은 뒤표지에 있습니다.